Marie-Josée

En témoignage de mon admiration
et de mon affection.
Sincèrement Lisette.

juin 2002.

ATLAS
PRATIQUE DES PLANTES D'INTÉRIEUR

Edité par :
Editions Glénat

Services éditoriaux et commerciaux :
Éditions Glénat – 31-33, rue Ernest Renan
92130 Issy-Les-Moulineaux

Cet ouvrage est une édition partielle
du « Grand livre des plantes d'intérieur » publiée par les Éditions Atlas

Maquette de couverture : Les Quatre Lunes
Photos : IGDA et Digital Stock

Imprimé en C.E.E.
Achevé d'imprimer : octobre 2001
Dépôt légal : octobre 2001
ISBN : 2.7234.3261.0

ATLAS PRATIQUE DES PLANTES D'INTÉRIEUR

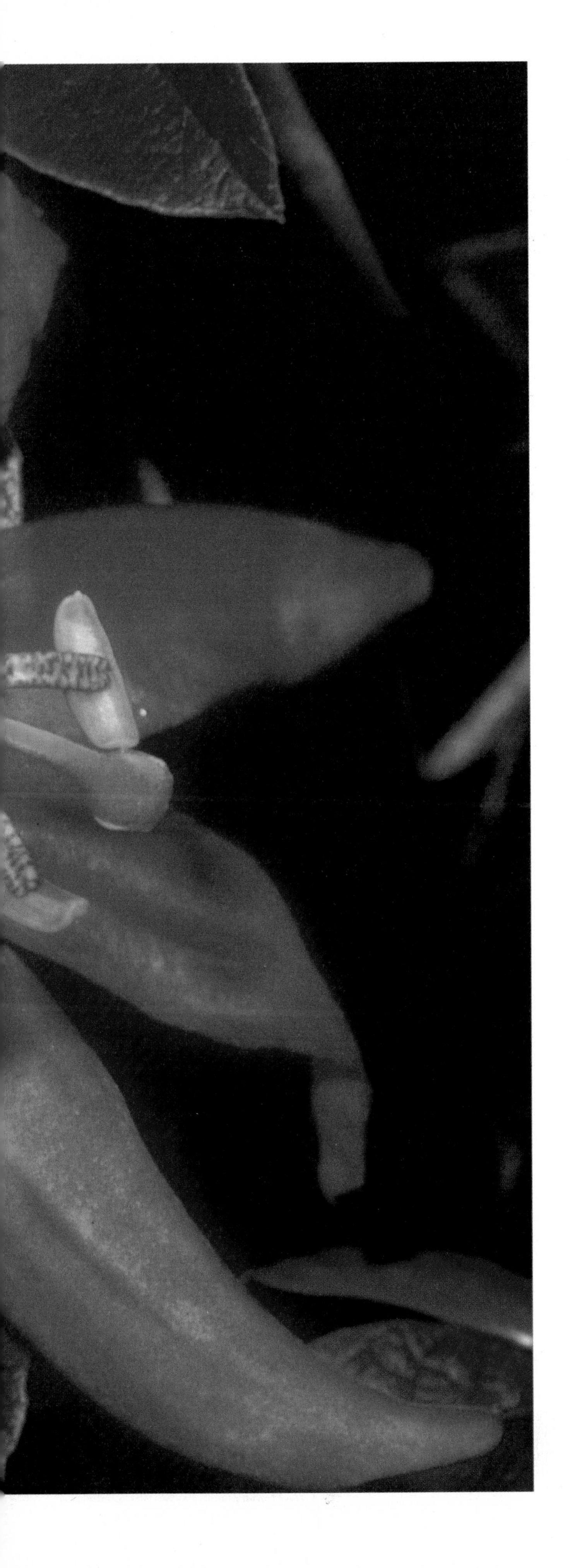

Sommaire

Conseils pratiques

Plantes abîmées

Vous vous apercevrez à un moment donné, même si vous en ignorez la cause, que votre plante favorite a des feuilles flétries ou infestées de parasites. Ne désespérez pas, identifiez le mal dont elle souffre en vous aidant du schéma ci-dessous. Les symptômes reconnus, recherchez les causes et en suivant les suggestions proposées, résolvez le problème. Si vous comprenez rapidement de quoi il s'agit, vous pourrez soigner efficacement votre plante malade.

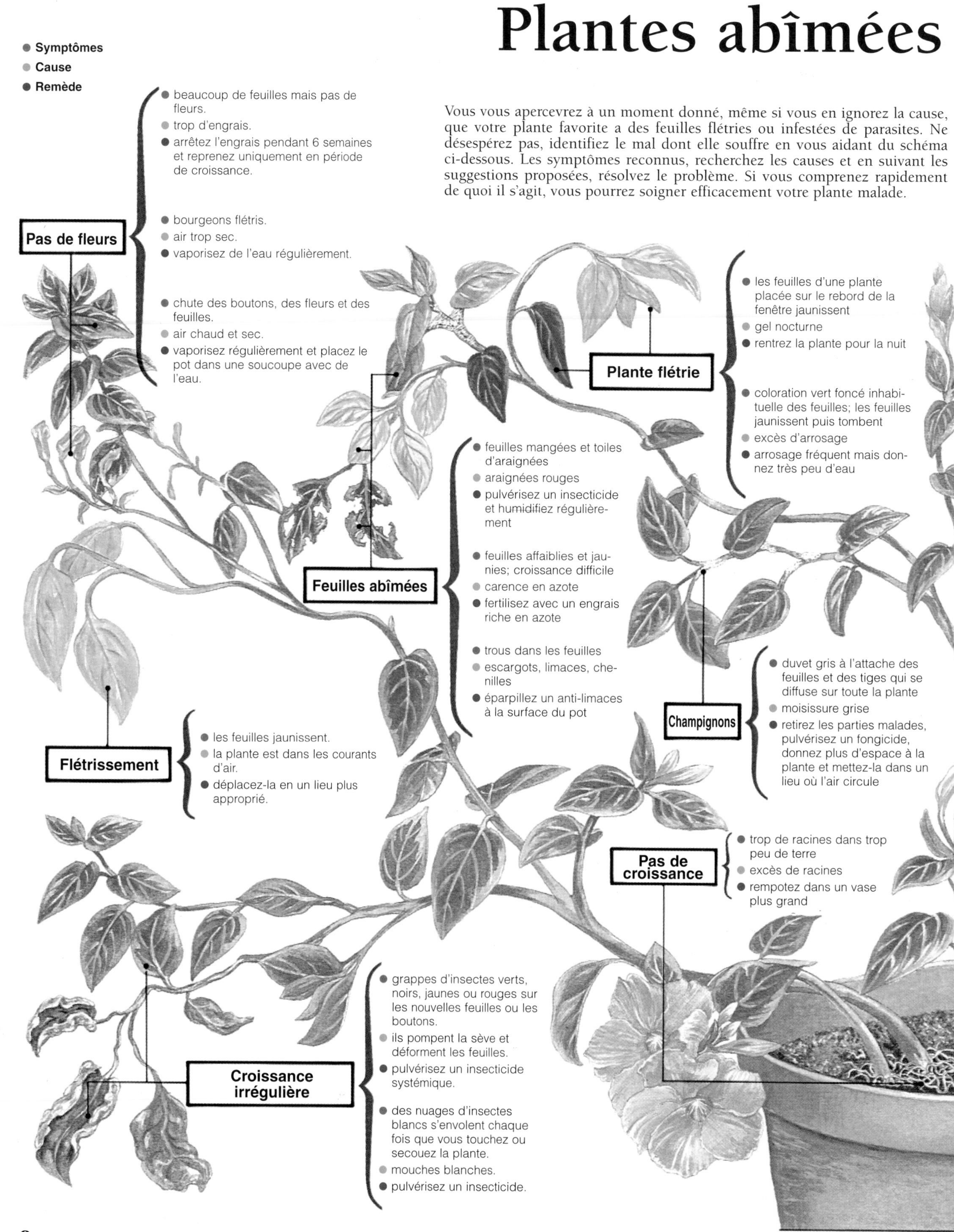

causes et remèdes

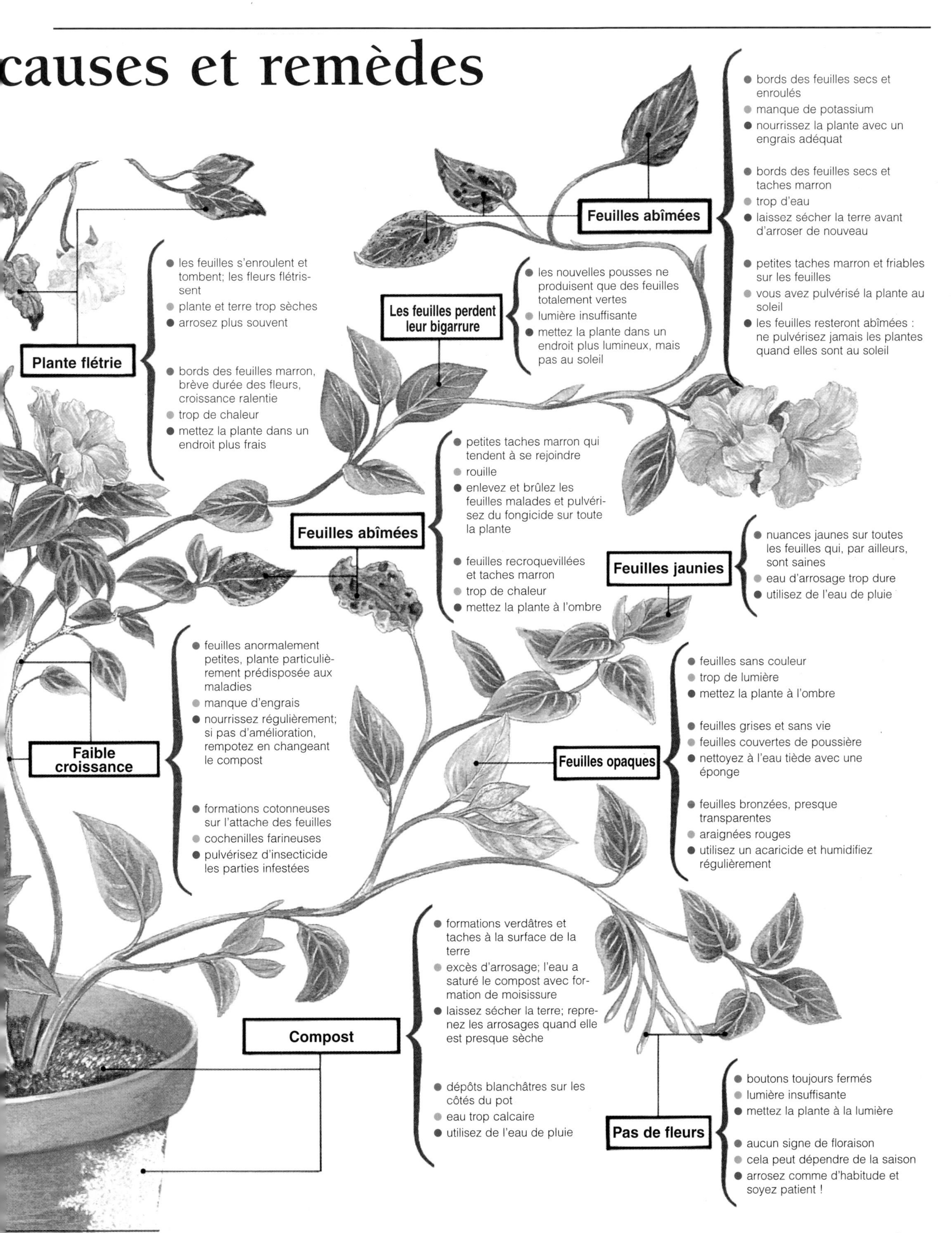

Quel besoin en eau?

L'arrosage est certainement l'opération qui pose le plus de problèmes. En soi, c'est une opération simple, mais il faut une certaine expérience pour évaluer les besoins en eau de chaque plante et le meilleur moment pour arroser. Il faut, en outre, tenir compte de la température et de la saison. La plupart des plantes meurent d'excès d'eau et non d'insuffisance. Le compost saturé d'eau prive les racines d'oxygène et l'eau froide stagnante favorise le pourrissement.

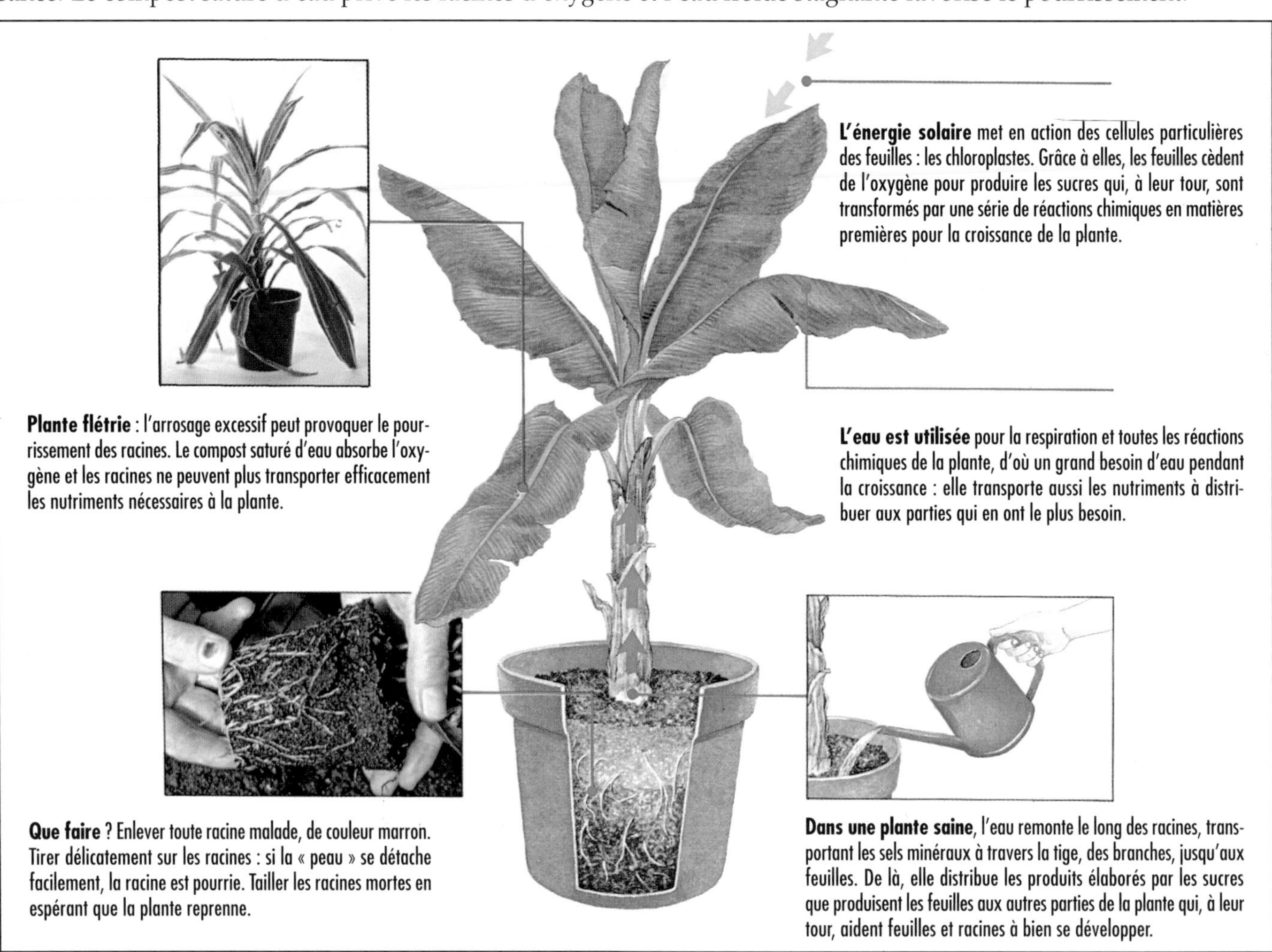

L'énergie solaire met en action des cellules particulières des feuilles : les chloroplastes. Grâce à elles, les feuilles cèdent de l'oxygène pour produire les sucres qui, à leur tour, sont transformés par une série de réactions chimiques en matières premières pour la croissance de la plante.

Plante flétrie : l'arrosage excessif peut provoquer le pourrissement des racines. Le compost saturé d'eau absorbe l'oxygène et les racines ne peuvent plus transporter efficacement les nutriments nécessaires à la plante.

L'eau est utilisée pour la respiration et toutes les réactions chimiques de la plante, d'où un grand besoin d'eau pendant la croissance : elle transporte aussi les nutriments à distribuer aux parties qui en ont le plus besoin.

Que faire ? Enlever toute racine malade, de couleur marron. Tirer délicatement sur les racines : si la « peau » se détache facilement, la racine est pourrie. Tailler les racines mortes en espérant que la plante reprenne.

Dans une plante saine, l'eau remonte le long des racines, transportant les sels minéraux à travers la tige, des branches, jusqu'aux feuilles. De là, elle distribue les produits élaborés par les sucres que produisent les feuilles aux autres parties de la plante qui, à leur tour, aident feuilles et racines à bien se développer.

Durant vos absences, vous pouvez opter pour des bacs à réserve d'eau composés de deux récipients : l'un, plus petit, dans un autre plus grand et plein d'eau (1). L'eau est transmise à la plante par une valve (2) et rejoint la surface le long d'un tube (3).

Pour l'arrosage, il faut retenir quelques règles simples : beaucoup d'eau pendant la croissance, ce qui est le cas en général au printemps et en été quand la plante a des boutons, puis fleurit. Peu d'eau, en revanche, en automne et en hiver, quand la température descend : la plupart des plantes sont au repos. Mais si vos plantes sont dans une pièce très chaude, arrosez souvent.

Une plante dont les racines occupent tout le pot a besoin d'être arrosée plus souvent que celle dont les racines ont encore beaucoup d'espace. Le compost a son importance : celui à base de tourbe ne s'assèche pas facilement; toutefois quand on l'a laissé trop sécher et se rétracter, il devient presque impossible de l'humidifier à nouveau. La terre ne retient pas beaucoup l'eau mais ne se rétracte pas de façon aussi drastique. Les plantes qui sont dans un pot d'argile doivent être arrosées deux fois plus que celles qui sont dans un pot de plastique.

Quelle quantité d'eau faut-il aux plantes ?

Arrosage normal : les plantes comme le bégonia sont habituées à la sécheresse de surface. Enfoncez un doigt dans le compost : s'il est sec, arrosez. Versez l'eau de façon à mouiller complètement le compost jusqu'à ce que l'eau coule : après 15 mn, éliminez l'excédent.

Humidité constante : certaines plantes, comme l'amarante, ont besoin de racines toujours humides. Testez le compost avec le bout du doigt : s'il est sec, versez un peu d'eau, sans débord dans la soucoupe. En arrosant peu et souvent, le compost sera constamment humide.

Résoudre les problèmes d'arrosage

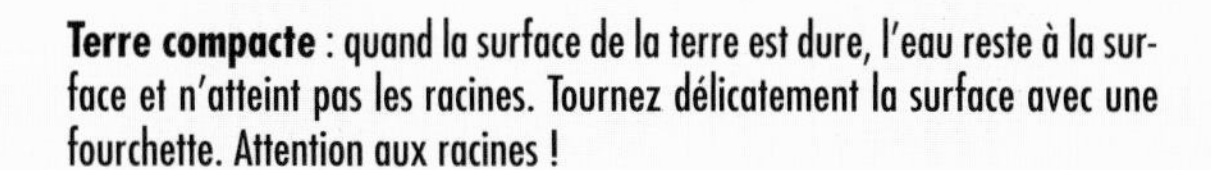

Terre compacte : quand la surface de la terre est dure, l'eau reste à la surface et n'atteint pas les racines. Tournez délicatement la surface avec une fourchette. Attention aux racines !

Terre sèche : la tourbe, si elle n'est pas constamment humide, se rétracte : l'eau d'arrosage sort du pot sans mouiller le compost. Immergez le pot dans un récipient d'eau tiède, 15 mn, jusqu'à ce que la tourbe gonfle puis laissez égoutter.

Arrosez vos plantes le matin quand la température se réchauffe. En arrosant le soir, elles restent humides toute la nuit et la baisse de température favorise le développement de champignons parasites et le pourrissement des racines.
Beaucoup de plantes ont besoin d'une pause hivernale et donc d'un arrosage réduit voire inexistant comme les cactus et les crassules.
Immergez les pots jusqu'au bord dans un récipient d'eau tiède, jusqu'à ce que la superficie du terreau soit humide; sortez le pot, laissez égoutter.

La lumière et les plantes

Les plantes utilisent la lumière solaire pour produire, à travers un mécanisme complexe, les hydrates de carbone essentiels à leur vie. Elles transforment l'énergie lumineuse en énergie chimique grâce à la chlorophylle, substance qui donne leur couleur verte aux feuilles. L'énergie chimique permet de combiner le bioxyde de carbone de l'air avec l'eau pour produire les hydrates de carbone : c'est la photosynthèse; en même temps de l'oxygène est émis. Les hydrates de carbone s'unissent à d'autres substances absorbées par les racines pour créer les substances nécessaires à la vie et au développement de la plante.
Quand il fait nuit, la plante inverse le processus, emmagasinant l'oxygène et libérant de l'anydride carbonique : c'est la " respiration nocturne ".
Sans lumière suffisante, la quantité d'énergie se réduit au point que la plante ne peut plus produire suffisamment d'hydrates de carbone pour sa croissance. La plante est extrêmement faible, avec des tiges très fines et des feuilles plus pâles.

Si vous utilisez la lumière artificielle pour vos plantes, choisissez des tubes fluorescents, surtout ceux qui émettent la « lumière du jour » et disposez-les entre 15 et 60 cm de distance des plantes (selon les espèces). Une soucoupe contenant de l'eau aidera à maintenir un taux élevé d'humidité ambiante.

Les plantes ont toutes besoin de lumière mais en quantité différente selon les espèces. La lumière la plus intense et la meilleure est celle, naturelle, du rebord d'une fenêtre; mais la lumière qui se diffuse aux alentours immédiats des fenêtres (dans un rayon de 60 à 90 cm) est suffisante aussi. Dans une pièce, si les fenêtres sont assez grandes, la lumière suffit encore dans un rayon de 2 m. Quand vous achetez une plante, renseignez-vous toujours sur ses besoins particuliers. Une fois choisi l'emplacement, vous devrez toujours orienter les plantes vers la lumière. Attention : le soleil, à travers les vitres d'une fenêtre, peut être trop intense, ce qui cause de nombreux problèmes aux plantes et à leurs feuilles, il ne faut donc pas les exposer directement au soleil, sauf indication précise.
Quand vous venez d'acheter une plante, ne l'exposez pas tout de suite à une lumière intense, mais habituez-

Feuille de dieffenbachia brûlée par le soleil.

la peu à peu (en une semaine) à son nouvel environnement. Si vous avez une lumière trop forte, mettez des rideaux qui filtrent les rayons solaires sans empêcher la lumière de passer. Et ne pulvérisez jamais les plantes sous une lumière trop forte : les gouttelettes d'eau feraient office de loupes réfléchissant les rayons du soleil et causeraient des brûlures aux feuilles. Tous les 3 ou 4 jours, tournez les pots de 45° pour que toute la plante profite de la lumière. Attention : certaines plantes fleuries ne doivent pas être tournées quand elles sont en boutons, ils pourraient tomber.
Adoptez la lumière artificielle si votre habitation est vraiment sombre. Parmi toutes les couleurs du spectre, le bleu-violet et le rouge sont les plus importantes pour les plantes. Choisissez donc des tubes lumineux qui produisent une lumière bleue et rouge. Selon le volume des plantes, vous devrez multiplier le nombre de tubes montés parallèlement à une distance de 15 cm l'un de l'autre.
Epoussetez vos tubes au moins une fois par mois et changez-les dès que les extrêmités commencent à s'obscurcir. Ne changez pas plus d'un tube à la fois (à distance d'un mois) pour ne pas provoquer une brusque augmentation d'intensité lumineuse. Choisissez des tubes blancs de 40 Watts et utilisez un abat-jour pour diffuser la lumière vers le bas.

Les semis

Pour vos semis, évitez d'utiliser la terre du jardin : elle contient déjà beaucoup de graines de toutes sortes ainsi que des insectes qui détruiront les semis que vous allez faire. Ne lésinez pas, achetez un bon compost pour semis ou un compost multi-usages.
Cultiver les plantes à partir de semis est un procédé très simple : suivez pas à pas les indications et vous serez récompensé par de nombreuses plantes vigoureuses, ce qui est plus économique que de les acheter dans le commerce.
Si vous avez peu de graines, plantez-les dans un petit pot (7 à 10 cm). Si vous en avez beaucoup, utilisez une barquette de plastique. Remplissez de

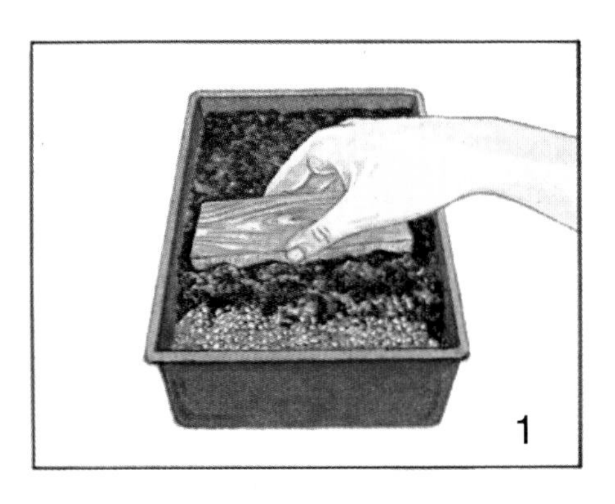
1

compost jusqu'à 1,5 cm des bords et aplatissez avec un morceau de bois ou le fond d'un autre vase (1). Semez les graines une à une, à larges intervalles (1,5 cm environ) en files parallèles. La profondeur dépend des espèces : suivez les indications en vous souvenant que si vous enfoncez trop les graines, elles risquent de ne pas germer. Mélangez les toutes petites graines fines à du sable pour éviter qu'elles s'attachent les unes aux autres (2). Les

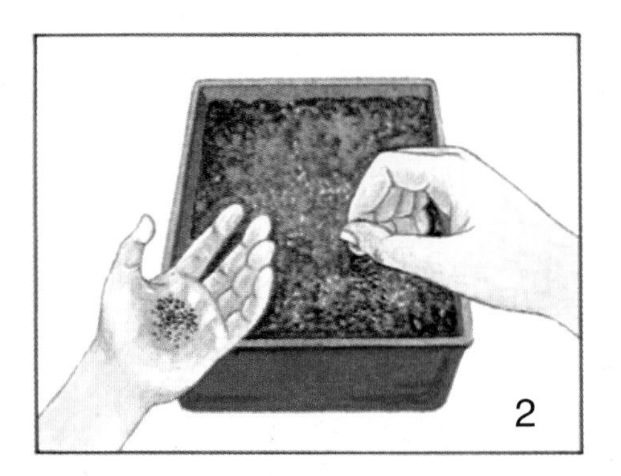
2

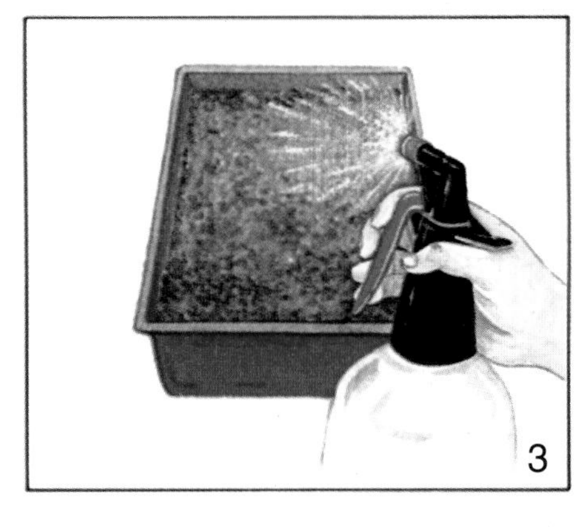
3

semis doivent être recouverts d'une couche de compost répandu en pluie, équivalente au double de leur diamètre. Utilisez une passoire de cuisine pour bien distribuer cette couche. Pour les graines très fines, tassez légèrement avec un morceau de bois. Humidifiez complètement avec un pulvérisateur contenant de l'eau et un fongicide aux doses adéquates. (3).
Couvrez le pot ou la barquette d'un film de plastique transparent, ce qui produira la chaleur nécessaire aux semis et évitera un assèchement trop rapide du compost. Humidifiez chaque fois qu'il semble sur le point de sécher (4). Le temps de germination

4

varie selon les plantes (de 1 semaine à 6 mois et plus). Dès que les plantules apparaissent, mettez-les dans un endroit où elles profiteront d'une bonne lumière naturelle, mais jamais directement au soleil. Si les semis sont trop drus, ils peuvent être trop serrés pour croître correctement : éliminez les plantules les plus faibles. Saisissez-les entre le pouce et l'index, une par une, pour ne pas détacher les feuilles en laissant les racines. Cette opération donne plus d'espace aux petites plantes qui restent et évite que leurs racines soient étouffées (5). Quand les plantules sont assez grandes, il est indispensable de les mettre dans d'autres pots (7 cm maximum), dans un compost à base de tourbe et à faible taux d'engrais. Mettez gravier ou petits cailloux au fond du pot, couvrez d'un peu de compost. A l'aide d'une petite fourchette, retirez une plante de la barquette. Faites passer les dents de la fourchette sous les racines et soulevez délicatement, sans rompre les racines.

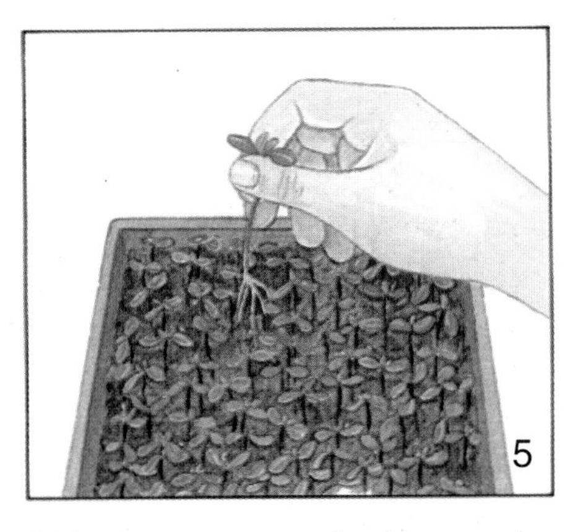
5

Aidez-vous en tenant la plante par les deux feuilles les plus basses. Ne cassez pas la tige, ne touchez pas aux feuilles du haut (6). Placez au centre du pot. Remplissez peu à peu le vase de compost jusqu'à 1,5 cm des bords pour laisser de l'espace pour l'arrosage. Les feuilles les plus basses doivent affleurer le compost. Arrosez comme précedemment. Faites un apport d'engrais adéquat à la dose et selon les modalités indiquées pour chaque plante. Tenez au chaud, dans un lieu lumineux, durant 1 à 2 semaines pour les aider à s'habituer à leur nouveau compost.

6

Les multiplications

La veille, immergez la mousse de sphaigne dans l'eau. Laissez tremper toute la nuit. Le lendemain, choisissez une tige (principale ou latérale). Entre 15 à 45 cm environ du sommet, selon la plante, éliminez quelques feuilles pour dégager 15 cm de tige. A environ 7 à 10 cm sous la dernière feuille du

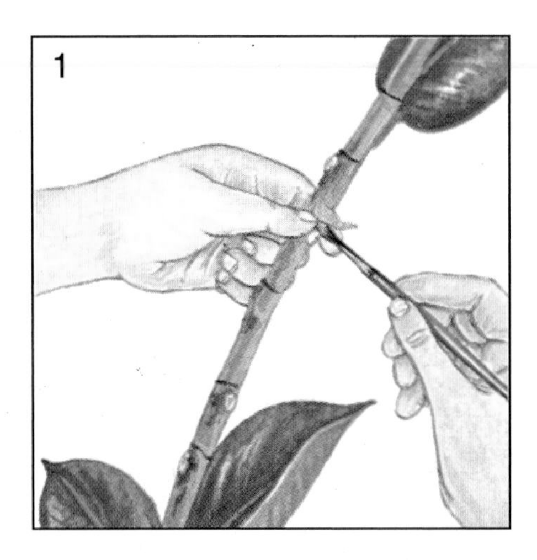

haut, incisez vers le haut, avec une lame très effilée, sur 7 à 10 cm et sur une profondeur inférieure à la moitié du diamètre de la tige.
Pour favoriser la création rapide d'un solide système de racines, badigeonnez l'entaille au pinceau avec une poudre à base d'hormones d'enracinement . De la même façon, passez le pinceau sur la tige refermée(1).
Il est très important de maintenir la plaie ouverte pour empêcher la cicatrisation et permettre ainsi la formation des racines.Pour cela, insérez dans

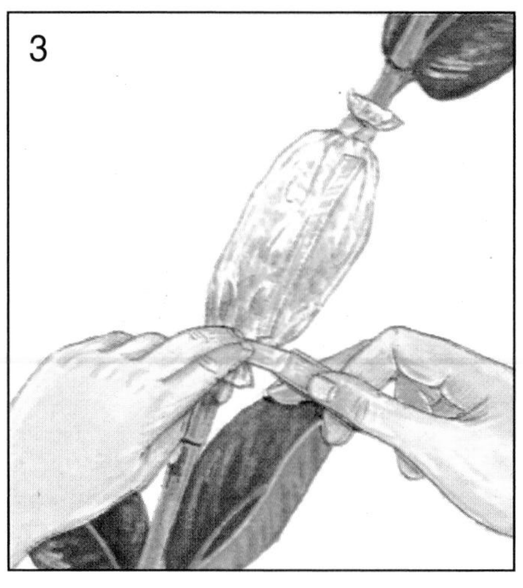

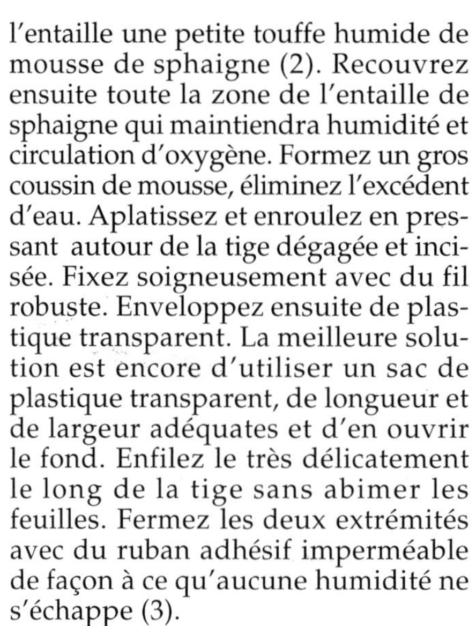

l'entaille une petite touffe humide de mousse de sphaigne (2). Recouvrez ensuite toute la zone de l'entaille de sphaigne qui maintiendra humidité et circulation d'oxygène. Formez un gros coussin de mousse, éliminez l'excédent d'eau. Aplatissez et enroulez en pressant autour de la tige dégagée et incisée. Fixez soigneusement avec du fil robuste. Enveloppez ensuite de plastique transparent. La meilleure solution est encore d'utiliser un sac de plastique transparent, de longueur et de largeur adéquates et d'en ouvrir le fond. Enfilez le très délicatement le long de la tige sans abimer les feuilles. Fermez les deux extrémités avec du ruban adhésif imperméable de façon à ce qu'aucune humidité ne s'échappe (3).

Mettez alors la plante dans une ambiance chaude et humide, à l'abri des courants d'air. Posez le pot sur une soucoupe pleine de graviers ou de cailloux humides. Humidifiez les feuilles à l'aide d'un vaporisateur (4). Vérifiez au bout de 3 à 4 semaines environ, si les racines sont émises. Séparez-les de la plante-mère : découpez le plastique puis taillez horizontalement juste en dessous de la mousse, à faible distance des nouvelles racines avec un sécateur bien aiguisé (5).
Plantez immédiatement dans un pot avec du compost humide. Ne retirez pas la sphaigne, vous endommageriez les racines. Tassez en douceur le compost avec les doigts. Arrosez bien et laissez dans un lieu chaud et protégé jusqu'à ce que la plante ait forci (6).

Guide des traitements

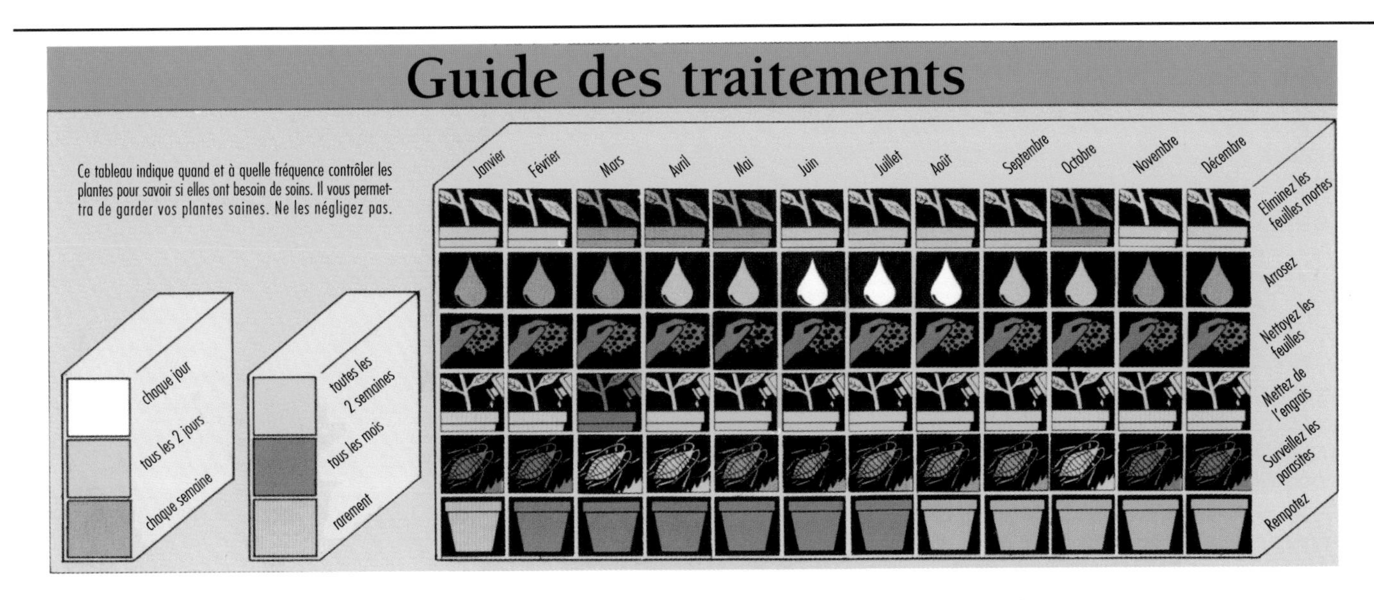

Les phases du rempotage

Nettoyez soigneusement les pots avec une éponge, de l'eau chaude et du détersif. Grattez les dépôts. Rincez abondamment à l'eau claire. Laissez sécher (1). Pour le drainage, mettez dans le fond des pots en terre des morceaux de pots cassés : un gros morceau bombé vers le haut sur le trou de drainage et couvrez de plus petits (2). Remplissez de nouveau compost humide

1

et nivelez légèrement (3). Dépotez doucement la plante en la maintenant avec la paume de la main, les doigts à plat sous la tige. En cas de difficultés, cassez le pot (4). Pour les plantes épineuses, extrayez-les à l'aide d'une

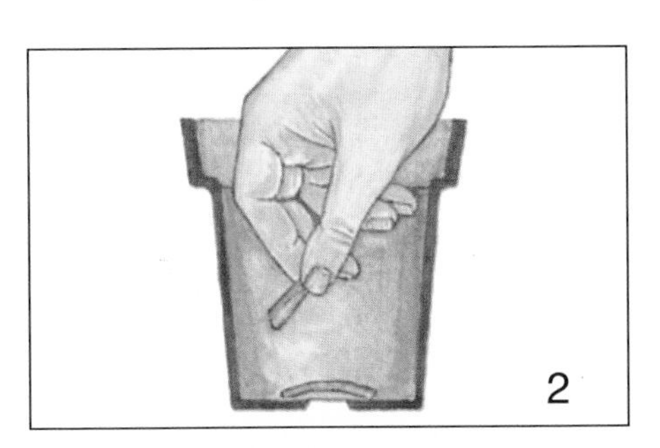
2

3

bande épaisse de papier journal (5). Pour les grandes plantes, passez un couteau le long des parois. Couchez le

4

vase, tapez doucement sur les parois en tirant délicatement sur la plante en même temps (6). Placez la plante sur

5

6

une petite couche de compost puis comblez jusqu'à 15 à 50 mm du bord du pot (7 et 8). Tapez légèrement le pot

7

sur la table pour éliminer les bulles d'air. Compressez un peu plus les composts tourbeux.

8

Les b

Toutes les plantes ne peuvent pas être reproduites par semis. Certaines ont besoin d'être bouturées. C'est une méthode rapide, peu chère et qui permet aussi d'obtenir une plante identique à celle d'origine. Les boutures exploitent la capacité de nombreuses plantes à se développer à partir d'une simple partie active (une feuille, une branchette, etc.). On utilise généralement un morceau de branche pourvu d'un nouveau bourgeon qui continuera à croître en émettant ses propres racines. Choisissez la plante sur laquelle vous voulez prélever des boutures et posez-la sur une surface claire où vous pouvez l'observer facilement. Sélectionnez les boutures parmi les rameaux jeunes et en pleine santé, en faisant bien attention qu'ils ne portent pas de boutons ni de fleurs. Taillez les rameaux sur les côtés de la plante ou sur le sommet le plus régulier. Vous devez à présent traiter les boutures avec un produit à base d'hormones d'enracinement qui stimulera le développement. Vous aurez besoin aussi d'un bon compost pour semis à base de tourbe et d'un pot en terre cuite de 7 cm de diamètre. Remplissez le vase de compost de façon à ce que ce dernier soit compact et souple à la fois. Par prudence, faites des petits trous dans le compost, près du bord du vase pour que l'eau et l'air circulent bien. Enfin, faites un trou au centre dans lequel vous placerez la bouture, en tassant le compost autour. Un pot peut accueillir plusieurs boutures.

Chaleur et lumière

Mettez les pots avec les boutures dans un endroit chaud, à l'abri des courants d'air, pour leur donner le maximum de chances d'émettre des racines. De nombreuses boutures donnent plus facilement des racines quand elles sont dans un lieu fermé et chaud, avec une bonne lumière, mais pas exposées directement au soleil qui pourrait provoquer des brûlures. Une caissette de reproduction chauffée électriquement peut être très utile pour que les boutures développent plus vite les racines grâce à son atmosphère constamment chaude et humide. Une caissette de reproduction doit assurer une température de 18-21°C. Si vous utilisez un pot, vous devrez le couvrir d'une feuille de plastique transparent, en faisant attention à ne pas abîmer les boutures; fixez le plastique sur le vase avec un élastique pour assurer la permanence de la chaleur et de l'humidité.

Avec un couteau effilé, taillez un morceau de 7 à 10 cm juste au-dessous d'un nœud, là où la feuille s'attache au rameau.

Retirez les feuilles inférieures, en faisant attention à ne pas abîmer la « peau » du rameau.

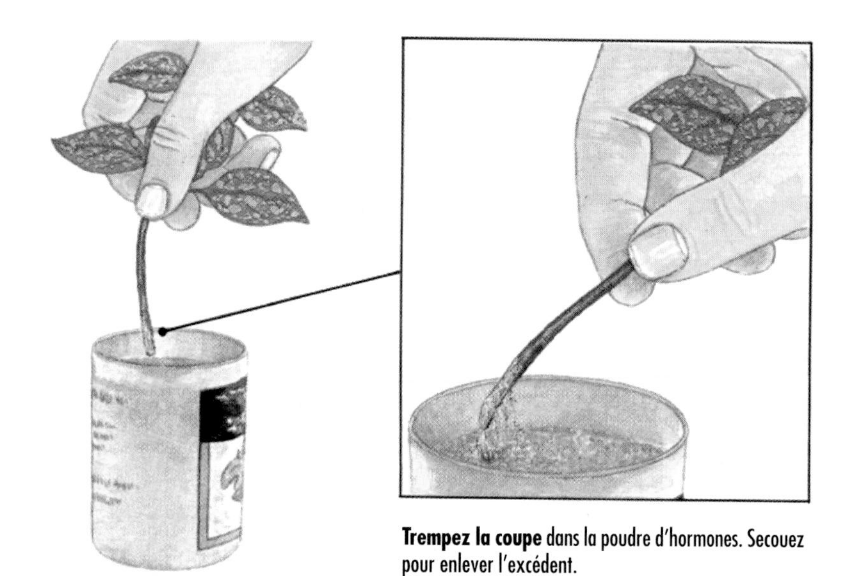

Trempez la coupe dans la poudre d'hormones. Secouez pour enlever l'excédent.

utures

Avec un crayon, faites un trou dans le compost pour chaque bouture. Plantez, tassez légèrement autour de la bouture.

Recouvrez le pot de plastique. Utilisez des bâtonnets pour maintenir le plastique à distance des boutures.

Après 4 semaines, en moyenne, les boutures sont prêtes à bourgeonner. Vérifiez les racines.

Arrosage et rempotage

Une caissette chauffée électriquement doit être contrôlée tous les jours pour voir si le compost a besoin d'être arrosé car la chaleur l'assèche rapidement. En utilisant un pot couvert de plastique ou une caissette non chauffée à l'électricité, l'humidité du compost doit rester constante jusqu'à ce que les boutures aient émis des racines. Il faut cependant contrôler la condensation. Ouvrez la caissette (ou retirez le plastique) chaque jour, pour éliminer avec un chiffon toute trace de condensation. Contrôlez en même temps si le compost est humide ou s'il y a des feuilles mortes, des tiges noires, pourries et saturées d'humidité. Une fois les racines apparues, les boutures sont prêtes à être replantées, chacune dans un pot. Attendez que les bourgeons commencent à poindre, vous serez sûr ainsi que les racines sont bien développées dans le compost. A ce moment là, retirez une bouture pour contrôler que les racines sont d'une saine couleur blanche. Rempotez chaque bouture dans un pot de 7 cm de diamètre.

Méthodes alternatives

Pour une plante qui a un pied suffisamment ligneux, comme un fuchsia, il est mieux de prélever des boutures avec un petit morceau d'écorce. Cette opération favorise l'enracinement des boutures et leur permet de bourgeonner plus vite. Certaines boutures n'ont besoin que d'eau pour prendre racine, sans compost ; essayez avec les impatiens, tradescantia, coleus, fuchsia et croton. Préparez les boutures comme décrit précédemment et mettez-les dans un récipient bien propre, comme un pot de confiture, avec 25 mm d'eau dans le fond; recouvrez d'un plastique transparent bien tendu; puis faites-y un trou ou plusieurs selon le nombre de boutures à mettre, d'un diamètre correspondant à chaque bouture; enfoncez délicatement chaque rameau dans un trou de façon à ce que la partie inférieure trempe à peine dans l'eau. Mettez dans un lieu chaud et lumineux, pas au soleil, et contrôlez chaque jour si les racines poussent. Quand elles mesurent environ 2,5 cm, vous pouvez les rempoter dans du compost. Faites très attention en manipulant les racines particulièrement fragiles.

Les plantes de A à Z

Abutilon

Famille : **Malvacées**

Nom usuel : **abutilon**

Aspect	Hauteur	Floraison
arbuste	de 0,70 à 2,50 m	d'avril à novembre
Culture	**Exposition**	**Humidité**
jamais moins de 10° C	plein soleil	faible

On ne compte pas moins d'une centaine d'espèces appartenant au genre *Abutilon* (un mot arabe qui signifie « mauve »). Originaires des zones tropicales et subtropicales d'Amérique du Sud, ces élégants arbustes ont un développement moins luxuriant sous nos climats et dépassent rarement 1,50 m dans les meilleures conditions (en serre ou sous véranda). S'ils ne supportent la pleine terre que dans les jardins les mieux abrités de la Côte d'Azur, ils s'accommodent en revanche fort bien d'un séjour sur le balcon à la belle saison.

Le feuillage de l'abutilon, d'un vert tendre moucheté de jaune, parfois joliment panaché chez certains hybrides, est fort décoratif. Par leur forme, les feuilles lobées rappellent celles de la vigne ou de l'érable (l'hybride *Abutilon hybridum* est d'ailleurs communément appelé érable florifère).

Toutefois, le principal agrément de ces arbustes réside dans leurs fleurs, qui ressemblent à des clochettes évasées et dont les couleurs vives tranchent sur le vert du feuillage. À signaler les variétés hybrides 'Canary Bird' et 'Golden Fleece', aux fleurs d'un jaune éclatant, 'Apricot' (feuillage vert sombre et fleurs orange foncé) ou 'Fireball' (fleurs rouge-rose).

TECHNIQUES DE CULTURE

Printemps et été. L'abutilon se rempote chaque année en mars-avril, juste avant le départ de la végétation, dans un mélange à base de tourbe, de terre légère du jardin et de terreau de feuilles additionné de fertilisant. Assurer un drainage et laisser un espace suffisant entre la surface et le bord du pot, car il faudra arroser en été. Tailler au début du printemps en réduisant les tiges d'un bon tiers.

Abutilon thompsonii Très vigoureux, cet arbuste peut atteindre 2,5 m de hauteur.

Espèces

Abutilon thompsonii Il existe plusieurs variétés (ci-dessus et à droite) de cette espèce qui a besoin d'une ambiance très lumineuse pour que son feuillage, moucheté ou panaché, se développe dans toute sa beauté. Si la chaleur est suffisante, les fleurs, qui présentent toute la gamme de nuances entre le rose saumon et l'orangé, se renouvellent jusqu'à l'hiver.

Abutilon striatum Très semblable à l'espèce précédente, s'en différencie par ses fleurs campanulées plus allongées.

Abutilon megapotamicum Se distingue par les longs calices rouge vif enserrant la base des fleurs jaunes (ci-dessus).

Abutilon vitifolium Fleurs bleu lavande, nettement plus évasées (en haut, au centre). Feuilles légèrement duveteuses rappelant celles de la vigne. La variété 'Album' a des fleurs blanc pur. La sortir de mai à octobre sur le balcon.

Maladies et parasites

Les différentes espèces résistent bien aux maladies, mais peuvent être la proie des prolifiques pucerons verts (ci-dessus) ou des mouches blanches (aleurodes). La riposte sera le traitement à l'insecticide, avec les précautions d'usage.

Les minuscules araignées rouges peuvent aussi ravager les feuilles : les essuyer avec soin pour ôter les toiles, vaporiser un produit acaricide et, à titre préventif, poser le pot sur des galets mouillés (les araignées rouges redoutent l'humidité).

L'abutilon est une plante exigeante qui absorbe rapidement les éléments nutritifs. Dès les premières fleurs, recourir une fois par semaine à un engrais liquide, dilué dans l'eau d'arrosage.

Arroser fréquemment pour maintenir la terre humide, mais sans laisser le pot baigner dans l'eau. Par grande chaleur, vaporiser chaque jour les feuilles et éviter l'exposition trop directe au soleil : tamiser la lumière avec des stores et donner de l'air frais en ouvrant les fenêtres. D'avril à octobre, si la température est clémente, sortir le pot sur le balcon.

Automne et hiver. Si la température est maintenue à 18-20 °C, la floraison se poursuivra jusqu'au début de l'hiver.

Dans le cas contraire, laisser la plante au repos, à 10-15 °C, en assurant plusieurs heures de soleil par jour. Cesser l'administration d'engrais et arroser une fois par semaine pour que le terreau ne se dessèche pas. L'abutilon se plaît en plein sol au jardin du 15 mai au 15 octobre.

MULTIPLICATION

L'abutilon se reproduit par bouturage de mai à août. Prélever des segments de 8 à 12 cm, plonger les extrémités dans de la poudre d'hormones, qui favorise l'enracinement, et planter dans un mélange sableux. Tenir au chaud et à l'abri.

Au bout de trois à quatre semaines, transplanter en pot plus grand, bien drainé, dans un mélange à base de terreau et de terre du jardin.

Guide d'achat

Choisir des plants jeunes et bien touffus, avec de jeunes pousses robustes et abondantes. Éviter les branches trop dénudées à la partie inférieure. En appartement, à moins d'un ensoleillement maximal, le sujet ne dépassera pas 75-80 cm de hauteur, et sa floraison peut rester hasardeuse.

Acacia

Famille : **Légumineuses**

Nom usuel : **mimosa**

Aspect arbre ou arbuste	**Hauteur** 1-1,80 m	**Floraison** de décembre à mars
Culture en pot ou à l'abri du froid	**Exposition** plein soleil	**Humidité** supporte la sécheresse

En Australie, leur pays d'origine, les mimosas sont des arbres imposants qui dépassent parfois les 20 m. De hauteur beaucoup plus modeste dans nos régions, ils égaient en hiver les jardins préservés du gel avec leurs fleurs jaunes et délicatement parfumées, dont les petites boules duveteuses sont réunies en grappes.

On les apprécie aussi pour leur feuillage persistant (sauf chez quelques espèces), aux frondes très finement découpées. Mais le mimosa se prête aussi fort bien à la culture en pot.

Acacia dealbata Le fameux mimosa des fleuristes.

TECHNIQUES DE CULTURE

Printemps et été. Durant la période de croissance, le mimosa se rempote chaque année en février-mars — ou un peu plus tard si la floraison n'est pas terminée — dans un pot ou un bac suffisamment vastes (les racines sont très développées), remplis d'un bon terreau de jardin enrichi de fertilisants. La taille, presque inutile en pleine terre, devient ici nécessaire pour assurer une forme harmonieuse.

Au printemps, augmenter l'arrosage et aérer largement. Arroser plus copieusement en été et donner de l'engrais toutes les deux semaines jusqu'au mois d'août.

Automne et hiver. Pour garantir la floraison, la température doit rester douce (10-12 °C minimum). Arroser seulement pour maintenir la terre humide.

MULTIPLICATION

Par semis. Semer en mars-avril, dans de petites caissettes remplies d'un mélange spécial pour semis. Tenir dans un lieu assez humide et abrité, à 16 °C minimum, puis repiquer en pot, dans un compost léger à base de tourbe, en assurant un bon drainage du récipient.

Par boutures. Le mimosa se reproduit également par boutures à talon (segments de rameaux latéraux ayant conservé une portion d'écorce de la tige mère), que vous pouvez piquer sous châssis en avril ou en août, à l'ombre, en tourbe et sable fin.

Acacia dealbata produit des rejets que l'on peut bouturer.

Espèces

Acacia armata Doit son nom aux extrémités épineuses de ses rameaux. Cet arbrisseau peut atteindre 3 m de hauteur en pleine terre, mais se cultive aussi en pot. Ses fleurs à pédoncules très courts sont réunies en inflorescences axillaires (ci-dessus). Floraison tardive, en mars-avril.

Acacia dealbata C'est celui qui nous arrive par brassées parfumées du Midi. Son feuillage décoratif, élégamment découpé, a des reflets argentés tant que l'arbre n'a pas acquis sa taille adulte (*dealbata* signifie « blanchissant »).

Acacia drummondii D'un jaune très vif, ses fleurs en épis (ci-dessous) illuminent le foisonnement désordonné des rameaux.

Maladies et parasites

Les feuilles et les pousses peuvent être envahies par les cochenilles. Intervenir en traitant avec un insecticide pour appartement.

Acalypha

Famille : **Euphorbiacées**

Nom usuel : **acalypha / ricinelle**

Aspect	Hauteur	Floraison
plante arbustive	de 1 à 2 m	été-automne
Culture	**Exposition**	**Humidité**
jamais moins de 15° C	pleine lumière	importante

Très différentes d'aspect, les espèces du genre *Acalypha* se caractérisent par une croissance rapide. La plupart sont cultivées pour leur feuillage ornemental, marbré de rouge, d'orange et de brun, plus que pour leurs fleurs très discrètes. Mais *Acalypha hispida* se signale par ses spectaculaires fleurs pourpres, dépourvues de pétales, qui pendent telles de longs chatons, d'où son nom de queue-de-chat.

TECHNIQUES DE CULTURE

Printemps et été. Les jeunes plantes doivent être rempotées à la fin du printemps dans un pot plus grand, que l'on remplira d'un mélange à base de terreau Si leur taille ne permet pas le rempotage, renouveler la terre en surface sur 5 cm au minimum (c'est ce qu'on appelle le surfaçage).

Des arrosages réguliers et une humidité élevée sont alors d'une importance vitale. Vaporiser les feuilles tous les deux jours jusqu'à la floraison, une fois par semaine ensuite (sans mouiller les fleurs), et poser le pot sur une couche de cailloux mouillés en permanence ou sur un lit de tourbe humide. Ne jamais laisser la température nocturne descendre au-dessous de 15 °C. Si la lumière et la chaleur sont insuffisantes, la plante s'étiole, et les épis ne se

Acalypha hispida Ses curieuses fleurs l'ont fait appeler plante-chenille ou queue-de-chat.

forment pas. Éviter cependant l'exposition trop directe au soleil plus chaud de l'été. Nourrir tous les quinze jours avec un bon fertilisant liquide.

Automne et hiver. Une taille sévère s'impose pour discipliner la croissance. Rabattre à mi-hauteur toutes les pousses de l'année. Durant la période de repos, réduire au minimum l'arrosage et cesser l'emploi des fertilisants.

MULTIPLICATION

Les acalyphas perdent de leur beauté en vieillissant, aussi est-il recommandé de les renouveler par bouturage tous les deux ans, voire tous les ans. Prélever des boutures à talon (segments de 12 à 15 cm) et faire prendre racine à 20 °C. Ils se propagent également par le marcottage aérien.

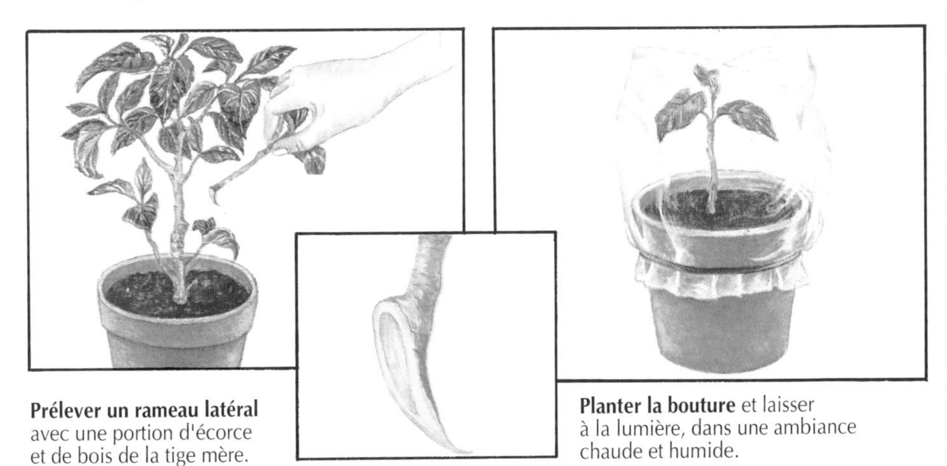

Prélever un rameau latéral avec une portion d'écorce et de bois de la tige mère.

Planter la bouture et laisser à la lumière, dans une ambiance chaude et humide.

Maladies et parasites

Dans la mesure où on leur assure une chaleur et une humidité satisfaisantes, les acalyphas donnent peu de motifs de préoccupation. Des feuilles qui noircissent indiquent que la plante souffre du froid ou du manque de lumière ; si elles se flétrissent et tombent, on peut être sûr que l'air est trop sec. Peuvent alors sévir ses principales ennemies, les araignées rouges, qui prolifèrent dans les atmosphères desséchées, tendant leurs toiles en fins filaments à la face inférieure des feuilles, qu'elles asphyxient (ci-dessus). Il faut alors traiter avec un acaricide approprié et entretenir un environnement humide.

Espèces

Acalypha wilkesiana C'est le feuillage, ici, qui est spectaculaire : de grandes feuilles ovales, cordiformes, régulièrement dentées sur les bords, de couleur brun-rouge avec des zébrures grises (ci-dessous). Les fleurs, quant à elles, sont malheureusement insignifiantes. La variété ***marginata*** se distingue par ses feuilles cordées (en forme de cœur) vert bronze, bordées de carmin. Le mois de janvier est la meilleure époque de multiplication.

Acalypha hispida Cette espèce vedette a des feuilles ovales d'un beau vert vif, légèrement duveteuses. Ses pittoresques fleurs pendantes atteignent 45 cm de longueur dans des conditions optimales.

Acalypha pendula Ses rameaux souples permettent de le traiter en suspension. Ses fleurs sont aussi réunies en courts

Adiantum

Famille : **Polypodiacées**
Nom usuel : **capillaire**

Aspect	**Hauteur**	**Floraison**
fougère	25-35 cm	ne fleurit pas
Culture	**Exposition**	**Humidité**
ne pas la déplacer	lumière du nord	élevée et constante

Parmi les fougères d'appartement, les plus populaires sont sans doute les capillaires. Et entre tous, celui qu'on appelle cheveux-de-Vénus, ou encore capillaire de Montpellier, dont le léger et gracieux feuillage nous est si familier. Le capillaire a quelques exigences. Il ne supporte ni le soleil ni la chaleur (au-dessus de 21 °C, sa survie est problématique). Il lui faut une humidité constante, et il n'aime pas le changement : s'il se plaît à un endroit, éviter de le déplacer.

C'est une plante très sensible à la pollution : il est particulièrement vulnérable aux émanations de gaz ou à une atmosphère enfumée. Mais si l'on respecte ses désirs, il prospérera de longues années sans causer le moindre souci et s'accommodera en hiver d'une température de 12-15 °C. C'est la plante idéale pour les appartements mal chauffés.

Adiantum capillus-veneris On l'appelle cheveux-de-Vénus en raison de la finesse de son feuillage.

Maladies et parasites

Un capillaire peut dépérir pour des raisons très diverses. Si les frondes se dessèchent et commencent à jaunir, c'est que l'air ambiant est trop sec et que la plante manque d'eau. Un apport d'air frais est nécessaire. Pour la revivifier, la baigner dans l'eau une ou deux fois par semaine, après avoir éliminé les parties flétries et en ayant soin de bien drainer.

Lorsque les symptômes sont plus alarmants (frondes brûnâtres et recroquevillées), il faut recourir aux remèdes draconiens : couper les parties atteintes presque au ras du compost et vaporiser deux fois par jour la touffe restante. Avec un peu de chance, la plante reprendra, et de nouvelles frondes apparaîtront.

Mais la sécheresse n'est pas le seul ennemi des capillaires, et il ne faut surtout pas croire que les arrosages abondants soient une panacée. Des feuilles qui retombent mollement et s'enroulent sur elles-mêmes tout en restant vertes indiquent généralement que la terre est trop humide. Cet excès d'eau, en stagnant autour des rhizomes, risque de les faire pourrir, aussi faut-il agir sans tarder en suspendant totalement les arrosages jusqu'à ce que le compost

se soit suffisamment égoutté. Veiller ensuite à ce que le mélange reste tout juste humide. Toujours pour la santé du feuillage, il faut savoir que les fougères ne supportent pas les produits lustrants ; les vaporisations d'eau douce suffiront au nettoyage. Enfin, des frondes décolorées et qui s'étiolent peuvent être le résultat d'un appauvrissement du compost ou d'une exposition trop directe aux rayons du soleil. Trouver un nouvel emplacement plus adéquat et donner un peu d'engrais.

Plus délicate est la lutte contre les insectes et parasites divers, le remède risquant parfois d'être pire que le mal puisque les fougères, plantes particulièrement sensibles à toute pollution, réagissent mal aux insecticides chimiques.

Fréquentes sont les attaques des mouches blanches, attirées par l'humidité : on les voit voler à ras de terre, en petits nuages serrés, quand on soulève les feuilles. Une poudre à base de pyrèthre donnera de bons résultats.

Un badigeonnage avec une solution très diluée de détergent peut venir à bout des pucerons qui infestent les jeunes frondes. Contre les cochenilles laineuses, qui s'en prennent aux jeunes pousses, on appliquera au pinceau de l'alcool dénaturé en évitant de toucher les parties non atteintes.

TECHNIQUES DE CULTURE

Printemps et été. Les capillaires se trouvent bien d'être un peu à l'étroit. On ne rempotera donc que tous les deux ans. Choisir un mélange qui garde bien l'humidité tout en restant léger (une part de tourbe pour une part de terreau de feuilles, une part de sable et une part de terre de bruyère) et ne pas trop tasser pour assurer l'aération. Arroser deux fois par semaine en été et vaporiser le feuillage chaque jour à l'eau douce. Donner de l'engrais tous les quinze jours, en réduisant de moitié la dose indiquée. Par grande chaleur, poser le pot sur un lit de cailloux mouillés ou dans un pot plus grand rempli de tourbe humide.

Automne et hiver. Cesser l'administration d'engrais et arroser une fois par semaine en période tempérée; par temps froid, lorsque le chauffage central est monté au maximum et dessèche l'air, maintenir deux arrosages par semaine.

MULTIPLICATION

Les capillaires, comme toutes les fougères, se multiplient aisément par division des touffes au printemps (tous les trois ans au maximum, au moment du rempotage) ou au début de l'été. On obtient toutefois des plantes plus vigoureuses par semis de spores (recueillies sous les frondes), mais c'est une opération délicate qui demande de l'expérience.

Multiplication par division des touffes. Incliner le pot avec précaution en maintenant délicatement les tiges, et tirer doucement sur la plante de manière à sortir toute la motte.

En tenant la motte à deux mains sans l'effriter, frondes dirigées vers le bas, diviser en deux parties égales racines et tiges aériennes, en veillant à ne pas les endommager.

Rempoter les moitiés, en procédant selon la manière habituelle, dans deux pots plus petits, où l'on aura mis une couche de drainage et du terreau. Arroser et garder à l'ombre.

Espèces

Adiantum capillus-veneris (cheveux-de-Vénus) De loin le plus répandu de tous les capillaires, aux élégantes frondes vert pâle bipinnées disposées en éventail et aux pétioles flexibles, sombres et brillants, aussi fins que des cheveux, d'où son nom usuel. Cette fougère dépasse rarement 30 cm en pot, mais les sujets exceptionnellement vigoureux peuvent atteindre 60 cm dans les conditions les plus favorables.

Adiantum raddianum Également connue sous le nom de *A. cuneatum,* cette espèce plus robuste peut s'élever à 45-50 cm, avec un étalement dépassant parfois les 60 cm. Un capillaire recherché pour ses frondes tripinnées aux subtiles découpures, érigées chez les plantes jeunes, au port gracieusement retombant au bout de quelques années. Parmi les variétés les plus remarquables, on mentionnera *Adiantum raddianum* 'Fragantissimum', au feuillage touffu et fortement parfumé, comme son nom l'indique ; *A. raddianum* 'Elegans', un hybride vigoureux dont les frondes compactes, d'un beau brun-rose lorsque la plante est jeune, virent graduellement au vert tendre, ou encore *A. raddianum* 'Fritz-Luthii', aux longues pinnules d'un vert brillant à reflets bleuâtres.

Adiantum tenerum Originaire d'Amérique tropicale, cette espèce se signale par sa taille imposante (jusqu'à 1 m) et par les découpures de ses frondes tripinnées ou quadripinnées. La variété *Adiantum tenerum* 'Scutum roseum' (ci-dessous) a un feuillage rosé qui tourne progressivement au vert sombre chez les spécimens plus âgés. Même caractéristique chez *A. tenerum* 'Wrightii', de taille plus modeste.

Adiantum macrophyllum Les jeunes frondes sont également rouges chez cette espèce aux pinnules découpées aussi finement qu'une dentelle.

Guide d'achat

Se méfier des plantes exposées en plein air, même si elles sont à l'ombre, car elles ont pu souffrir des courants d'air. Écarter de même celles dont les frondes présentent le moindre signe de dessèchement. Choisir de préférence des spécimens bien touffus, pourvus en abondance de jeunes pousses.

Aechmea

Famille : **Broméliacées**

Nom usuel : **aechmea**

Æchmea fasciata Une Broméliacée facile à cultiver si on peut lui assurer soleil et chaleur.

Le genre *Aechmea,* l'un des plus vastes de la famille des Broméliacées, compte quelque 1 400 espèces, presque toutes originaires d'Amérique tropicale. À l'état naturel, ce sont des plantes épiphytes qui poussent en général sur les arbres, trouvant leur subsistance dans l'eau et les matières organiques en décomposition qui s'accumulent dans les creux.

Les æchmeas ont des feuilles charnues disposées en rosette plus ou moins évasée, de manière à recueillir l'eau dans une sorte d'entonnoir central d'où part une hampe florale rigide portant une seule inflorescence en épi. La floraison n'a lieu qu'une fois, à date très variable en été, après quoi la plante meurt, non sans avoir produit des rejetons qui formeront à leur tour une nouvelle rosette.

TECHNIQUES DE CULTURE

Très faciles à cultiver en appartement, dans un mélange poreux fait d'écorce de pin broyée, de terre de bruyère et de tourbe, les æchmeas n'ont pas de besoins particuliers, ni en engrais ni en ce qui concerne le degré d'humidité. Deux arrosages par semaine semblent représenter une moyenne convenable. S'ils demandent une bonne luminosité, ils n'exigent pas le plein soleil. Il faut seulement leur éviter des températures inférieures à 15-16 °C (encore que les espèces à feuilles dures supportent relativement bien une courte période de fraîcheur).

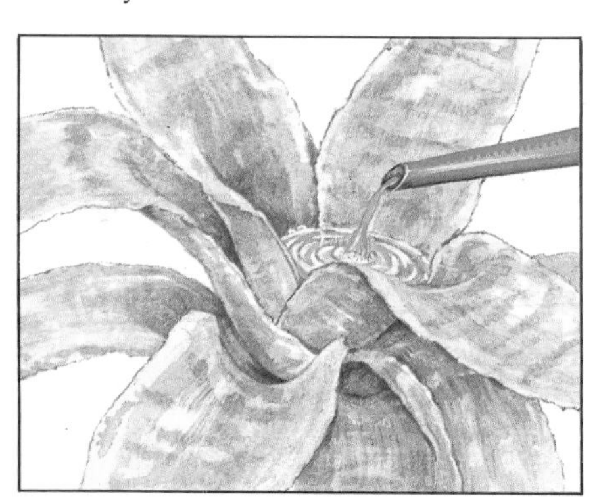

Le creux de la rosette doit toujours contenir de l'eau fraîche. Il faut la renouveler souvent.

MULTIPLICATION

Après la fin de la floraison, prélever les rejetons partant de la base en prenant en même temps quelques racines, et les transplanter, de préférence dans des pots de petites dimensions.

Espèces

Æchmea fasciata La faveur dont il jouit est due à sa longue floraison (de deux à quatre mois). Cette espèce originaire du Brésil a de longues feuilles dures, incurvées vers l'extérieur, d'un vert satiné avec des zébrures transversales argentées. Du centre de la rosette surgit une hampe florale qui porte à son sommet une sorte de « pelote » de bractées roses et épineuses, entre lesquelles apparaissent les fleurs.

Æchmea fulgens Une espèce originaire de Guyane dont une seule variété, *Æchmea fulgens discolor,* peut se cultiver à l'intérieur. C'est une belle plante décorative, dont les feuilles ont une face supérieure vert olive et un revers rougeâtre. Fleurs pourpres au sommet, disposées en épi, auxquelles succèdent de petites baies rouges allongées.

Æchmea chantinii Une autre espèce brésilienne, dont la rosette est plus ample et plus ouverte que celle d'*A. fasciata*. Les feuilles à zébrures transversales blanches et vertes ont un bord denticulé. Au sommet d'une hampe d'environ 40 cm, l'inflorescence se compose de bractées orange et de fleurs écarlates (à gauche).

Maladies et parasites

L'emploi des lustrants est à proscrire. Un léger dépoussiérage au plumeau suffit. Les feuilles de certaines espèces sont couvertes d'une fine pellicule blanchâtre et pulvérulente qu'il ne faut surtout pas essuyer. L'eau trop calcaire peut également tacher et détériorer les feuilles.

Parmi les ennemis des æchmas, les plus répandus sont les cochenilles laineuses et les pucerons noirs ou verts, dont on se débarrassera avec une solution à base de malathion ou une pulvérisation de pyrèthre.

Agapanthus

Famille : **Liliacées**

Nom usuel : **agapanthe**

Aspect plante vivace	**Hauteur** 60-100 cm	**Floraison** de juillet à septembre
Culture jardin d'hiver	**Exposition** pleine lumière	**Humidité** assez importante

Les agapanthes (du grec apapê, « amour », et anthos, « fleur ») sont parfois appelés lys d'Afrique. C'est en effet d'Afrique du Sud que nous viennent ces plantes vivaces aux abondantes feuilles en lanières à l'extrémité retombante. De ces touffes d'un beau vert vif jaillissent de hautes tiges couronnées en été de larges ombelles (de 10 à 15 cm de diamètre) qui offrent toutes les nuances entre le bleu pastel et l'outremer presque violet, avec aussi quelques variétés blanches.

Sous les climats maritimes humides et doux, les agapanthes peuvent être cultivés en pleine terre si on les protège des intempestifs coups de froid hivernaux. Partout où les températures sont moins clémentes, on les plantera en bac et on les réservera aux jardins d'hiver et aux vérandas en les sortant seulement à la belle saison, et on donnera la préférence aux variétés hybrides, sensiblement plus vigoureuses et plus résistantes. La plupart des espèces renouvellent leurs feuilles chaque année, mais il existe également des agapanthes à feuilles persistantes, peu cultivés dans nos régions parce que plus fragiles.

TECHNIQUES DE CULTURE

Printemps et été. On plantera les souches en avril en les regroupant par trois et en les espaçant d'environ 25 cm pour obtenir une floraison plus drue.

Les racines robustes doivent être enterrées à 8 ou 10 cm de profondeur, dans une bonne terre de jardin allégée par un mélange de terreau de feuilles et de tourbe. Assurer un drainage suffisant et répartir éventuellement au fond du compost des fragments de charbon de bois qui préviendront la stagnation d'eau au niveau des racines.

Arroser modérément jusqu'à l'apparition de nouvelles pousses, après quoi il suffira de maintenir la terre tout juste humide en évitant cependant tout excès d'eau.

En cas de sécheresse pendant la saison chaude, les arrosages seront plus fréquents, mais toujours dosés avec la même modération. Si les agapanthes sont cultivés en serre, il faudra sans doute augmenter la ventilation.

Toutes les deux ou trois semaines, enrichir avec un bon fertilisant liquide qui garantira une floraison abondante (cesser l'administration d'engrais à l'apparition des premiers boutons).

Automne et hiver. Dès que la floraison touche à sa fin, couper les tiges qui se fanent. Couper également les feuilles à mesure qu'elles jaunissent. Il faut alors rentrer les bacs qui ont passé l'été à l'extérieur pour les mettre à l'abri des premiers frimas. L'idéal est de leur faire passer l'hiver en serre froide. À défaut, les placer dans un endroit abrité, sans changements brusques de température, en répandant à la surface une couche de fougères, de feuilles mortes et de tourbe qui préservera les racines. C'est aussi le moment de protéger les pieds qui resteront en terre. D'octobre à mars, l'agapanthe entre dans sa période de repos.

L'hybride **'Headbourne'.**

Espèces

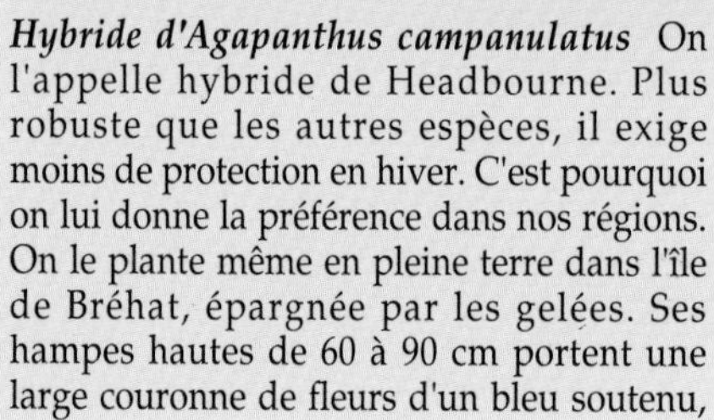

Hybride d'Agapanthus campanulatus On l'appelle hybride de Headbourne. Plus robuste que les autres espèces, il exige moins de protection en hiver. C'est pourquoi on lui donne la préférence dans nos régions. On le plante même en pleine terre dans l'île de Bréhat, épargnée par les gelées. Ses hampes hautes de 60 à 90 cm portent une large couronne de fleurs d'un bleu soutenu, mais il existe également une variété blanche. La floraison a lieu en juillet-août.

Agapanthus campanulatus Originaire d'Afrique du Sud, cette espèce se signale par ses feuilles plus charnues, d'un beau vert vif. Tiges de 60 à 90 cm de hauteur, qui portent en juillet et en août des fleurs d'un délicat bleu violine (en bas, à droite).

Agapanthus africanus Parfois désigné sous le nom d'*Agapanthus umbellatus*. Un des rares agapanthes à feuilles persistantes, longues de 60 à 80 cm. Au sommet de la hampe rigide haute de 75 cm à 1 m, l'ombelle de 4 à 5 cm de diamètre regroupe de 25 à 30 fleurs bleu-mauve ou blanches (à gauche et en haut à droite). La floraison a lieu en juillet.

MULTIPLICATION

Tous les trois ou quatre ans, vers la fin avril, il est conseillé de procéder à la division des souches devenues trop touffues. Les nouveaux pieds ainsi obtenus fleuriront la deuxième année.

Avril est aussi le mois des semis. Les graines germent facilement dans le terreau, mais il faudra attendre trois ou quatre ans avant la première floraison.

Maladies et parasites

Les agapanthes plantés en pleine terre peuvent attirer les limaces et les escargots. On s'en débarrassera avec des appâts empoisonnés répartis autour du pied. Dans la maison, le principal danger viendra des cochenilles farineuses, dont les cocons s'agglutinent sur les tiges et les feuilles. Les éliminer avec un tampon imbibé d'alcool dénaturé.

Guide d'achat

L'agapanthe ne doit pas être rempoté. Il convient donc d'examiner la plante avec soin, de préférence juste avant la floraison, afin de pouvoir vérifier l'état des boutons. Éliminer les spécimens qui manquent de vigueur ou ceux dont les inflorescences sont endommagées. Le fait que les racines aient envahi tout le pot n'a rien d'inquiétant.

Aglaonema

Famille : **Aracées**

Nom usuel : **aglaonema**

Aspect	Hauteur	Floraison
en touffes	20-80 cm	en été, peu d'intérêt
Culture	**Exposition**	**Humidité**
très facile	lumière indirecte	moyenne

Bien qu'appartenant à la famille des arums, l'aglaonema, originaire du Sud-Est asiatique, est cultivé pour la beauté de ses grandes feuilles lancéolées portées par de longs pétioles et diversement panachées ou ornées de délicates mouchetures. La caractéristique inflorescence en spathe, qui apparaît en été pour laisser place à de petites baies rouges, est sans grand intérêt sur le plan ornemental.

Plante d'intérieur particulièrement facile à vivre, l'aglaonema peut prospérer dans les pièces mal éclairées, mais supporte un passage en plein soleil. Il s'accommode d'une période de sécheresse et s'adapte très bien à l'hydroculture. La seule restriction concerne la lenteur de sa croissance : il faut plusieurs années pour obtenir une plante de belle envergure.

***Aglaonema modestum* 'Silver Queen'.** Une belle variété aux feuilles panachées d'argent.

TECHNIQUES DE CULTURE

Printemps et été. Les aglaonemas se rempotent chaque printemps dans un compost bien drainé, mais assez tourbeux. Ils ont besoin en été d'un minimum de chaleur : 18 °C leur suffisent, mais ils ne craignent pas des températures de 24 °C si l'air est assez humide. Les aérer lorsque la température atteint 21 °C. Les garder à l'abri des atmosphères enfumées, leurs feuilles risqueraient de tomber. Arroser (modérément) et vaporiser deux fois par semaine. Leur donner de l'engrais liquide chaque mois pendant la période de croissance, puis tous les quinze jours.

Automne et hiver. La plupart des espèces survivent sans problème à 10 °C en atmosphère sèche. Leur éviter les vents coulis et n'arroser qu'une fois par semaine.

Pour conserver un taux d'humidité suffisant sans détremper la terre, poser le pot sur un lit de cailloux aux trois quarts couverts d'eau.

On peut aussi maintenir de la fraîcheur en plaçant le pot dans un récipient plus grand et en l'entourant d'une couche de tourbe humide.

Espèces

Aglaonema modestum Venue de Chine, cette espèce croît jusqu'à 80-90 cm de hauteur. Ses feuilles vernissées, portées par de fins pétioles, sont marquées de gris argent le long de la nervure centrale. La floraison n'a lieu que chez les spécimens âgés de plusieurs années : à la fin de l'été apparaît alors une discrète spathe verdâtre abritant un spadice jaune. La variété *A. modestum* 'Silver Queen' est la plus décorative avec ses feuilles panachées de vert olive et de gris argent.

Aglaonema pseudobracteatum Une plante vigoureuse, aux feuilles lancéolées d'un vert intense et striées de jaune (ci-dessous).

Aglaonema crispum Cet aglaonema, qui atteint parfois 90 cm de hauteur, se reconnaît à sa tige épaisse et à ses feuilles épaisses et coriaces, gris-vert ourlées de vert olive avec des marbrures argentées.

Aglaonema versicolor Une espèce récente, identifiable à ses larges feuilles bariolées de plusieurs tons de vert (ci-dessus).

Aglaonema costatum Feuilles cordées brillantes, d'un vert intense sur lequel tranchent la nervure centrale claire et des mouchetures blanches.

Aglaonema treubii Une plante peu exigeante, qui supporte bien les inconvénients de la vie en appartement. Feuilles panachées vert clair et vert foncé (à droite).

Aglaonema oblongifolium Un géant, avec plus de 1 m de hauteur. Feuilles ovales et épaisses d'un vert métallique à reflets bleutés à mouchetures claires.

Aglaonema angustifolium Longues feuilles acuminées dont les nervures très apparentes se détachent en creux, leur donnant un aspect légèrement gaufré.

MULTIPLICATION

La multiplication s'effectue couramment par division, vers le mois d'avril : détacher si possible une jeune pousse pourvue de trois ou quatre nouvelles feuilles et de racines vigoureuses, et la planter dans le même type de compost que la plante adulte. Maintenir à une température de 21 °C jusqu'à la reprise.

On peut également prélever une bouture en sectionnant l'extrémité d'une tige (conserver deux feuilles). Planter dans un mélange à parts égales de tourbe et de sable. Arroser, couvrir d'un film plastique et tenir à 23-24 °C en découvrant de temps à autre. Il faudra trois semaines pour que la bouture prenne racine.

Maladies et parasites

Peu exigeant, l'aglaonema peut cependant souffrir dans une ambiance défavorable. L'excès d'humidité en hiver fait jaunir les feuilles. Laisser sécher la terre et donner un peu plus de chaleur. Des conditions inadéquates peuvent favoriser la prolifération du botrytis, ou pourriture grise (en bas), ou des taches foliaires (en haut), qui sont dues soit à des champignons, soit à des bactéries. Dans les deux cas, traiter avec des fongicides.
Si le dessous des feuilles et les aisselles sont couverts de petites plaques laineuses, pas de doute, ce sont les cochenilles, qui ont malheureusement une prédilection pour les aglaonemas. Les enlever avec un tampon d'ouate imbibé d'alcool dénaturé.

Albizzia

Famille : **Légumineuses**

Nom usuel : **albizzia**

Aspect petit arbre	**Hauteur** de 3 à 5 m	**Floraison** juin-juillet
Culture bac ou pleine terre	**Exposition** ensoleillée et abritée	**Humidité** résiste à la sécheresse

Albizzia julibrissin Un nom qui vient du persan pour cet arbre ornemental aux fleurs magnifiques.

Avec ses branches qui s'étalent en parasol et son feuillage finement découpé, l'albizzia est toujours très élégant. Mais il faut le voir dans toute sa magnificence, lorsqu'il se couvre de fleurs délicieusement parfumées semblables à des houppes de duvet ou à des aigrettes roses.

On connaît une cinquantaine d'espèces d'albizzias, originaires des zones tropicales et subtropicales de tous les continents. La plupart à feuilles caduques, certaines à feuilles subpersistantes.

En dépit de ses origines exotiques, ce petit arbre éminemment décoratif est plus rustique qu'il n'y paraît et supporte des gelées passagères de —5, voire —10 °C. On peut donc l'acclimater dans la moitié nord de la France, à condition de lui trouver un coin bien ensoleillé, à l'abri des vents froids, par exemple le long d'un mur exposé au sud-ouest. Néanmoins, le Midi reste sa terre d'élection. L'albizzia, qui a sensiblement les mêmes exigences que le mimosa auquel il ressemble, peut aussi se cultiver en pot, embellissant terrasses et balcons pendant l'été.

TECHNIQUES DE CULTURE

L'albizzia se plante d'octobre à mars, dans un sol assez léger et bien drainé, de préférence un peu acide (y ajouter éventuellement de la tourbe).

Si on le destine à la terrasse, le planter dans un bac assez grand afin d'éviter les rempotages (on procédera chaque année au renouvellement du compost de surface), et disposer au fond une couche de tessons pour améliorer le drainage.

Arroser régulièrement les deux premières années et donner de l'engrais au printemps et à l'automne. Par la suite, l'albizzia sera capable de résister aux périodes de sécheresse.

À l'automne apparaissent les fruits, qui pendent en gousses aplaties. S'il s'agit d'un bel exemplaire, les récolter pour recueillir les graines.

MULTIPLICATION

Semer au printemps dans des caissettes de terreau et faire lever à 16 °C. Les graines étant protégées par une enveloppe coriace, il est nécessaire de les faire auparavant tremper pendant deux jours ou bien de les entailler en surface. L'opération est passablement délicate, et le jardinier inexpérimenté aura plutôt intérêt à acheter un jeune arbre.

Espèces

Albizzia julibrissin On l'appelle communément arbre de soie ou mimosa de Constantinople, ou encore mimosa rose dans le Midi de la France. C'est l'espèce la plus recherchée pour sa valeur ornementale, en même temps que la plus résistante au froid. Cet albizzia a une croissance lente et n'atteint sa taille adulte qu'au bout d'une vingtaine d'années. Quand il pousse librement, il peut dépasser 8 ou 10 m de hauteur, mais on peut le garder à 3-4 m en le taillant. Ses branches se développent alors en largeur, et il prend la forme d'un parasol. Les feuilles bipennées vert clair se composent de 8 à 12 paires de pennules comportant elles-mêmes de 14 à 36 paires de folioles faliciformes. Ce sont les nombreuses et longues étamines, soudées à la base et s'évasant en éventail, qui donnent aux fleurs paniculées roses et blanches cet aspect d'aigrettes. La variété 'Rosea', plus petite, a souvent la préférence pour ses magnifiques inflorescences carminées.

Albizzia lebbek Une espèce dont les fleurs d'un jaune tirant sur le vert sont regroupées en épis cylindriques.

Albizzia lophanta Cet albizzia à feuilles subpersistantes et à fleurs jaune soufre se distingue par sa croissance rapide, mais il vit moins longtemps.

Maladies et parasites

L'albizzia est sujet à la maladie du corail, causée par un champignon et qui se manifeste par des petites excroissances roses. Couper les rameaux atteints et mastiquer la cicatrice.

Allamanda

Famille : **Apocynacées**

Nom usuel : **allamanda**

Aspect	**Hauteur**	**Floraison**
rampant	de 1 à 2 m	au début de l'été
Culture	**Exposition**	**Humidité**
en serre ou en véranda	pleine lumière	pas d'eau calcaire

Ils nous viennent du Brésil et ils ressemblent à des lianes, ces arbustes rampants aux fleurs éclatantes qui conservent en toute saison leur feuillage luxuriant. Dans leurs forêts d'origine, leurs tiges ligneuses peuvent atteindre 6 m de longueur, et ils fleurissent à longueur d'année. Sous nos climats, il faudra les réserver à la serre ou à la véranda, où leur taille sera plus modeste : même si leur croissance est très rapide, on ne peut guère espérer les voir dépasser 1,5 m. Mais ils n'en présentent pas moins un grand intérêt décoratif car on pourra les palisser sur un treillage ou encore les faire grimper en spirale autour d'une colonne. Les allamandas sont toxiques. Ne pas les laisser à la portée de jeunes enfants.

TECHNIQUES DE CULTURE

Printemps et été. Les allamandas se rempotent chaque année en mars dans un mélange composé pour moitié de terreau de feuilles, en complétant à parts égales avec du sable et de la tourbe. Pour obtenir une floraison abondante, il est nécessaire de raccourcir les pousses de l'année précédente en laissant seulement un ou deux yeux.

Il leur faut de la chaleur (de 18 à 28 °C) et de la lumière, mais on tamisera les rayons du soleil au plus chaud de l'été. Éviter courants d'air et brusques changements de température qui pourraient leur être fatals.

Par temps chaud et sec, compléter les arrosages abondants (trois fois par semaine) par des pulvérisations, toujours avec de l'eau douce. Donner de l'engrais liquide tous les quinze jours.

Automne et hiver. Cesser de donner de l'engrais et espacer les arrosages. Un repos hivernal de six semaines à deux mois avec un minimum d'eau peut être bénéfique à la plante.

Allamanda cathartica En été, une profusion de fleurs jaunes qui illumineront une véranda.

MULTIPLICATION

À la fin de l'hiver, de janvier à mars, prélever des boutures en sectionnant l'extrémité des rameaux. Faire prendre racine dans un mélange de tourbe et de sable en maintenant à 24 °C minimum, puis replanter en terre de bruyère.

Espèces

Allamanda cathartica L'espèce la plus vigoureuse. L'une des plus décoratives, aussi, avec son feuillage à l'aspect vernissé et ses grandes fleurs jaune d'or campanulées aux cinq pétales soudés. Les feuilles lancéolées, assez dures, sont groupées par quatre en verticilles. D'un jaune plus clair, les fleurs de 'Grandiflora'peuvent atteindre 12 cm de diamètre, tout comme celles de 'Nobilis' (à droite), au délicat parfum. La variété 'Williamsii' se signale par son feuillage dense et ses fleurs dont le jaune se nuance de brun à la gorge. Ces deux variétés fleurissent de juin à septembre.

Allamanda neriifolia À la différence des autres espèces, cet arbuste a des rameaux érigés, avec des feuilles lancéolées rêches. Ses petites fleurs tubuleuses jaune vif, à la gorge striée de rouge orangé, sont disposées en bouquets terminaux (à gauche). Il se plaît dans les lieux ombragés et chauds, et a besoin d'un taux d'humidité élevé.

Allamanda violacea Reconnaissable à ses fleurs rouge violacé (jusqu'en octobre) et à ses rameaux rampants minces et flexibles.

Aloe

Famille : **Liliacées**

Nom usuel : **aloès**

Plantes grasses tropicales originaires de l'hémisphère sud, les aloès, souvent confondus avec les agave, se sont eux aussi très bien acclimatés dans les jardins méditerranéens, en particulier l'aloès du Cap *(Aloe ferox)*, dont on tire une teinture amère utilisée en pharmacie. Il en existe de multiples espèces, les unes à tige, les autres acaules, dont les feuilles charnues, pourvues ou non d'épines, sont presque toujours disposées en rosette. Chaque année surgissent à la fin de l'hiver des inflorescences axillaires en épis, le plus souvent rouges ou orangées.

Certains aloès atteignent presque la taille d'un arbre, comme l'aloès corne-de-cerf *(Aloe arborescens)*, et ne peuvent être conservés à l'intérieur que tant qu'ils sont jeunes; les autres ne dépassent pas 30 cm et sont parfaitement adaptés à la culture en pot, peu exigeants en matière d'arrosage et d'humidité — leurs feuilles épaisses leur permettent de faire des réserves d'eau —, mais demandant un maximum de lumière.

TECHNIQUES DE CULTURE

Printemps et été. Les aloès se rempotent au printemps, dans un mélange à base de terreau allégé avec du sable.

Arroser sans excès durant la période de croissance. Un bon drainage est nécessaire pour éviter que l'eau ne noie les racines ou ne stagne à la base des feuilles, ce qui les ferait pourrir. Il est aussi conseillé d'isoler les feuilles en contact avec le compost en saupoudrant la surface d'un peu de gros sable ou de perlite (roche volcanique broyée). Seuls les aloès à feuilles vernissées et épineuses tolèrent le plein soleil. Pour les espèces à feuilles tendres, une lumière tamisée est préférable. Donner de l'engrais liquide une fois par mois d'avril à septembre.

A. variagata Un aloès de culture facile.

Automne et hiver. Réduire peu à peu les arrosages, puis tenir la plante au sec et à 8-10 °C pendant l'hiver : ce repos forcé stimulera la floraison.

MULTIPLICATION

Par semis au printemps, dans un compost à base de sable maintenu légèrement humide, à 21 °C. Ou bien par bouturage des rejets (petites rosettes apparaissant à la base de la plante mère à laquelle ils sont reliés par des stolons souterrains) que l'on prélève à la fin du printemps, lorsqu'ils ont déjà quelques racines.

Maladies et parasites

Au moment de la floraison, prendre garde aux pucerons, qu'attire le nectar. Traiter les fleurs à l'insecticide en protégeant les feuilles. Attention également aux cochenilles des racines et aux cochenilles farineuses.

Espèces

Aloe variegata C'est l'aloès panaché, dit encore bec-de-perroquet. Une espèce naine (pas plus de 30 cm), très décorative, avec d'épaisses feuilles vertes triangulaires aux zébrures transversales blanches disposées en spirale. Au mois de mars apparaît une haute et grêle hampe florale portant une grappe de fleurs tubuleuses roses.

Aloe arborescens On l'appelle aloès corne-de-cerf. Il peut atteindre 3 m de hauteur, et ressemble alors à un petit arbre avec ses feuilles ourlées d'épines s'étalant à l'extrémité d'une tige ligneuse et dénudée. Mais il peut aussi se développer en largeur, ses nombreux rejetons produisant d'autres rosettes qui lui donnent un aspect buissonnant. Ses fleurs rouge corail sont regroupées en grands épis (à gauche).

Aloe ferox L'aloès du Cap, dont la tige robuste dépasse facilement 2,50 m, est très répandu sur le littoral méditerranéen. D'avril à juillet, il porte de spectaculaires inflorescences en grappes hautes de 60 cm. Il aime les lieux chauds et ensoleillés, mais peut supporter des températures assez basses si ses racines sont au sec. C'est l'une des rares espèces se plaisant en sol acide.

Aloe aristata Cette espèce acaule se signale par sa rosette très dense qui peut porter jusqu'à cent feuilles vert sombre garnies de petits tubercules blancs (à droite).

Aloe mitriformis L'aloès en forme de mitre doit son nom à la disposition de sa rosette : ses épaisses feuilles triangulaires, bombées sur leur face inférieure et bordées d'épines jaune clair, sont étroitement imbriquées, comme les deux pans du chapeau d'un évêque. Les fleurs sont rouge orangé, plus pâle à la base.

Ananas

Famille : **Broméliacées**

Nom usuel : **ananas**

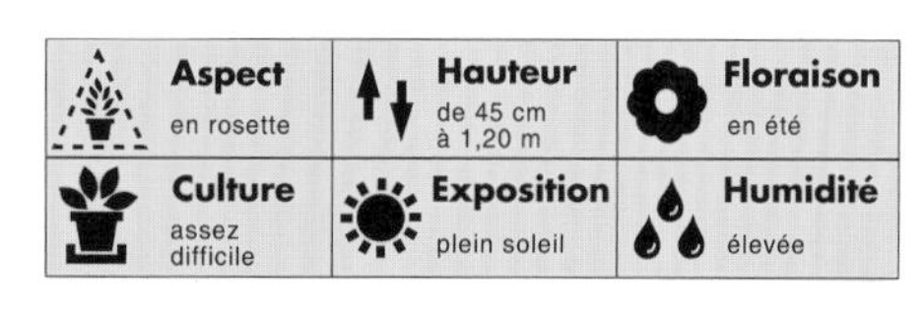

Le genre *Ananas* est surtout célèbre sur le plan gastronomique, pour les succulents fruits de *A. comosus*, l'ananas comestible. Mais on connaît moins les différentes espèces ornementales cultivées comme plantes d'intérieur, bien davantage pour leur feuillage que pour leurs fruits, qui mettent très longtemps à parvenir à maturité – quand ils y parviennent – et sont généralement impropres à la consommation. Néanmoins, ils ajoutent une note décorative qui n'est pas à négliger.

Ces Broméliacées robustes, qui peuvent atteindre 1,20-1,30 m de hauteur, ont de longues feuilles rubanées à bord épineux, disposées en rosette. Au centre de cette rosette se développe une hampe florifère portant une inflorescence rose ou bleue qui donnera naissance au fruit.

TECHNIQUES DE CULTURE

Printemps et été. Les ananas se rempotent au printemps, tous les deux ans au début, sauf les espèces naines, qui peuvent rester dans le même contenant. En fait, un ananas, même volumineux, n'a pas besoin d'un pot très grand, car ses racines sont peu développées. Mettre une couche de drainage suffisante et remplir avec un compost adapté aux besoins des Broméliacées : par exemple deux parts de terreau fibreux, une part de tourbe et une part de sable. Comme ce mélange est assez léger, on aura intérêt à lester le pot pour les spécimens les plus importants.

Il faut aux ananas de la chaleur et de l'humidité. Poser le pot sur un lit de tourbe qui sera humidifié en permanence et bassiner le feuillage dès que l'air paraît trop sec. Les arrosages doivent être réguliers mais bien dosés, de manière à humecter en profondeur le mélange terreux. Laisser sécher en surface avant d'arroser de nouveau.

Il faut enfin du soleil, nécessaire à la belle coloration du feuillage. Inutile de vouloir élever un ananas dans une pièce sombre ou exposée au nord. Donner de l'engrais liquide tous les quinze jours à cette plante exigeante.

Automne et hiver. Si la pièce est tiède, l'ananas poursuivra sa croissance toute l'année. Sinon, celle-ci sera ralentie pendant l'hiver. Réduire les arrosages et donner de l'engrais tous les mois seulement.

Ananas comosus variegata Variété ornementale de l'ananas comestible au beau feuillage panaché.

MULTIPLICATION

L'ananas produit de nombreux rejetons que l'on utilisera au printemps pour la multiplication. Prélever des segments de 8 à 15 cm, selon la taille des espèces, et les planter dans un mélange composé à parts égales de tourbe et de sable (ou de perlite). Enfermer le pot dans un sachet en plastique et tenir au chaud, mais pas en plein soleil, sans arroser. Il faudra plusieurs semaines pour que les racines apparaissent. Sortir alors le pot de son sachet et commencer très progressivement à arroser. On peut aussi multiplier par bouture du plumet de feuilles garnissant le sommet du fruit. Le laisser sécher quelques jours, le planter dans du sable et le garder près d'une source de chaleur.

Détacher le plumet de feuilles à l'aide d'un couteau bien aiguisé.

Espèces

Ananas comosus L'ananas comestible (à droite) devient vite trop volumineux pour être cultivé à l'intérieur. De toute manière, il ne faut pas espérer, en appartement, lui voir donner des fruits mangeables : ils resteront petits et verts. La variété 'Variegata' est plus intéressante par sa taille réduite (ses feuilles ne dépassent pas 90 cm).

Ananas ananaoides La variété 'Nana' est une espèce naine dont les feuilles vert sombre sont longues de 40 à 45 cm. Produit des fruits non comestibles, verts et durs.

Ananas bracteatus Une espèce à croissance lente, qui met huit ans pour atteindre 1 m et qui peut être cultivée en appartement tant qu'elle est jeune. Produit quelquefois des fleurs bleu lavande auxquelles succèdent des fruits bruns comestibles. La variété 'Striatus' est la plus décorative avec ses larges feuilles vertes à bord crème.

Anthurium

Famille : **Aracées**

Nom usuel : **anthurium, flamant rose**

Anthurium andreanum Une plante de serre chaude, de culture assez délicate.

Anthurium scherzerianum Avec des soins appropriés, il fleurira presque toute l'année, même en hiver.

Dans leurs forêts d'origine, ces plantes d'Amérique tropicale, dont il existe plus de 400 espèces, peuvent atteindre des dimensions impressionnantes, sans rapport avec la taille relativement modeste que nous leur connaissons en appartement. On les admire pour leur étrange fleur, constituée d'une large spathe rigide et chatoyante, le plus souvent rouge, qui entoure le spadice, sorte d'épi grenu dressé et incurvé portant les fleurs minuscules. Mais leur beauté réside aussi dans leurs grandes feuilles vertes, et certains anthuriums sont cultivés avant tout pour leur feuillage très décoratif. C'est le cas de l'anthurium de cristal *(A. crystallinum)*, dont les fleurs sont assez insignifiantes

Les anthuriums exigent des soins attentifs, même *A. Scherzerianum*, la plus accommmodante des trois espèces les plus couramment cultivées chez nous, et l'anthurium d'André *(A. Andreanum)* est à déconseiller aux novices. Mais le résultat récompense amplement de tous les efforts, car, dans de bonnes conditions, les fleurs pourront s'épanouir à n'importe quel moment de l'année et resteront éclatantes pendant six ou huit semaines.

TECHNIQUES DE CULTURE

Les anthuriums se rempotent en général tous les deux ans, dans un compost à la fois riche et léger : sphaigne hachée et tourbe, ou bien un mélange à parts égales de tourbe ligneuse, de terreau de feuilles et de sable. Mettre une importante couche de drainage (au moins le quart de la hauteur totale). Le bourgeon (calotte d'où partent les tiges) doit émerger de 5-6 cm ou plus, et il faudra enrober de mousse les racines supérieures, que la poussée de la croissance aura tendance à dénuder.

L'anthurium a besoin d'une lumière abondante mais diffuse. L'idéal est de le placer devant une grande fenêtre donnant à l'est. On doit impérativement le préserver des rayons du soleil en interposant un voilage plus ou moins épais ou un store.

Il faut encore lui assurer une chaleur constante : de 16 à 18 °C en permanence pour *A. scherzerianum*, de 20 à 22 °C et plus pour *A. andreanum* et *A. crystallinum*). Tout courant d'air, toute brusque variation de température (attention aux baisses nocturnes) lui seront fatals, de même que le moindre dessèchement de l'air ambiant. La motte sera maintenue humide en permanence par des arrosages fréquents, mais pas trop copieux (deux ou trois fois par semaine en été, une fois en hiver), complétés par des pulvérisations quotidiennes.

L'eau calcaire, qui tache les feuilles et peut modifier le pH du compost, est l'ennemie de l'anthurium. La laisser reposer plusieurs heures à température ambiante et l'adoucir en y diluant un peu de tourbe avant de l'utiliser, mais l'idéal est de recueillir de l'eau de pluie.

Si ces soins ne suffisent pas à entretenir le fort taux d'humidité qui est nécessaire à la plante, poser le pot sur un lit de cailloux mouillés ou l'envelopper de tourbe humectée. Nettoyer très régulièrement les feuilles avec un chiffon humide ou une éponge pour éviter que la poussière n'obstrue leurs pores. En période de floraison, donner tous les quinze jours une dose normale d'engrais liquide. Si les fleurs sont trop lourdes et font ployer les tiges, les soutenir au moyen de tuteurs.

MULTIPLICATION

Par division des touffes au moment du rempotage au printemps. Mettre dans un mélange à base de tourbe, que l'on gardera humide, et tenir à 21 °C jusqu'à ce que les racines se développent. La multiplication de *A. andreanum*, plus délicate, ne doit être entreprise que par les jardiniers expérimentés.

Maladies et parasites

Cochenilles farineuses et champignons, qui pullulent dans les serres chaudes et humides, sont leurs plus dangereux ennemis.

Espèces

Anthurium andreanum Cette espèce épiphyte des forêts tropicales fut découverte en Colombie, à la fin du siècle dernier, par un voyageur français nommé André.

Avec ses amples feuilles cordiformes, vertes et brillantes, sa grande spathe rouge en forme de cœur, à l'aspect cireux et légèrement gaufré, au centre de laquelle se dresse l'épi crème du spadice, l'anthurium d'André est l'une des plus belles plantes qui puissent orner un intérieur. Sa culture, hélas ! est difficile, car il lui faut des températures de l'ordre de 21-25 °C, assorties d'un taux très élevé d'humidité. S'il faut la déconseiller aux novices, cette espèce a en revanche la faveur des horticulteurs, qui la font pousser en serre chaude, la vente de la fleur coupée (d'une très longue tenue dans l'eau) étant d'un excellent rapport.

L'amateur n'aura que l'embarras du choix devant la multiplicité des cultivars et des hybrides. La variété 'Veitchii' se signale par ses immenses feuilles aux légères ondulations transversales, et 'Guatemala' par une floraison abondante et par ses spathes charnues d'un rouge intense.

Anthurium scherzerianum Cette espèce, qui s'adapte mieux en appartement, supporte une brève cure de plein air à la belle saison, dans un lieu bien abrité, ainsi qu'une période de repos en fin d'hiver. Parmi les innombrables variétés, citons 'Album' (à droite), à la spathe blanc crème.

Anthurium crystallinum À la différence des espèces précédentes, l'anthurium de cristal se cultive moins pour ses fleurs que pour ses feuilles charnues et veloutées sur lesquelles se détachent les nervures d'un blanc nacré (ci-dessus). La variété 'Illustre' a un feuillage panaché de blanc et de jaune.

Aphelandra

Famille : **Acanthacées**

Nom usuel : **aphélandra, plante zèbre**

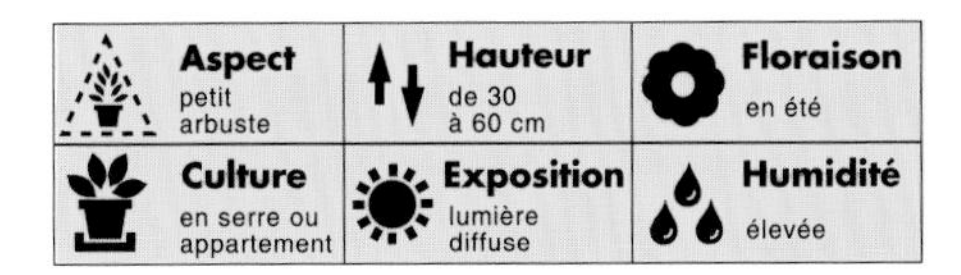

Aphelandra squarrosa La plante zèbre, au feuillage décoratif, demande des soins attentifs.

Des quelque soixante-quinze espèces tropicales que compte le genre *Aphelandra*, deux seulement sont couramment cultivées sous nos climats comme plantes d'ornement : *A. chamissoniana* et surtout *A. squarrosa*, qui a donné naissance à différentes variétés.

Les aphélandras sont recherchés pour leurs épaisses feuilles vertes sur lesquelles les larges nervures blanches ou jaune clair dessinent des rayures régulières (leur valant leur surnom de plantes zèbres). Mais leurs inflorescences ne sont pas moins décoratives, avec leurs gros épis coniques constitués de bractées coriaces jaune orangé, d'où émergent des fleurs tubuleuses d'un jaune plus clair, qui ne durent que quelques jours (l'épi, lui, reste en place plusieurs semaines).

Pour acclimater en appartement ces plantes qui se plaisent dans une atmosphère de serre, tiède et moite, des soins attentifs et réguliers sont indispensables.

TECHNIQUES DE CULTURE

Printemps et été. À la fin de l'hiver, avant le rempotage, une taille énergique leur redonnera de la vigueur. Les mettre dans un mélange à base de terreau, sans trop tasser : la terre doit rester meuble. Mettre le pot dans un endroit où il recevra une bonne lumière diffuse, à l'abri du soleil.

Le compost ne doit jamais sécher ni être saturé d'eau : arroser fréquemment, mais sans excès (deux ou trois fois par semaine). Pour maintenir l'humidité ambiante, les pulvérisations quotidiennes ne suffiront pas en cas de canicule. Il faudra poser le pot sur un lit de tourbe humecté en permanence ou disposer autour des récipents pleins d'eau qui assureront une évaporation suffisante (mêmes précautions dans un appartement surchauffé en hiver). La température doit rester de l'ordre de 22-24 °C, avec un minimum nocturne de 18 °C (attention donc aux nuits fraîches de fin du printemps, quand le chauffage est déjà éteint). Donner de l'engrais liquide tous les quinze jours jusqu'à la fin de la floraison.

Automne et hiver. Après la floraison, imposer à la plante un repos de cinq à six semaines en réduisant les arrosages et en la tenant à environ 13 °C. Pendant l'hiver, elle aura besoin d'une température d'environ 16 °C et d'une lumière suffisante (quelques heures d'éclairage artificiel seront bénéfiques en janvier-février).

MULTIPLICATION

Par boutures de jeunes pousses à la fin du printemps. Mettre dans un mélange de sable et de tourbe bien humide et enfermer le pot dans un sac en plastique. Tenir à 24 °C en contrôlant l'humidité.

Espèces

Aphelandra squarrosa Au Brésil, d'où elle est originaire, cette espèce atteint 1 m de hauteur. Chez nous, 40 cm représentent déjà une belle taille. On l'admire pour ses grandes feuilles lancéolées et brillantes, d'un beau vert profond, striées de nervures crème. La variété 'Leopoldii' se signale par ses bractées rouges et par ses fleurs jaune soufre. Dans des conditions optimales ou en serre, la variété 'Louisæ', la plus anciennement connue, aux bractées jaunes ourlées de rouge (à gauche), peut dépasser 60 cm de hauteur. D'apparition plus récente, *A. squarrosa* 'Brockfeld' est appréciée pour sa robustesse. Citons enfin *A. squarrosa* 'Dania', une variété recherchée pour son feuillage dense, dont la croissance s'effectue de manière plus compacte.

Aphelandra chamissoniana également originaire du Brésil, cet autre aphélandra se distingue par ses feuilles plus minces et par ses gros épis constitués de bractées épineuses jaunes à pointes vertes.

Aporocactus

Famille : **Cactacées**

Nom usuel : **aporocactus, aporocereus, queue-de-rat**

Originaires du Mexique, les aporocactus ne sont pas des cactées comme les autres. Ne serait-ce que parce que ces plantes épiphytes poussent dans les arbres, et non dans le sable du désert. Ensuite, détail non négligeable, les fins aiguillons garnissant les longues tiges souples d'*Aporocactus flagelliformis*, l'espèce la plus répandue, sont soyeux et à peine piquants. Ajoutons que leur floraison est aussi magnifique que facile à obtenir et que leur culture est à la portée du jardinier débutant, à condition de bien les surveiller en hiver, et on comprendra qu'ils soient aussi populaires. Leur port retombant les destine aux corbeilles suspendues, aux appuis de fenêtre élevés ou aux tablettes fixées en hauteur. Dans ces deux dernier cas, on prendra soin de fixer le pot pour éviter qu'il ne se renverse sous le poids des tiges, qui peuvent atteindre 1 m de longueur. Outre son effet décoratif, cette culture en suspension a l'avantage de favoriser la floraison.

TECHNIQUES DE CULTURE

Printemps et été. L'aporocactus se rempote chaque année, de préférence au début du printemps, après sa période de repos végétatif, dans un mélange assez acide, à base de tourbe, de sable et de terre de bruyère, ou même dans de la terre légère de jardin. Au bout de deux ans, il n'est plus nécessaire de prendre un pot plus grand, ce rempotage ayant surtout pour but de renouveler le compost dont les éléments nutritifs sont épuisés. Si la plante, qui a une croissance rapide, vous paraît trop à l'étroit, enlever des tiges qui serviront de boutures.

Pour se développer, l'aporocactus a besoin d'une lumière intense et d'un minimum de soleil. Mais il faut se méfier en été des rayons trop ardents du soleil, surtout derrière un grand vitrage, où la réverbération risquerait de le brûler. La température ne dépassera pas 24 °C.

C'est l'un des rares cactus craignant la sécheresse, aussi faudra-t-il l'arroser (au moins deux fois par semaine) pendant toute la période de croissance, de manière que la motte reste à peine humide. Un excès d'eau est cependant néfaste, et il faut vider le liquide de la soucoupe au bout d'une dizaine de minutes. La culture en corbeille suspendue offre l'avantage de faciliter le drainage et l'évacuation (dans ce cas, garnir la vannerie de sphaigne avant d'y mettre le compost). Vaporiser une fois par semaine pendant la canicule. Dès le début de la floraison, et même dès l'apparition des premiers boutons, donner de l'engrais tous les quinze jours.

Automne et hiver. De décembre à mars, il est conseillé de maintenir le cactus au repos en le tenant dans un endroit plus frais. La température, cependant, ne doit jamais être inférieure à 5 °C. Un arrosage toutes les trois semaines sera alors suffisant, juste pour empêcher le compost de se dessécher complètement.

Guide d'achat

On se procurera très facilement *Aporocactus flagelliformis*, mais les autres espèces seront peut-être plus difficiles à trouver ailleurs que chez les pépiniéristes spécialisés dans les cactées. Penser aussi aux hybrides, souvent séduisants, tels ceux issus du croisement d'un aporocactus avec un épiphyllum.

MULTIPLICATION

Par boutures. Après la floraison, couper une ou deux des plus longues tiges et les partager en segments d'environ 7 cm de longueur. Laisser sécher les plaies de coupe pendant quelques jours. Mettre ensuite les boutures dans un compost pour cactées auquel on aura mélangé un peu de sable, en les enfonçant juste assez pour qu'ils puissent tenir verticalement et en respectant le sens de la croissance (il est prudent, pendant le séchage, d'utiliser des repères pour ne pas les planter la tête en bas). Tenir à 22 °C dans un endroit éclairé pendant deux ou trois semaines. Les semis se font dans les mêmes conditions, entre janvier et fin avril.

Aporocactus flagelliformis Ses longues tiges souples lui ont valu le nom populaire de queue-de-rat.

Espèces

Aporocactus conzatti Moins longues que celles d'*A. flagelliformis*, ses tiges ramifiées vert bronze sont couvertes de courtes épines brunes. Les fleurs rouge brique durent seulement deux ou trois jours, mais se renouvellent à la même cadence.

Aporocactus flagelliformis Originaire du Mexique et du Pérou, ses longues tiges souples, cylindriques et grêles, dont les aiguillons fins et soyeux rappellent presque un pelage, l'ont fait surnommer queue-de-rat. Leur croissance rapide est le signe de la santé de la plante. Dans des conditions exceptionnellement favorables, les tiges peuvent parfois dépasser 1,75 m, mais une longueur de 90 cm-1 m est déjà satisfaisante. Les fleurs rouge rosé, aux pétales réfléchis, durent de quatre à cinq jours. Parfois appelés aporophyllums, les hybrides issus du croisement avec un épiphyllum ont souvent une floraison remarquable. La variété 'Maiden Blush' (ci-dessus) a de grandes fleurs rose pâle; 'Edna Bellamy' (à gauche) se signale par l'abondance de ses fleurs rose orangé.

Aporocactus flagriformis Ses boutons orangés donnent naissance à de magnifiques fleurs pendantes écarlates, ourlées d'un liseré violet.

Aporocactus martianus Ses tiges érigées ou rampantes présentent des côtes longitudinales sur lesquelles sont réparties les aréoles, qui portent chacune de six à huit épines jaunes. Longues de plus de 10 cm, les fleurs offrent toutes les nuances du rose pâle au rouge vif.

Aporocactus mallisonii On devrait l'appeler héliaporus, car c'est un hybride de *A. flagelliformis* et d'héliocereus, dont il a les caractéristiques fleurs en forme de coupe.

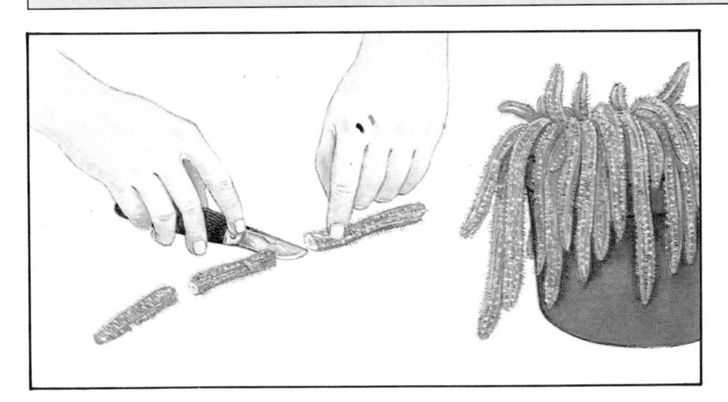

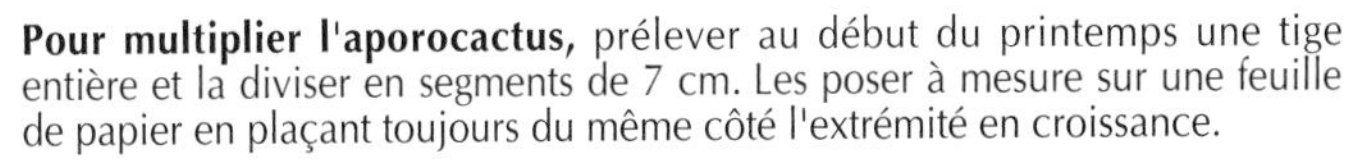

Pour multiplier l'aporocactus, prélever au début du printemps une tige entière et la diviser en segments de 7 cm. Les poser à mesure sur une feuille de papier en plaçant toujours du même côté l'extrémité en croissance.

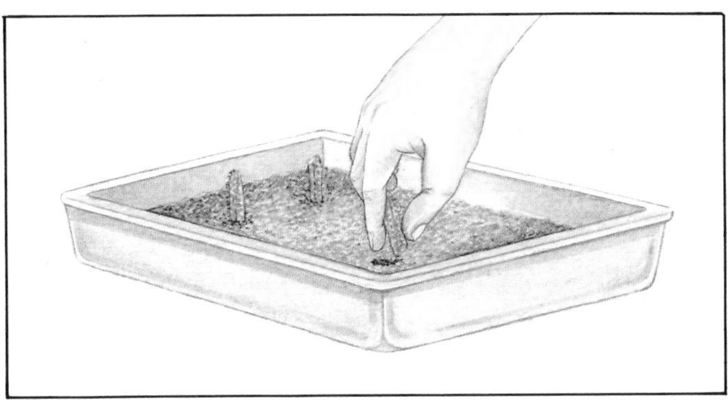

Laisser sécher les coupes une semaine, puis enfoncer les segments de 2 cm dans un compost humide, en veillant à placer l'extrémité en croissance vers le haut. Tenir à 22 °C. Les racines apparaîtront au bout de trois semaines.

Araucaria

Famille : **Pinacées**

Nom usuel : **araucaria**

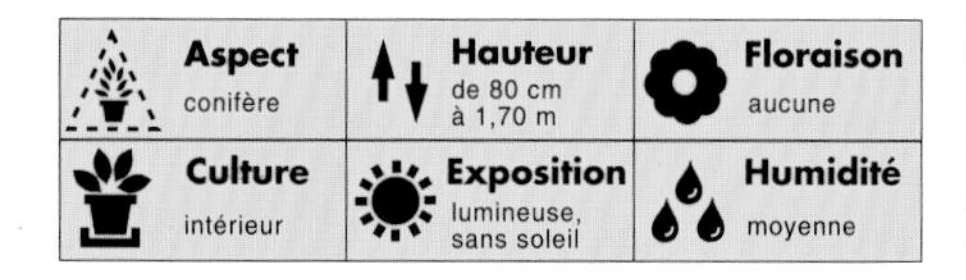

Aspect conifère	**Hauteur** de 80 cm à 1,70 m	**Floraison** aucune
Culture intérieur	**Exposition** lumineuse, sans soleil	**Humidité** moyenne

C'est au Chili, dans les épaisses forêts de l'Araucanie, fief des Indiens Araucans, que les voyageurs européens découvrirent au XVIIIe siècle ces beaux conifères typiques des climats maritimes de l'Amérique du Sud et de l'Océanie.

L'araucaria du Chili *(Araucaria araucana)* connut une grande vogue au début du siècle dans les jardins exotiques de la Côte d'Azur et des stations balnéaires de l'Atlantique. Son aspect spectaculaire est dû à l'implantation caractéristique de ses branches (celles du haut ascendantes, celles du milieu horizontales et celles du bas retombantes). Ses feuilles écailleuses se terminant par une pointe sont étroitement imbriquées les unes dans les autres et hérissées, gainant chaque rameau d'une sorte de manchon piquant qui rend son ascension presque impossible — d'où son surnom de Désespoir des singes.

Une seule espèce vit en appartement : *Araucaria heterophylla* (anciennement *A. excelsa*), que l'on appelle pin de Norfolk. Un conifère nain fort décoratif qui peut faire un insolite sapin de Noël (mais surtout lui épargner les bougies et ne pas l'approcher de la cheminée).

TECHNIQUES DE CULTURE

Printemps et été. Le rempotage n'est nécessaire que tous les deux ou trois ans, à moins que les racines ne soient trop à l'étroit. Utiliser un mélange assez riche et plutôt acide (terre de bruyère, terreau de feuilles et sable fin). L'araucaria a besoin de lumière (sinon il perdrait ses aiguilles) et d'air frais, mais redoute autant le soleil direct que les fortes chaleurs. À la belle saison, une cure à l'extérieur, à mi-ombre, lui fera le plus grand bien. Donner de l'engrais liquide tous les quinze jours et arroser fréquemment — mais sans excès — pendant toute la période de croissance.

Araucaria heterophylla Le pin de Norfolk est l'un des très rares conifères vivant en appartement.

Automne et hiver. Réduire les arrosages et laisser sécher le compost sur 2-3 cm avant de redonner de l'eau. Les araucarias peuvent souffrir si la température est inférieure à 4 °C, mais leur pire ennemi, ce sont les appartements surchauffés, à l'atmosphère desséchée. Audessus de 20 °C, il leur faut des pulvérisations presque quotidiennes d'eau douce

MULTIPLICATION

En été, par bouture de la partie supérieure, de préférence dans un germoir ou sous châssis à 19-20 °C. C'est une opération délicate. Mieux vaut acheter un jeune arbre en pot, en veillant à ce que ses aiguilles soient fermes et bien vertes.

Maladies et parasites

Les aiguilles jeunes et tendres font les délices des pucerons, à éliminer avec une poudre à base de pyrèthre. Les branches inférieures dégarnies sont un signe normal de vieillissement. Il ne reste qu'à les couper.

Espèces

Araucaria cookii Originaire d'Océanie, l'araucaria de Cook, ou pin colonnaire, très recherché en menuiserie, a été acclimaté sur la Côte d'Azur.

Araucaria heterophylla Dans son pays d'origine, cet arbre peut atteindre 50 m de hauteur. En appartement, il ne faut pas espérer le voir dépasser 1, 70 m. Ses branches sont disposées en étages, à la

manière des cèdres. La variété 'Astrid' (ci-dessus) a des aiguilles courtes et denses, d'un beau vert clair.

Ardisia

Famille : **Myrsinacées**

Nom usuel : **ardisia**

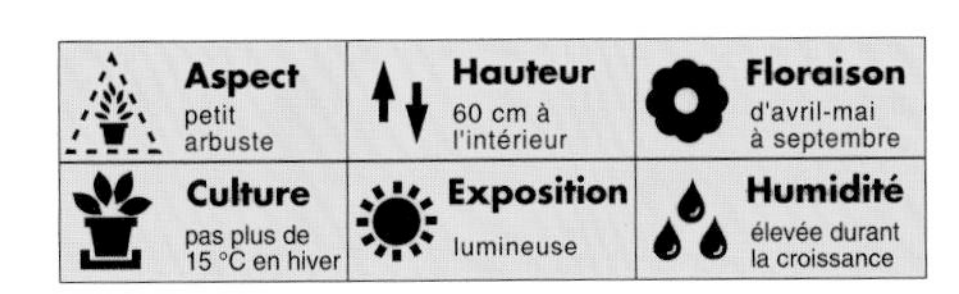

Aspect	Hauteur	Floraison
petit arbuste	60 cm à l'intérieur	d'avril-mai à septembre
Culture	**Exposition**	**Humidité**
pas plus de 15 °C en hiver	lumineuse	élevée durant la croissance

Ardisia crispa Si on respecte ses exigences et si on le garde à une température modérée en hiver, ce petit arbuste d'intérieur conservera très longtemps ses jolies grappes de fruits rouges.

Il existe plus de 300 espèces d'*Ardisia*, originaires des zones tropicales et sub-tropicales, dont certaines sont cultivées pour la valeur ornementale de leurs petites fleurs en forme d'étoile, réunies en grappes, et de leurs baies aux vives couleurs. L'effet est encore plus réussi lorsque fleurs et fruits sont présents en même temps, comme cela arrive parfois : les premières sur les pousses supérieures, les seconds sur les rameaux les plus bas.

Nous connaissons principalement l'ardisie (*Ardisia crispa*), mini-arbuste d'intérieur dont les attrayantes grappes de fruits rouges sont dans tout leur éclat à Noël. Un magnifique décor, et plus original que les branches de houx, pour les fêtes de fin d'année.

TECHNIQUES DE CULTURE

Printemps et été. L'ardisie se rempote au printemps, tous les ans au début, puis tous les deux ou trois ans dès que la plante est capable de fleurir. Ne pas prendre un pot trop grand, sinon les racines se développeraient au détriment des fleurs et des fruits. Un mélange à base de terreau, bien drainé, lui convient. Il lui faut aussi de la lumière, mais pas de soleil direct. Au cœur de l'été, la mi-ombre sera même préférable. La température idéale est alors de 18-20 °C. Au-dessus, il faudra remédier au dessèchement de l'air par des pulvérisations (sans inonder les fleurs).

Les arrosages seront abondants, mais on évitera de noyer la terre. Donner de l'engrais tous les quinze jours (ou l'ajouter en dose minime à l'eau d'arrosage), mais seulement jusqu'à l'apparition des fleurs, sinon les fruits risqueraient de tomber prématurément. Dépoussiérer régulièrement les feuilles avec un chiffon humide ou une petite éponge, sans jamais employer de produit lustrant.

Automne et hiver. Toujours aucun engrais. Réduire les arrosages et les espacer, en laissant chaque fois la terre sécher sur 1 cm. Juste après la floraison, laisser éventuellement la plante se reposer trois semaines sans l'arroser. La lumière est nécessaire, et le soleil, moins ardent, est alors le bienvenu. Si l'on veut que les baies tiennent très longtemps, la température ne doit guère être supérieure à 15 °C.

MULTIPLICATION

Que la multiplication s'effectue par semis ou par boutures, elle ne réussira qu'en maintenant une chaleur et une humidité constantes. Employer une caissette spéciale munie d'un couvercle. De fin mai à début août, prélever des pousses latérales en y laissant attachée une languette coupée sur la tige principale. Plonger l'extrémité dans une poudre radiculaire à base d'hormones et planter dans un compost humide tenu à 24 °C. Il faut compter de six à huit semaines pour l'enracinement.

Semer les graines à 5 mm de profondeur, dans un mélange de tourbe et d'argile allégé d'un peu de sable, et tenir à 23 °C. Dès que les pousses sortent de terre, abaisser la température à 15 °C. Lorsque les plantules atteignent 4-5 cm, les repiquer en godets, dans le même mélange auquel on aura ajouté une part de terre riche en humus. Il est en fait beaucoup plus facile d'acheter ces jeunes plants, vendus en petits pots.

Espèces

Ardisia crispa L'espèce doit son nom au bord ondulé (*crispa* signifie « frisé ») de ses grandes feuilles lancéolées vert foncé. Cet arbuste à croissance très lente ne dépassera guère 60 cm de hauteur si on le cultive à l'intérieur. Un gracieux bouquet de feuillage surmonte les fleurs blanches et parfumées, disposées en grappes axillaires, auxquelles succèdent des fruits rouges de la grosseur d'un pois. Dans de bonnes conditions, ces derniers persisteront jusqu'à la floraison suivante.

Ardisia humilis Se différencie de l'espèce précédente par sa taille inférieure, ses feuilles plus coriaces et ses fleurs rose pâle pendant en grappes aplaties, telles des franges. Les baies, d'abord rougeâtres, deviennent noires à maturité.

Ardisia solanacea Une espèce aux rameaux brun-rouge et aux feuilles vert clair plus étroites. Les fleurs, roses ou violettes, ont peu d'intérêt.

Maladies et parasites

Un excès d'eau fait jaunir les feuilles, tandis que l'exposition trop directe au soleil les décolore. Les cochenilles farineuses fixent parfois leurs cocons blanchâtres sous les feuilles ou sur les tiges : les enlever avec un tampon imbibé d'alcool dénaturé.

Asparagus

Famille : **Liliacées**

Nom usuel : **asparagus**

Asparagus sprengeri Une espèce résistante qui supporte bien le soleil. Ses fleurs blanches et parfumées donnent naissance en hiver à de petites baies rouges très décoratives.

Les asparagus ressemblent à des fougères alors qu'il s'agit de Liliacées. On vante la délicatesse de leur feuillage, alors qu'il s'agit de rameaux modifiés, appelés cladodes (les vraies feuilles, réduites à de minuscules écailles, passent inaperçues). Ils ont presque mauvaise réputation, les fleuristes usant et abusant d'*Asparagus plumosus* pour étoffer leurs bouquets, et on connaît peu de plantes vertes qui soient aussi populaires.

Voilà beaucoup de paradoxes pour ces plantes d'aspect très varié, relativement faciles à cultiver et réellement élégantes, qui sont les proches parentes de l'asperge comestible (*Asparagus officinalis*). Il y a des asparagus pour tous les goûts, dressés, retombants ou grimpants, pour la mi-ombre et pour le soleil. Et si leurs minuscules fleurs blanc rosé n'attirent guère l'œil, leurs fruits sont décoratifs en hiver.

Autre avantage des asparagus : ils acceptent fort bien de cohabiter avec d'autres plantes dans une même jardinière, ce qui permet d'intéressantes compositions de verdure, car ils contrastent agréablement avec les plantes à larges feuilles vernissées.

TECHNIQUES DE CULTURE

Printemps et été. Les asparagus se rempotent au printemps, tous les trois ans environ. Leurs racines doivent se développer à l'étroit, et il faut attendre qu'elles sortent par le trou pour les mettre dans un pot plus grand, rempli aux deux tiers seulement d'un mélange léger (une part de terreau pour deux parts de terre de bruyère). Arroser trois fois par semaine en été, car la motte doit rester bien humide : verser généreusement, laisser le compost s'imprégner, puis vider l'eau de la soucoupe au bout de dix minutes. Par temps chaud, entretenir l'humidité par des vaporisations, et, si la canicule règne, placer le pot sur un lit de cailloux tenu mouillé en permanence.

Selon les espèces, la température idéale se situe entre 15 et 25 °C, avec un peu plus de fraîcheur pendant la nuit. Certains asparagus aiment la lumière vive, d'autres préfèrent la lumière tamisée ou la mi-ombre. *Asparagus densiflora* craint la chaleur et est dans sa meilleure forme entre 15 et 17 °C, à l'ombre; *A. sprengeri* se plaît sur les rebords des fenêtres et ne craint nullement le soleil, qui jaunirait et flétrirait le fin feuillage de *A. plumosus*.

Quelle que soit l'espèce, nourrir tous les quinze jours avec un engrais spécial pour plantes à feuilles, plus riche en azote qu'en phosphore et qu'en potasse.

Automne et hiver. C'est la période de repos : il faut cesser de donner de l'engrais, réduire les arrosages et tenir la plante dans une pièce plus fraîche (sans descendre au-dessous de 7 °C), mais bien éclairée. Plus basse sera la température, moins il faudra arroser.

MULTIPLICATION

Les semis d'asparagus donnent des plants plus vigoureux, mais demandent de la patience. Sous le climat tempéré de nos régions, on peut semer en toute saison, en enterrant à peine les graines, et en tenant la caissette dans un lieu chaud et humide. Il est plus simple de diviser la touffe en deux au printemps ou à l'automne, en rempotant chaque moitié dans un pot plus petit.

Espèces

Asparagus plumosus L'asparagus des fleuristes (ci-dessus) fait l'objet d'une culture intensive. Autour de ses tiges fines et cassantes, que l'on dirait faites d'une matière artificielle, la mousse légère et impalpable de ses pseudo-feuilles s'agite gracieusement au moindre souffle. Une fois coupées, ces tiges tiennent très longtemps dans l'eau — bien plus longtemps, en général, que les fleurs qu'elles accompagnent.

Cette espèce, qui craint beaucoup les courants d'air, s'accommode de températures variant entre 7 °C (en hiver) et 25 °C, et se plaît dans une lumière indirecte : à l'ombre, son feuillage restera pâle et comme anémié, au soleil il se desséchera. La variété 'Nanus' est la plus vendue.

Asparagus sprengeri Une espèce dont les rameaux flexibles et retombants, garnis de cladodes en forme d'aiguilles, peuvent atteindre 1 m de longueur. Ses racines charnues deviennent souvent tubéreuses et tendent à affleurer la surface du compost. Cet asparagus se plaît au soleil (il a besoin de moins d'eau) et peut donc être accroché à un balcon, mais il est aussi du plus bel effet en corbeille suspendue.

La variété *A. sprengeri* 'Meyerii' est la plus remarquable, avec ses cladodes disposés en spirales si serrées qu'elles dissimulent complètement les tiges, comme une sorte de fourrure verte (ci-dessous).

Asparagus falcatus Il vient des forêts tropicales, où ses rameaux volubiles peuvent atteindre 15 m de longueur. De taille moins impressionnante sous nos climats (1 m), cet asparagus grimpant, dont le feuillage évoque celui du bambou, est une plante de serre ou de véranda. Il faut se méfier des épines qui garnissent ses tiges.

Asparagus densiflora Originaire d'Afrique du Sud, ce vigoureux asparagus craint moins la sécheresse. Il aime la fraîcheur et les lieux un peu ombragés, mais redoute les courants d'air. La variété 'Myriocladus', aux longs cladodes groupés en bouquets, est la plus appréciée.

La cure de jouvence de l'asparagus.
Les asparagus n'ont pas une longévité bien considérable. Au bout de trois ou quatre ans, ils perdent en général de leur tonus, et il faut songer à les remplacer. Toutefois, on peut leur donner provisoirement une nouvelle jeunesse à la sortie de leur repos hivernal.
Avec une paire de ciseaux bien aiguisés, couper toutes les tiges à ras du compost, en prenant garde le cas échéant aux épines.

Cette taille effectuée, remplir un seau d'eau tiède et y immerger complètement le pot. Il faut attendre une bonne quinzaine de minutes, jusqu'à ce que le compost desséché se soit réhumidifié en profondeur et que l'eau se diffuse jusqu'aux racines pour les revitaliser (on ne doit plus voir de petites bulles remonter à la surface). Retirer alors le pot et le laisser s'égoutter à fond au moins une journée.

Placer le pot dans un endroit bien aéré et lumineux (mais non exposé au soleil direct), où la température ne dépassera pas 15 °C. Si les racines ont envahi tout le pot au point de sortir par l'orifice inférieur, on procédera au rempotage trois ou quatre jours plus tard, sinon attendre encore un an. Dès que de nouvelles pousses se sont développées, mettre la plante dans une pièce plus chaude.

Aspidistra

Famille : **Liliacées**

Nom usuel : **aspidistra**

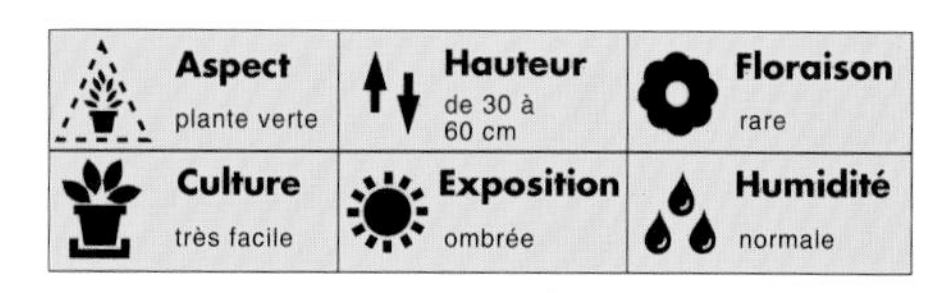

Aspidistra elatior Réputé increvable, il résiste à tout, même aux atmosphères enfumées. Il peut vivre plus de cent ans.

Aucune plante d'intérieur ne résiste aussi bien aux catastrophes et aux coupables négligences que l'aspidistra, aux surnoms éloquents de « plante de belle-mère » ou de « plante en fer forgé ». Il s'accommode de tout, des brusques variations de température, des vents coulis, du manque de lumière, de la sécheresse, des atmosphères polluées ou enfumées. Au siècle dernier, il a survécu aux émanations des suspensions à gaz, fatales à tant d'autres plantes. On peut partir en vacances en l'oubliant sans trop de remords, on le retrouvera toujours en vie... Insectes et maladies ne semblent guère l'affecter.

Comme nul n'est parfait, on peut lui reprocher sa croissance lente : au mieux, quatre ou cinq nouvelles feuilles par an. Mais, en revanche, sa longévité est exceptionnelle : plus de cent ans!

Plantes à rhizomes, les aspidistras ont des tiges souterraines, et seuls apparaissent les brefs pétioles des longues feuilles lancéolées d'un vert satiné. Rares et éphémères, les fleurs charnues, de couleur pourpre, s'épanouissent à ras de terre.

TECHNIQUES DE CULTURE

On prétend qu'un aspidistra peut rester dix ans dans le même pot. Mieux vaut cependant ne pas attendre que ce dernier ait éclaté et rempoter tous les trois ans dans un bon terreau de jardin.

Des arrosages réguliers, pas trop abondants (la terre ne doit pas être boueuse), et une température moyenne conserveront au feuillage sa vigueur. Éviter le soleil direct et nourrir la plante une fois par mois avec un engrais liquide. Les

Espèces

Aspidistra elatior Découverte en Extrême-Orient au siècle dernier, cette espèce connut immédiatement un vif succès. Ce fut longtemps la seule cultivée.

Chez la plante adulte, les feuilles atteignent 50 cm de longueur. Les fleurs, dépourvues de hampe, ne durent qu'un jour ou deux. La variété *Aspidistra elatior* 'Variegata', qui résulte d'une mutation naturelle, a des feuilles marquées de stries longitudinales blanc crème. La variété 'Maculata', d'origine japonaise, a des feuilles vertes mouchetées de blanc.

Aspidistra longifolia Originaire de l'Assam, cet aspidistra se signale par ses feuilles longues et minces (2 à 4 cm de largeur) en lanières de fouet.

aspidistras à feuillage panaché ont besoin de plus de lumière, faute de quoi leurs feuilles tendent à redevenir unicolores, perdant ainsi leur intérêt ornemental.

Les produits lustrants sont à éviter. Se contenter de pulvérisations pour nettoyer les feuilles ou les dépoussiérer avec une éponge légèrement humide.

MULTIPLICATION

Par division des rhizomes au printemps. Les segments, qui doivent porter au moins quatre feuilles, seront replantés dans le même compost que précédemment, sans ajouter de fertilisant. Maintenir la terre humide et protéger du froid.

Multiplication de l'aspidistra.
Avec un couteau bien aiguisé, partager les rhizomes en plusieurs sections portant chacune quelques feuilles. Planter chaque partie dans un pot de 10 cm de diamètre.

Maladies et parasites

Si les feuilles présentent des crevasses ou des fentes longitudinales, c'est que la terre est trop riche. Attendre deux mois avant de redonner de l'engrais. Par la suite, diluer davantage le fertilisant et ne jamais dépasser le rythme d'une fois par mois.

Des feuilles roussies sont le résultat d'une trop longue exposition au soleil. Mettre la plante à l'ombre. Des mouchetures brunes peuvent être dues aux lustrants. N'en utiliser jamais pour l'aspidistra.

Feuilles trop molles et qui jaunissent ? Des arrosages trop abondants en sont la cause.

Mais les taches jaunes peuvent aussi révéler la présence de cochenilles (on observe alors des petites pustules brunes et écailleuses sur le revers des feuilles et sur les tiges). Un traitement à l'insecticide s'impose. De même pour les araignées rouges.

Feuilles endommagées.
Les crevasses et les fentes (en haut) sont généralement un signe de suralimentation : la plante a reçu trop d'engrais.
Les taches brunes sont des brûlures dues à une exposition au soleil direct.

Guide d'achat

Certains fleuristes peu scrupuleux n'hésitent pas à retailler les feuilles pour faire disparaître des bords endommagés. Il faut donc examiner la plante de très près. Écarter les spécimens dont les feuilles sont crevassées.

Asplenium

Famille : **Polypodiacée**
Nom usuel : **asplénium**

Asplenium nidus Ses feuilles vert vif, qui sont en réalité des frondes, ont l'aspect du cuir verni.

Voici une fougère qui ne ressemble pas à une fougère : c'est l'asplénium nid-d'oiseau *(Asplenium nidus),* le plus cultivé en appartement, dont les larges frondes entières sont d'un beau vert vif brillant. Mais il existe aussi des aspléniums à frondes découpées, dont certains poussent spontanément dans nos régions.

On en a recensé quelque 700 espèces, dont quatre seulement sont cultivées comme plantes d'ornement. Elles ont un point commun : elles redoutent la lumière vive et se plaisent dans les lieux mi-ombragés. Ce sont des plantes faciles à vivre, qui acceptent très bien les 18 °C de la plupart de nos appartements modernes et qui ne se montrent exigeantes qu'en ce qui concerne l'humidité. Penser aux aspléniums pour décorer une salle de bains (si celle-ci a une fenêtre).

TECHNIQUES DE CULTURE

Printemps et été. Les aspléniums se rempotent chaque année au printemps. Pour *Asplenium nidus,* on emploiera un mélange composé de deux parts de tourbe pour une part de terreau, auquel on aura ajouté du sable fin pour améliorer le drainage. Les autres espèces préféreront un compost moins riche, moitié terreau, moitié tourbe.

Placer le pot à mi-ombre ou dans un endroit ne recevant qu'une lumière indirecte, en évitant au maximum les brusques écarts de température. Arroser deux ou trois fois par semaine par temps chaud et maintenir l'humidité ambiante par des vaporisations quotidiennes, qui serviront aussi à dépoussiérer les frondes. Donner de l'engrais tous les vingt jours. Couper à mesure les frondes fanées.

Automne et hiver. Réduire les arrosages et ne pas laisser la température descendre au-dessous de 10 °C.

Espèces

Asplenium bulbiferum Originaire de Nouvelle-Zélande et d'Australie, la doradille ressemble beaucoup aux fougères de nos bois avec ses grandes frondes tripennées triangulaires, qui sont enroulées en crosse chez la plante jeune. Au début de l'été, des bulbilles munies de racines se forment sur le revers de ces frondes et tombent souvent d'elles-mêmes, donnant naissance à autant de nouvelles fougères.

Asplenium viviparum Proche de l'espèce précédente, cet asplénium, qui vient de l'île Maurice, s'en distingue par ses frondes recourbées, d'un vert plus foncé, aux pinnules divisées en petits segments aussi fins que des aiguilles.

Asplenium lucidum Une fougère à croissance rapide originaire de Nouvelle-Zélande. Ses pétioles grisâtres portent des frondes vertes, coriaces et brillantes, dont les pinnules longues (15 cm environ) et étroites ont des bords dentés.

Asplenium nidus L'asplénium nid-d'oiseau doit son nom usuel à la disposition de ses grandes frondes vert pomme, à nervure centrale brune très marquée, qui forment une rosette en entonnoir rappelant plus ou moins un nid. Les nouvelles frondes, très fragiles, se forment au centre, à partir d'une souche fibreuse, et les feuilles les plus âgées, les premières à se tacher, se trouvent à l'extérieur de la rosette.

MULTIPLICATION

Asplenium nidus se reproduit par spores. Une opération délicate et très technique, qui n'est pas à la portée d'un amateur. Pour les autres espèces, la méthode est beaucoup plus simple : de petites plantules se forment sur le bord des feuilles, qu'il suffit de détacher délicatement et de planter.

Maladies et parasites

Les aspléniums, comme toutes les fougères, sont sensibles à la pollution, qui fait noircir leurs feuilles. Les cochenilles fixent fréquemment leurs cocons à la face inférieure des feuilles, le long de la nervure centrale. Traiter avec un insecticide systémique pour prévenir le mal.

Azalea

Famille : **Éricacées**

Genre : ***Rhododendron***

Nom usuel : **azalée**

Les azalées en pot qui s'alignent aux étalages des fleuristes vers la Noël, celles que l'on offre comme un bouquet — elles sont d'ailleurs moins coûteuses —, celles qui fleurissent nos maisons en plein hiver, sont en réalité des rhododendrons d'appartement. Il s'agit d'hybrides issus des deux espèces *Rhododendron obtusum* et *Rhododendron simsii,* que l'on appelle parfois, improprement, *Azalea indica.*

TECHNIQUES DE CULTURE

On achète généralement l'azalée au début de l'hiver, alors qu'elle est en boutons, plantée soit dans de la tourbe pure, soit dans un mélange de tourbe, de sable et de terreau de feuilles. De toute manière, dans un mélange très poreux, qui retient peu l'eau. Il faudra donc l'arroser généreusement pour que les racines ne soient jamais au sec. L'azalée redoute le calcaire, dans le sol ou dans l'eau d'arrosage. Une eau trop dure peut provoquer une chlorose qui fait jaunir ses feuilles.

L'azalée aime la fraîcheur et la lumière douce. Elle se plaît à 12-15 °C, et même moins. À 8-10 °C, on peut la mettre à la lumière assez vive; dans une pièce à 18 °C, il faudra lui donner de l'ombre. Si le système de chauffage ne permet pas de lui offrir la température qui lui convient, on habituera progressivement la plante à la chaleur, mais sa floraison sera plus brève. Il faut surtout la garder au frais tant que les boutons se développent, car la chaleur les ferait tomber avant la floraison. Au-dessus de 21 °C, l'azalée perd ses feuilles, et ses fleurs se fanent. Pour la maintenir au frais, on peut placer le pot dans un pot plus grand rempli de tourbe humide.

On veillera aussi à la bonne aération de la pièce, la plante dépérissant dans un air confiné. Donner un engrais liquide tous les quinze jours.

Le rempotage se fait tous les deux ou trois ans, juste après la floraison. C'est le moment de tailler la plante pour lui conserver sa forme régulière. La meilleure solution consiste à la replanter dans le jardin jusqu'à l'hiver suivant. Si on veut la conserver à l'intérieur, il faut la placer dans un endroit frais, en l'arrosant d'abord avec modération et en lui faisant prendre l'air si le temps est doux.

Pendant la saison chaude, arroser fréquemment pour que la terre reste humide et rafraîchir le feuillage par des pulvérisations quotidiennes. Mais il est encore préférable de porter le pot dehors, à l'ombre, ou bien de l'enfouir au ras du sol dans une terre non calcaire.

Azalée Une des rares plantes d'appartement qui fleurissent en plein hiver.

Maladies et parasites

Feuilles et fleurs se flétrissent et jaunissent : le manque d'eau et la chaleur excessive en sont la cause. Donner un bain à votre azalée en l'immergeant vingt minutes dans un seau d'eau tiède (non calcaire). L'égoutter, vider l'eau qui se sera écoulée dans la soucoupe au bout d'une heure et la placer plus au frais. Si les boutons restent verts et ne s'ouvrent

pas, c'est peut-être parce que la plante est exposée à un courant d'air froid. Ou encore parce que le compost est saturé d'eau. Trouver un emplacement mieux protégé et laisser la terre sécher en surface.

Des traînées blanchâtres sur les feuilles révèlent la présence de larves. On les combattra avec un insecticide systémique, qui se diffuse dans le compost, puis dans tous les organes de la plante, empoisonnant les parasites concernés.

Espèces

Au moment de l'achat, choisir une plante bien touffue portant de très nombreux boutons.

Rhododendron obtusum On l'appelle aussi azalée kurume. C'est un arbuste miniature très ramifié, d'aspect compact et touffu, avec des tiges couvertes de fins poils bruns et des petites feuilles vert sombre vernissées et coriaces. Les fleurs en forme de coupe, solitaires ou par bouquets de deux ou trois, sont blanches ou présentent toutes les nuances de rose, de rouge, de mauve et de rouge violacé. Après la floraison, la plante peut être tranplantée au jardin.

Rhododendron simsii C'est l'azalée des fleuristes (ci-dessus), que l'on connaît surtout par ses innombrables hybrides à grandes fleurs (de 5 à 7 cm de diamètre) ou à fleurs doubles, disposées en bouquets denses au sommet des tiges. La gamme de couleurs est très étendue, avec de magnifiques nuances de saumon ou de rose-mauve. Certaines variétés ont des fleurs bicolores. Les feuilles ovoïdes ont souvent des bords légèrement velus.

MULTIPLICATION

Se fait par bouturage de nouvelles pousses au printemps. Prélever des segments de 6 à 8 cm en détachant en même temps une languette d'écorce. Plonger l'extrémité dans une poudre radiculaire aux hormones et planter dans un mélange composé de deux parts de sable pour une part de tourbe. Mettre dans une caissette de multiplication ou couvrir le pot d'un sachet en plastique transparent et tenir à 16 °C. Il faut attendre de huit à neuf semaines pour l'enracinement, puis replanter.

Tailler l'azalée après la floraison pour éliminer les branches folles, discipliner la croissance et conserver à la touffe sa forme régulière.

Couper en biseau au sécateur juste au-dessus d'un bouquet de feuilles ou d'un œil.

Babiana

Famille : **Iridacées**
Nom usuel : **babiana**

Babiana stricta sulphurea Une variété aux magnifiques fleurs jaunes à trois pétales et trois sépales.

De taille modeste (pas plus de 25 cm) pour des Iridacées, les babianas n'en présentent pas moins les caractères de cette famille : feuilles radicales érigées et ensiformes, typiques boutons fuselés, volumineuses inflorescences en grappes rigides et fleurs régulières, à trois pétales alternant avec trois sépales colorés.

Chez les babanias, les feuilles, légèrement velues, se fanent avant le début de la floraison. Les fleurs aux couleurs variées (du bleu clair au pourpre foncé) ont une forme en entonnoir qui les fait un peu ressembler à celles des freesias, leurs proches parents (mais sans qu'elles soient, et de loin, aussi parfumées). Autre point commun entre ces deux genres : les babianas sont pour la plupart originaires d'Afrique australe.

Comme beaucoup de plantes à bulbe, les babianas se prêtent au forçage à l'intérieur, après une période de repos dans un endroit sombre et froid.

TECHNIQUES DE CULTURE

Printemps et été. Si on veut faire fleurir les babianas à l'extérieur, attendre avant de les sortir que tout risque de gelée soit écarté. Au jardin comme à l'intérieur, les plantes ont besoin d'être exposées à la pleine lumière, mais à l'abri du vent et des courants d'air.

Dès que les premières feuilles commencent à pointer, augmenter graduellement les arrosages, qui doivent devenir abondants quand apparaissent les tiges florales. Donner de l'engrais tous les quinze jours, jusqu'au moment où les fleurs se fanent. Réduire alors progressivement les arrosages et cesser la fertilisation.

Automne et hiver. Avant les premiers froids, couvrir le pot avec une couche de tourbe ou de feuilles mortes, puis avec un film plastique. En octobre, planter de nouveaux bulbes en les enfonçant de 7 cm dans un compost à base de terreau (pour obtenir une belle touffe, les planter par cinq dans un pot de 13 cm de diamètre). Assurer un bon drainage et n'arroser que très parcimonieusement jusqu'à la reprise de la végétation. Placer le pot au frais (de 5 à 10 °C) et à la lumière.

MULTIPLICATION

En octobre, prélever les bulbilles qui se sont développés à la base des bulbes et les planter séparément.

Maladies et parasites

Les jeunes plants sont facilement infestés par les pucerons. Si l'invasion est circonscrite à quelques jeunes pousses, déloger les parasites avec un tampon imbibé d'alcool dénaturé, en évitant de toucher les parties saines. Si les dégâts sont plus étendus, il faudra traiter avec un insecticide approprié. Comme toutes les Iridacées, les babianas sont menacés par les phyloptes, ou acariens des bulbes.

Espèces

Babiana stricta Cette espèce originaire de la province du Cap peut atteindre 25 cm de hauteur. Il en existe diverses variétés, dont les couleurs vont du bleu clair au rouge sombre en passant par les mauves et les roses. Cependant, *Babiana stricta sulphurea* se distingue par ses fleurs d'un jaune lumineux. La floraison a lieu en mai-juin.

Babiana nana Un espèce naine, qui ne dépasse pas 10 cm de hauteur. Ses tiges présentent des ramifications portant chacune une fleur. D'un bleu mauve délicat strié de jaune, ces fleurs, qui s'épanouissent en juillet, sont agréablement parfumées.

Babiana rubrocyanea Ses tiges hautes de 10 à 20 cm portent des fleurs bleu vif au cœur rouge sombre. Floraison en mai-juin.

Babiana villosa Ses belles fleurs rouge sang (ci-dessous) s'épanouissent à l'extrémité de tiges aux ramifications symétriques. Floraison en juin-juillet.

Bambusa

Famille : **Graminées-Bambusées**
Nom usuel : **bambou**

Un mot chargé d'exotisme. Un arbre qui n'en est pas un. Les bambous (du malais *bambu*) ont tout pour se singulariser.

On regroupe en fait sous cette dénomination commune des espèces appartenant à une trentaine de genres, répandus dans toutes les parties du monde, à l'exception de l'Europe. Ce sont des plantes arborescentes à souches le plus souvent rhizomateuses ou traçantes, dont les tiges aériennes, appelées chaumes comme celles de toutes les Graminées, sont coupées de nœuds saillants, plus épais à la base. Les bambous cultivés se répartissent en quatre genres : *Arundinaria, Bambusa, Phyllostachys* et *Sasa*.

Tous ne sont pas adaptés, tant s'en faut, au jardinet de ville ou au salon : certains dépassent allégrement les 18 m de hauteur, mais d'autres s'acclimatent très bien à l'intérieur, et sont même très faciles à vivre, tel *Bambusa viridistriata,* qui ne dépasse pas 1,80 m, ou *Bambusa ventricosa,* encore acceptable avec ses 2,50 m.

Le fait qu'un bambou ne fleurisse pas n'a rien d'inquiétant. Certains sujets vivent centenaires sans avoir jamais donné de fleurs, même dans les forêts tropicales. Du reste, les inflorescences en épi, qui ressemblent un peu à des asperges, ont une valeur ornementale limitée.

TECHNIQUES DE CULTURE

Printemps et été. C'est le moment de planter les bambous. Leurs racines vigoureuses ont besoin d'espace. Les installer dans un grand bac (au minimum 45 cm de côté). Mettre au fond une bonne couche de graviers pour assurer le drainage et remplir avec un compost léger à base de terre de jardin, de terreau et de tourbe, en y ajoutant une part de sable pour le rendre plus poreux. Choisir un emplacement où l'arbuste sera toujours bien éclairé, sans être exposé à une lumière trop directe. L'idéal est une exposition à l'ouest, faute de quoi il y aura toujours à un moment de la journée un arbre ou un mur qui lui feront de l'ombre.

Le bambou aime l'humidité. Durant toute la période de croissance végétale, il faut lui donner de l'eau (douce, de préférence) en abondance, en y diluant, une fois par mois, une dose d'engrais liquide.

Pour favoriser la ramification et obtenir un port plus touffu, étêter les pousses les plus longues (elles se détachent facilement à la hauteur du nœud).

Automne et hiver. Réduire les arrosages et ne donner que la quantité d'eau nécessaire pour empêcher le bambou de se dessécher. S'il est installé à l'extérieur (sous les climats méridionaux uniquement), placer le bac dans un endroit abrité et l'entourer d'une couverture et d'une bâche en plastique afin de protéger les rhizomes du froid.

MULTIPLICATION

La méthode la plus simple consiste à diviser les rhizomes, en se servant si besoin d'une bêche et en veillant à ce que chaque portion comporte au moins un bourgeon. Planter comme indiqué précédemment.

Espèces

Bambusa viridistriata Cette espèce originaire du Japon a été reclassée dans le genre *Arundinaria.* Ce qui n'enlève rien à ses mérites, car ce bambou est très séduisant avec ses souples chaumes verts à reflets pourprés et ses feuilles longues de 20 à 25 cm, striées de vert et de jaune.

Bambusa fortunei Pour certains botanistes, il s'appellerait en réalité *Sasa fortunei.* Originaire lui aussi du Japon, ce bambou a des chaumes semblables à des roseaux, et des feuilles effilées, longues de 8 à 10 cm, avec une bande centrale vert sombre et une bordure d'un blanc argenté. La variété *Bambusa fortunei aurea* ne diffère que par la couleur jaune de cette bordure.

Bambusa ventricosa Cette espèce doit son nom à ses chaumes robustes (de 4 à 5 cm de diamètre), verts et brillants, qui forment entre chaque nœud de gros renflements ovoïdes, plus volumineux à la base. Les feuilles vert tendre, assez denses, retombent en souples lanières.

Bambusa vulgaris C'est le bambou de Madagascar, aux nœuds couverts d'un duvet dru et brun, qui pousse dans les jardins du midi de la France.

Bambusa viridistriata Un bambou qui décorera aussi bien le salon qu'une terrasse ou un patio.

Bauhinia

Famille : **Légumineuses**

Nom usuel : **bauhinia**

Ces beaux arbustes des régions tropicales, dont les fleurs pourraient presque rivaliser d'élégance avec les orchidées, perpétuent le nom de deux médecins et naturalistes bâlois du XVIIe siècle, les frères Jean et Gaspard Bauhin, auteurs d'une encyclopédie botanique qui fit date.

Les bauhinias sont remarquables sur bien des points : leurs tiges, non pas cylindriques mais aplaties, à section ovale; leurs larges feuilles aux nervures en relief, comportant deux folioles soudées jusqu'au milieu du limbe, dont la forme évoque le sabot d'un ruminant (aux Canaries, les bauhinias sont appelés « pattes de chameau »); enfin, la sorte d'articulation qui relie le pétiole à la tige et qui permet à ces mêmes feuilles de pivoter pour s'orienter vers la lumière. Avec leurs souples rameaux grimpants munis de vrilles, certaines espèces se rapprochent des lianes, d'autres ont un port érigé. Selon les zones de végétation, le feuillage est caduc ou persistant.

La floraison est souvent spectaculaire. En l'espace de quelques minutes, on voit s'ouvrir au bout des branches les grandes fleurs (de 10 à 15 cm de diamètre) aux couleurs lumineuses disposées en grappes terminales. La superbe corolle est constituée de quatre pétales identiques, charnus et en forme de cœur, dont l'onglet (la partie rétrécie à la base) est aussi long que le limbe, et d'un grand pétale supérieur en volute, plus brillamment coloré. Les dix étamines recourbées sont elles aussi de longueur inégale.

TECHNIQUES DE CULTURE

Quoique rustiques et vigoureux, les bauhinias ne pourront être cultivés en pleine terre — et dans un endroit bien abrité — que dans le Midi et le Sud-Ouest, là où ils trouveront des hivers cléments. On les mettra en terre au printemps, dans un sol léger et riche en matières organiques, fertilisé avec un engrais à action lente.

Ailleurs, on les réservera à la serre, à la rigueur aux vérandas bien exposées. Les planter dans un bac ou dans un grand pot remplis d'un mélange à base de terreau, de tourbe et de sable. Arroser copieusement pendant toute la période estivale, sans laisser stagner d'eau autour des racines. À l'automne, les feuilles vont tomber (même si elles sont persistantes en zone tropicale). Le bauhinia entre en repos, et il faut lui dispenser l'eau parcimonieusement. À la fin de l'hiver, tailler pour éliminer les rameaux superflus.

MULTIPLICATION

La méthode la plus sûre, sinon la plus rapide, est le semis en caissette de multiplication, où la plantule passera sa première année. Repiquer sous châssis et ne mettre en terre qu'au bout de quatre ans.

Bauhinia Élégamment découpées et colorées, ses fleurs rappellent les orchidées.

Espèces

Bauhinia corymbosa Ce bauhinia grimpant originaire de Chine, aux rameaux couverts d'un soyeux duvet rouge, peut vivre en pleine terre dans le Midi méditerranéen. Ses fleurs ont des pétales crénelés rose chair veinés de rose vif, avec des étamines rouges.

Bauhinia galpinii Une espèce africaine, aux feuilles bilobées vert tendre et aux grandes fleurs écarlates. On la rencontre sous deux formes : arbustive ou grimpante.

Bauhinia grandiflora Originaire d'Argentine et d'Uruguay, ce bauhinia est celui qui s'adapte le mieux en véranda. Il supporte sans dommage, en hiver, une température de 6 °C. Ses feuilles caduques bilobées, d'un vert tirant sur le jaune, ont des nervures très apparentes. Une espèce remarquable par l'abondance des fleurs, qui se succèdent sans interruption de juin à septembre, en grappes axillaires à l'extrémité des rameaux. Elles ont la particularité de s'épanouir à l'aube et de perdre leurs pétales à midi. Le lendemain matin, une nouvelle floraison recommence...

Bauhinia purpurea Originaire de l'Inde et de la Chine, ce bauhinia ne fleurit que sous un climat chaud. Ses feuilles coriaces bilobées en forme de cœur sont caduques. Les folioles ovales, soudées à la base, sont marquées par quatre grosses nervures.

Bauhinia racemosa Une espèce à fleurs blanches et à fleurs duveteuses qui s'adapte assez bien à l'intérieur.

Bauhinia tomentosa Originaire de Ceylan, cet arbre velu porte des feuilles ovales ou arrondies à la base. Ses fleurs sont d'un beau jaune pâle avec des taches rouges, et présentent un aspect velouté.

Bauhinia yunnanensis C'est un arbre grimpant, vigoureux et à tiges cylindriques qui nous vient de Chine. Ses feuilles, petites et à deux lobes, sont vert pâle, tandis que les fleurs roses portent des striures pourpres.

Beaucarnea

Famille : **Liliacées**

Nom usuel : **beaucarnéa**

Aspect	Hauteur	Floraison
exotique	90 cm	inexistante
Culture	**Exposition**	**Humidité**
facile	plein soleil	restreinte

Originaires du Mexique, les beaucarnéas sont aujourd'hui classés par les botanistes dans le genre *Nolina*, de même que toutes les espèces du genre *Calibanus*, qui présentent beaucoup de points communs.

Le succès croissant du beaucarnéa s'explique aisément : avec sa tige renflée émergeant du pot comme un œuf géant d'où jaillissent en gerbe de longues feuilles qui retombent gracieusement autour du pot, cette plante a assurément beaucoup d'allure.

TECHNIQUES DE CULTURE

Printemps et été. Le beaucarnéa aime le plein soleil, et il a besoin de beaucoup de lumière. Toutefois, il peut supporter des passages à l'ombre. Une température de 19 à 21 °C lui convient parfaitement. L'arroser régulièrement (trois fois par semaine) mais sans excès, en laissant la terre sécher en surface avant de redonner de l'eau.

Deux fois par an, au printemps, au moment de la reprise de la végétation, et à la fin de l'été, donner un engrais liquide spécial pour cactées et plantes grasses. Le rempotage se fait en avril, mais seulement si la plante est trop à l'étroit dans son pot (une fois tous les deux ans pour les jeunes plantes).

Automne et hiver. C'est la période de repos : réduire les arrosages, car la plante peut vivre sur les réserves emmagasinées dans sa tige volumineuse, et la placer dans un endroit frais (12-13 °C) et sec. Si on ne peut maintenir une température inférieure à 15 °C, il faudra poursuivre les arrosages normalement.

MULTIPLICATION

Par semis en février-mars. Tenir à 20 °C et repiquer quand les plantules ont atteint de 5 à 7 cm de hauteur.

Beaucarnéa Il aime la lumière et la chaleur, mais s'adapte très bien en appartement.

Maladies et parasites

Le beaucarnéa est peu sujet aux maladies. Mais il peut être attaqué par les cochenilles farineuses, qui fixent leurs cocons blanchâtres sur ses feuilles. Les enlever avec un tampon imbibé d'alcool dénaturé (la pince à épiler peut aussi être efficace) ou bien pulvériser un insecticide à base de malathion.

Guide d'achat

Le beaucarnéa a de plus en plus de succès. On trouve quelquefois des jeunes plants en jardinerie, mais il n'est pas toujours facile de se procurer cette plante. Mieux vaut s'adresser aux pépiniéristes spécialisés, qui vous fourniront également les graines et qui vous conseilleront au sujet de cette plante.

Espèces

Nolina (ex-Beaucarnea) gracilis Sa tige très renflée à la base ressemble à une bouteille d'où émerge une ample gerbe de feuilles étroites (1,5 cm de largeur) et longues (70 cm), d'un vert tirant sur le gris. Les fleurs, roses ou rouges, apparaissent en grappe au sommet.

Nolina (ex-Beaucarnea) stricta Une espèce aux feuilles rigides vert pâle, larges de 1,5 à 2 cm et rugueuses sur les bords.

Nolina longifolia Au Mexique, d'où cette espèce est originaire, c'est presque un petit arbre, au tronc très renflé à la base et à l'écorce rugueuse. En appartement, ses feuilles en lanière minces et coriaces, à l'extrémité pointue, dépassent parfois 1,20 m de longueur.

Nolina recurvata C'est l'espèce la plus connue, celle que nous appelons communément beaucarnéa.

Begonia

Famille : **Bégoniacées**

Nom usuel : **Bégonia**

Le genre *Begonia* est extraordinairement vaste : il comprend plus de mille espèces réparties en trois groupes principaux fondés sur l'aspect des racines : rhizomateux, tubéreux ou fasciculé. Les espèces possèdent cependant en commun un certain nombre de caractères : presque toutes les variétés ont des feuilles asymétriques, qui poussent alternées le long des tiges. Les nouveaux bourgeons émergent de stipules (sortes de folioles présentes à la base des pétioles).

Les bégonias rhizomateux sont des plantes toujours vertes, cultivées pour la beauté de leur feuillage, qui présente une large gamme de couleurs vives, agencées entre elles en dessins variés. Les variétés hybrides de bégonias tubéreux, généralement à feuilles caduques, produisent en été de grandes fleurs colorées, simples ou doubles. Les bégonias à racines fasciculées sont toujours verts, bien que certains perdent en partie leurs feuilles durant l'hiver. Certains sont des arbustes à port érigé, d'autres poussent en touffes, tous produisent d'élégantes grappes de fleurettes.

TECHNIQUES DE CULTURE

Printemps et été. *Bégonias rhizomateux :* ils apprécient une température avoisinant les 15 °C tout au long de l'année. Les exposer en pleine lumière, mais en veillant à les protéger des rayons du

Les bégonias tubéreux constituent des potées d'intérieur à la floraison de longue durée et donnent une vaste gamme de coloris.

BÉGONIAS RHIZOMATEUX

Begonia masoniana Originaire de Chine, il possède des feuilles gaufrées, velues, vert foncé. Des rayures brun pourpré partant du centre y dessinent une croix, d'où son nom commun de Croix de fer. C'est une plante robuste aux tiges épaisses, charnues, rouges, couvertes de poils blancs. Les fleurs, à l'apparition assez rare, s'épanouissent de mai à juin (ci-contre).

Begonia rex Il présente de nombreux hybrides aux feuillages vivement colorés : 'Helen Teupel' possède des feuilles longues, ovales, effilées, au fond rose pourpré où les nervures bleutées délimitent des plages argentées et roses, alors que les bords sont pourpre soutenu. Chez 'Her Majesty', les feuilles sont très larges, rose pourpré foncé, zébré de vert olive et tacheté de blanc argenté. 'Merry Christmas' donne des feuilles lisses au cœur pourpre vif, avec des rayures rose argenté et vert foncé, et des bordures couleur lilas. La variété 'Silver Queen' présente des feuilles gris argenté avec des nervures centrales bleutées (ci-contre).

Pour favoriser la formation de feuilles plus belles, on supprime les tiges à fleurs de *Begonia rex*.

Begonia versicolor Originaire de Chine, il possède des feuilles vert foncé, avec des dessins blanc argenté, vert vif et bronze.

BÉGONIAS TUBÉREUX

Begonia clarkei Originaire d'Amérique centrale, ce bégonia produit des fleurs rose pâle épanouies durant les mois d'été. Il est à l'origine de nombreux hybrides.

Begonia pearcei Vient d'Amérique centrale et produit en été d'extraordinaires fleurs rouges. C'est le père d'un énorme groupe de bégonias tubéreux hybrides.

Bégonia socotrana Originaire de l'île de Socotra, il est rarement cultivé. Il est toutefois important en tant que géniteur d'un grand nombre d'hybrides à floraison hivernale. Haut de 30 à 40 cm, il produit des fleurs de 2 à 5 cm de large, très colorées, épanouies durant la mauvaise saison. On l'utilise comme plante d'intérieur.

BÉGONIAS À RACINES FASCICULÉES

Begonia incana Originaire du Mexique, c'est une plante succulente. Les tiges charnues, épaisses, érigées, sont couvertes de minuscules écailles blanchâtres. Les feuilles ont une forme d'écu, la face supérieure est couverte d'une dense pellicule blanche. Il produit en été des fleurs pendantes blanches.

Begonia metallica Originaire du Brésil, il porte des feuilles ovales, pointues, vert métallique, aux nervures profondément incrustées dans la surface. Le revers est rouge cramoisi.

Begonia fuchsioides Originaire du Mexique, ce bégonia produit de gracieuses fleurs rouges ou roses qui pendent au bout de longues tiges minces. Elles apparaissent en fin de printemps et durent tout l'été. Les feuilles, luisantes et ovales, sont petites (ci-dessus).

Begonia scharffii (syn. **Begonia hageana**) Cet arbuste provient du Brésil. Il a un port dressé de 60 cm de haut environ. Les feuilles sont soyeuses, d'un vert mousse très soutenu sur le dessus et rouges au revers. Les fleurs, blanc ombré de rose pâle, sont groupées en grappes (ci-contre).

Maladies et parasites

Si la plante s'affaisse, c'est le signe d'un arrosage excessif ou d'une température trop élevée. La placer dans un endroit plus frais et attendre, avant un nouvel arrosage, que la surface du terreau ait séché. La pourriture grise *(Botrytis)* produit des marques brunes à

la face supérieure des feuilles (en haut et ci-dessus). Veiller à un meilleur renouvellement de l'air en aérant. L'oïdium s'attaque aux tiges et à la face inférieure des feuilles. Faire subir à la plante une sécheresse totale, augmenter l'aération tout en évitant les courants d'air et traiter à l'aide d'un fongicide approprié.

L'application sur le terreau d'un insecticide systémique permet de prévenir les attaques des pucerons et des anguillules.

On évite les brûlures (ci-dessous) en protégeant les bégonias du soleil direct. On évite par la même occasion le risque de déshydratation brutale qui signifierait la mort pure et simple de la plante.

Les bégonias à souche tubéreuse sont des plantes d'appartement populaires et répandues.
Il en existe de nombreuses variétés à grandes fleurs simples ou doubles, aux couleurs vives.
Les fleurs de ces bégonias continuent à s'épanouir durant tout l'été, tant que vit la plante.

soleil. Pour les arrosages, leurs exigences sont les mêmes que celles des bégonias à racines fasciculées.

Bégonias tubéreux : les placer dans des endroits bien exposés, mais toujours à l'abri de la lumière solaire directe. Arroser avec modération. Pendant la période de croissance, apporter tous les quinze jours un engrais liquide riche en potasse. Réduire les apports en fin d'automne.

Bégonias à racines fasciculées : feuilles et fleurs fanées doivent être retirées aussitôt. Arroser une fois ou deux par semaine, plus fréquemment si la température est élevée. Entre avril et septembre, soutenir la végétation par l'apport d'engrais liquide tous les quinze jours. Comme les autres, ces plantes demandent une forte lumière, mais craignent l'insolation. La croissance est idéale à une température de 15 °C. Mettre les plantes à l'ombre quand elle dépasse 20 °C.

Automne et hiver. *Bégonias rhizomateux :* arroser modérément, en laissant la surface s'assécher entre deux arrosages. Maintenir les plantes dans un lieu ombré, à l'atmosphère pas trop sèche. Suspendre les apports d'engrais durant l'hiver. Rempoter dans un mélange formé de trois parts de terreau de tourbe pour une part de sable grossier. La température ne devra pas descendre au-dessous de 13 °C.

Bégonias tubéreux : en automne, quand les feuilles commencent à tomber, suspendre les arrosages. Maintenir la plante à environ 13 °C ou même un peu moins, à l'ombre et dans une légère humidité pour éviter que les tubercules ne se racornissent. Rempoter au printemps dans un mélange terreux à base de tourbe.

Bégonias à racines fasciculées : vers la fin février, tailler la plante pour lui faire reprendre une forme plus régulière et lui redonner vigueur. Rempoter ensuite si les racines ont envahi tout le contenant. La température idéale pour ces bégonias est de 15 °C, mais elle peut tomber à 10 °C. Réduire les arrosages et les accorder à la température de la pièce : plus il fait frais, moins on arrose.

MULTIPLICATION

Bégonias rhizomateux : le bouturage de feuilles est le meilleur moyen de bouturer *Begonia rex.* Découper les feuilles en petits carrés, que l'on dépose dans une caissette à semis emplie d'un mélange de sable et de tourbe à parts égales. Maintenir les boutures en atmosphère humide, à l'abri de la forte lumière. Dès l'apparition des plantules, placer le tout à bonne luminosité.

Bégonias tubéreux : on les propage en avril, quand les premiers bourgeons sont visibles, par bouturage ou division de tubercules. Les boutures sont prélevées à l'aide d'un couteau pointu et plantées dans un mélange de sable et de tourbe, à parts égales. Les placer à 20 °C. Après la formation de racines, les planter en pots individuels. On plante les tubercules en mars-avril, dans des caissettes à semis pleines de tourbe humide. Placer la partie concave vers le haut et laisser le tout à 18 °C. Quand les pousses apparaissent, on les place dans des jattes emplies de terreau riche. Par la suite, leur donner des pots de 15 à 20 cm de diamètre.

Bégonias à racines fasciculées : la multiplication a lieu en janvier-février, par semis à 18-24 °C. Épandre uniformément les graines très fines à la surface d'un mélange pour semis. Pour une meilleure répartition, les mêler à de la cendre tamisée et utiliser un semoir ou un bristol pour épandre les graines. Maintenir l'ensemble à l'ombre et à l'humidité jusqu'à la germination. Au fur et à mesure du développement des plantes, donner plus de lumière et ramener la température à 18 °C. Veiller à une bonne aération.

Les boutures de feuilles ou de tiges, longues de 5 à 7 cm, s'enracinent au printemps et en été. Tremper la base dans une hormone de bouturage et planter les boutures séparément dans des pots emplis d'un mélange riche et frais. Maintenir à mi-ombre, à 18-24 °C, avec une bonne humidité, mais sans tremper le tout.

Multiplication de *Begonia rex* À l'aide d'un couteau tranchant, couper à la base une belle feuille saine.

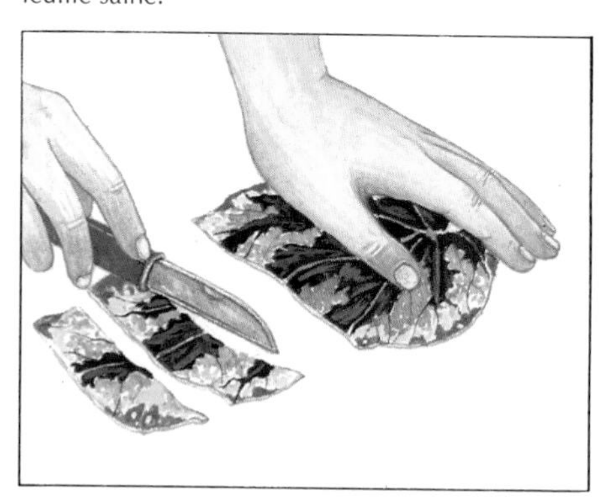

Retirer le pétiole, puis couper soigneusement la feuille en bandes de 25 mm de large.

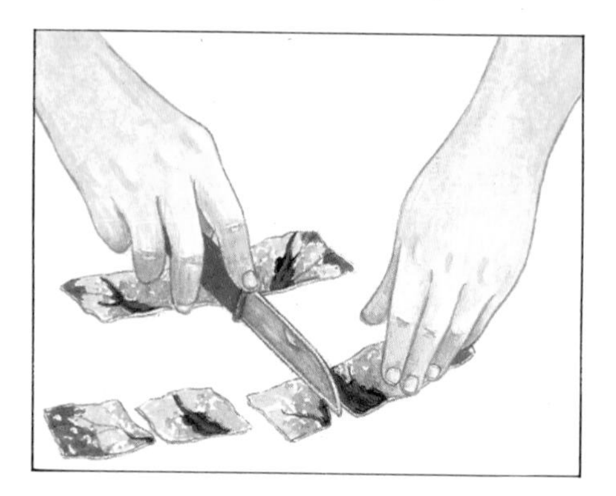

Supprimer les bordures avant de découper les bandes en petits carrés.

Les disposer sur le substrat en veillant à les écarter et en plaçant le revers de la feuille contre le sol.

Billbergia

Famille : **Broméliacées**

Nom usuel : **Billbergia**

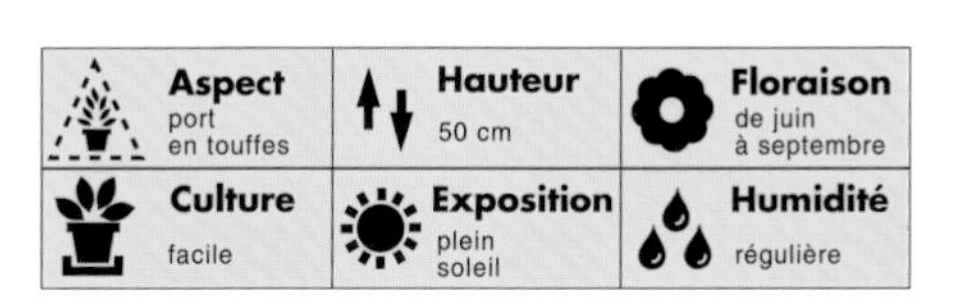

Aspect port en touffes	**Hauteur** 50 cm	**Floraison** de juin à septembre
Culture facile	**Exposition** plein soleil	**Humidité** régulière

À la différence de beaucoup d'autres Broméliacées qui croissent en général sur les arbres à la fourche des branches, ce genre comporte diverses espèces que l'on peut faire pousser assez facilement en pleine terre.

Les billbergias nous viennent du Mexique méridional et d'Amérique du Sud, où elles sont répandues jusqu'à l'Argentine septentrionale.

Les feuilles de ces Broméliacées sont vert sombre, étroites et allongées, avec des centaines d'aiguillons sur les bords. Les inflorescences se présentent en épi simple ou en panicule peu ramifiée. Les fleurs, très belles, sont le plus souvent bleues ou violettes. La plante ne présente guère de difficultés de culture et, de plus, elle fleurit bien dès son plus jeune âge. Ces végétaux produisent aisément de nouvelles plantes (rejets) à leur base. Grâce à cela, même si la plante meurt après la floraison, on dispose toujours en pratique de jeunes plants pour la renouveler.

Billbergia pyramidalis Cette espèce produit une floraison spectaculaire.

Billbergia nutans Cette plante présente des feuilles rigides, souvent épineuses, et des fleurs en épi qui, hélas! sont le plus souvent fugaces.

Maladies et parasites

Feuilles et racines meurent si la plante est exposée au froid ou si elle est trop arrosée. Le plein soleil provoque des brûlures du feuillage, voire sa mort. Pour avoir des plantes saines et bien colorées, il faut une exposition très éclairée, mais non le soleil direct.

Les cochenilles farineuses sont les ennemis de la billbergia. Les éliminer à l'aide d'un pinceau fin ou d'un Coton-Tige trempés dans l'alcool médical. Éviter de toucher les feuilles.

L'araignée rouge se manifeste sur des plantes malades et dans une atmosphère trop sèche liée à une température élevée. En cas d'attaque, traiter la plante à l'aide d'un insecticide systémique. Si l'attaque est faible, nettoyer la plante à l'aide d'un chiffon trempé dans l'eau tiède.

Pour maintenir l'air humide, vaporiser de l'eau régulièrement et garder la plante sur un lit de graviers trempés d'eau.

Pour traiter les attaques de cochenilles à bouclier, mêler au terreau un insecticide systémique ou vaporiser régulièrement un produit liquide spécifique.

TECHNIQUES DE CULTURE

Printemps et été. Les billbergias poussent parfaitement à exposition lumineuse, demi-ensoleillée, et à des températures comprises entre 10 et 21 °C, dans une atmosphère humide. Pour augmenter l'humidité atmosphérique, on vaporise de l'eau régulièrement ou on place la plante dans une coupelle emplie de gravillons baignant dans l'eau, surtout quand il fait très chaud.

L'eau contenue dans la rosette centrale doit être conservée. Il suffit de la retirer une fois par mois pour la remplacer par de l'eau fraîche. Entre deux arrosages, laisser la surface de la terre s'assécher. Tous les quinze jours, apporter un engrais soit sur le sol, soit directement sur le feuillage. Utiliser un engrais liquide très dilué.

Automne et hiver. Certaines espèces continuent à fleurir jusqu'au cœur de l'hiver. Le froid provoque cependant des taches sur le feuillage avec autant plus de facilité que le local est mal aéré.

MULTIPLICATION

Prendre les graines juste mûres sur la plante et les disposer encore fraîches sur un mélange à semis. Épandre sur le mélange une mince couche de sable que l'on maintient constamment humide. Veiller à une bonne humidité atmosphérique. La température doit osciller entre 24 et 26 °C. Le tout est placé à mi-ombre. Ces plantes se développent au bout de quatre à six semaines. Fin mars-début avril, on peut également prélever à la base de la plante mère des rejets de 4 à 10 cm de haut. Les détacher en n'abîmant pas leurs racines et les planter dans des pots individuels dans un mélange plutôt léger à base de tourbe auquel on ajoutera du sable grossier. Maintenir ces éclats bien irrigués jusqu'à la reprise de la végétation.

Guide d'achat

Il existe un grand nombre de billbergias, et les pépiniéristes spécialisés sont à même de donner des informations détaillées sur les plus exotiques d'entre elles. L'amateur le plus exigeant sera donc comblé. On trouve aussi un choix intéressant dans les jardineries. Les producteurs spécialisés sont les seuls, cependant, à disposer de graines d'espèces rares, et les collectionneurs auront tout intérêt à s'adresser à eux, tant pour se procurer les plantes que pour obtenir les conseils de culture propres à chacune.

Espèces

Billbergia nutans Produit des feuilles étroites, longues de 40 à 50 cm, de couleur vert foncé aux bords épineux. Les tiges sont garnies de longues bractées roses d'où émergent des fleurs en forme de pagode. Les pétales internes sont verts, bordés de bleu vif. Les externes sont rosés, striés de bleu et de vert. Les fleurs, grâce à leur disposition en entonnoir, permettent à la plante d'emmagasiner de l'eau.

Billbergia pyramidalis Produit une grande rosette de feuilles vertes ou gris-vert, longues de 30 cm et larges de 2, qui se terminent en pointe effilée. Sa très belle inflorescence consiste en un épi blanc terminé par deux bractées rouges, d'où émergent les fleurs, rouge carminé bordé de violet. La variété 'Concolor' possède des feuilles vert clair de plus grande taille, des bractées roses et des fleurs d'un rouge uniforme (ci-dessus).

Billbergia saundersii Dotée de feuilles vertes, brillantes, liserées de brun acajou, avec des stries transversales plus pâles et des mouchetures jaunes et rouges. Les fleurs, jaunes à la base, sont violettes du centre jusqu'à la pointe des pétales incurvés. Elles sont réunies en racèmes et suspendues à de fines tiges courbes garnies d'écailles rouges et argent. La variété 'Fantasia' possède des feuilles vert sombre ponctuées de blanc crème et des bractées roses d'où émergent les fleurs bleu-violet.

Billbergia zebrina Une des espèces les plus développées. Sa rosette allongée, tubulaire, peut dépasser les 90 cm de hauteur. Les feuilles, pourpres ou vert sombre, sont striées transversalement de bandes argentées. Elles sont revêtues de fines écailles argentées et dotées de longues aiguilles sur les bords. Les fleurs sont orange foncé avec des pétales internes récurvés et bordés d'un vert soutenu (à gauche).

Bletilla

Famille : **Orchidacées**
Nom usuel : **bletilla**

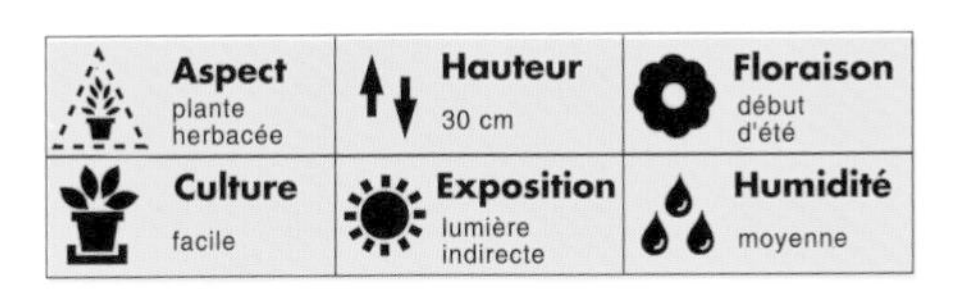

Aspect	Hauteur	Floraison
plante herbacée	30 cm	début d'été
Culture	**Exposition**	**Humidité**
facile	lumière indirecte	moyenne

Bletilla striata est la seule espèce répandue d'un petit groupe d'orchidées terrestres originaires d'Asie orientale. C'est une plante à feuilles caduques dont les élégantes fleurs rose indien se nuancent de rouge pourpré dans le bord supérieur. Elles apparaissent en début d'été, par groupes de dix à douze par tige. La floraison dure longtemps : les premières fleurs apparaissent en mai, et il n'est pas rare d'en avoir encore en juillet. Les feuilles étroites, décoratives et fortement côtelées, atteignent 30 cm de long et sont gracieusement courbées.

Bletilla striata Cette orchidée est originaire de Chine et du Japon.

TECHNIQUE DE CULTURE

Printemps et été. Rempoter les plantes en mars-début avril avant le développement des feuilles, en été aussitôt après la floraison. Utiliser un pot de 13-15 cm de diamètre et enfouir les tubercules dans le substrat. Le mélange terreux idéal consiste en trois parts de terre argileuse, une de tourbe, une de terreau de feuilles et une de sable. Les bletillas fleurissent mieux quand leurs tubercules se gênent. Donc, ne pas rempoter trop souvent.

L'exposition optimale est très lumineuse, mais non brûlante. Après le repos hivernal, à la reprise de la végétation, placer les pots dans une situation fraîche, à mi-ombre, où la température tournera autour de 13 à 18 °C. Fin avril-début mai, à l'apparition des feuilles, apporter de l'eau pour maintenir la terre toujours fraîche. Administrer une dose légère d'engrais liquide toutes les trois ou quatre semaines. On peut également cultiver ces plantes en pleine terre, dans un sol bien drainé, à exposition ombragée mais abritée.

Automne et hiver. Pailler les plantes de pleine terre, car elles souffrent en dessous de —10 °C. Les potées sont rentrées dans la maison et entreposées dans un lieu bien frais, hors gel, où elles ne dessècheront pas. À défaut, les enterrer dans du sable, au pied d'un mur, et couvrir le tout de paille ou de feuilles mortes.

MULTIPLICATION

La meilleure technique consiste à diviser les souches en automne après la chute des feuilles. Couper les tubercules avec soin, en laissant au moins un bourgeon. Saupoudrer la coupe d'un fongicide à base de soufre. Placer les morceaux obtenus dans un pot empli d'un bon mélange maintenu légèrement frais. Maintenir à 10 °C. Appliquer le traitement d'hiver à partir de la fin octobre.

Espèces

Bletilla striata (également connue sous le nom de *Bletia hyacinthina*) Originaire de Chine et du Japon. Dans le type sauvage, les tiges fines portent de grandes fleurs rose indien, avec une tache blanche et une lèvre pourpre. La variété 'Alba' est d'un délicat blanc rosé. De nouvelles sélections de divers tons de rose et une d'un blanc pur nous arrivent du Japon à prix d'or. On trouve parfois 'Marginata', au feuillage bordé de blanc.

Maladies et parasites

Si les feuilles sont étiolées, couchées et allongées, c'est que la plante est trop à l'ombre. La placer aussitôt en milieu plus éclairé. L'humidité du sol pendant la période végétative est capitale. Si les racines dessèchent, la plante meurt. Cependant, l'excès d'humidité n'est pas meilleur. Les pucerons verts sont très friands des jeunes pousses, des jeunes feuilles et des tiges à fleurs, voire des fleurs elles-mêmes. Dès les premières attaques, traiter à l'aide d'un insecticide de base. En cas de forte manifestation, utiliser du malathion.

Bouvardia

Famille : **Rubiacées**

Nom usuel : **bouvardia**

Aspect	Hauteur	Floraison
port arbustif	environ 90 cm	d'octobre à mars
Culture	**Exposition**	**Humidité**
facile	pleine lumière	régulière

Les bouvardias appartiennent à une petite famille de plantes aux fleurs très spectaculaires, originaire du Mexique et d'Amérique du Sud. Les espèces cultivées à l'intérieur sont de petits arbustes persistants aux fleurs de couleur variable suivant l'espèce, et généralement parfumées. Leurs troncs, ligneux et très ramifiés, supportent des feuilles lisses d'un beau vert brillant. Les fleurs, tubulaires, atteignent 5 cm de long et fleurissent en automne à partir d'octobre.

TECHNIQUES DE CULTURE

Printemps et été. Arroser avec modération au printemps et apporter un engrais liquide tous les quinze jours entre mai et la fin octobre. Placer les plantes en pleine lumière en évitant l'ensoleillement direct. Si le pot est envahi par les racines, on rempote en mars.

Les soins varient en été car, si les fleurs apparaissent tard en saison, elles peuvent continuer à s'épanouir jusqu'au cœur de l'hiver. Arrosages et engrais sont distribués légèrement, mais avec régularité. En plein été, placer la plante dans un lieu aéré. On peut l'installer au jardin, à mi-ombre et en arrosant très abondamment.

Automne et hiver. Les plantes demandent autant de lumière que possible. On maintient la température aux alentours de 13 à 15 °C. Les arrosages deviennent très légers pour maintenir le substrat tout juste frais. Par la suite, on réduit encore les arrosages durant les mois les plus froids. En janvier-février, on taille la plante vigoureusement à 8-10 cm du sol.

MULTIPLICATION

On sème en février-mars, dans un mélange léger à une température oscillant entre 18 et 21 °C. Jusqu'à la germination, maintenir le pot à mi-ombre, dans une atmosphère humide. Par la suite, disposer les plantules à la lumière en évitant le soleil direct.

À la même époque que le semis, on peut également procéder au bouturage. Prélever des jeunes pousses de 5 à 8 cm de long et les planter dans un mélange terreux à base de tourbe et de sable. Le bouturage de racines donne encore de bons résultats. Il suffit de planter les tronçons de racines dans un mélange terreux classique.

***Bouvardia longiflora* 'President Cleveland'** Cette variété produit des fleurs au parfum délicat.

Maladies et parasites

Les pucerons, friands de pousses tendres et de bourgeons, sont éliminés par des applications d'insecticides systémiques ou par des pulvérisations régulières de produits spécifiques. Les excès d'eau constituent un danger réel, car ils font pourrir les racines et chuter feuilles et fleurs.

Espèces

Bouvardia longiflora Produit des troncs ligneux aux ramifications fines, nombreuses. Les feuilles, longues et opposées, sont d'un beau vert brillant. Les fleurs blanches, tubulaires, fortement parfumées, sont réunies en grappes légères et apparaissent à l'extrémité des branches entre octobre et décembre. La variété 'Mary' (à droite) produit de gracieuses fleurs roses. 'President Cleveland' est une variété aux fleurs écarlates particulièrement odorantes.

Bouvardia ternifolia (surnommé 'Scarlet Trompetilla') C'est une espèce mexicaine plutôt rare, aux feuilles opposées légèrement velues. Les inflorescences terminales en grappe portent des fleurs écarlates de plus de 3 cm de long. 'White Joy' est une forme à fleurs blanches dotée d'une longue floraison qui s'étend sur une bonne partie de l'année. Ses fleurs sont plus petites que celles des autres espèces, mais les grappes qui les réunissent sont plus grandes. La variété 'Giant Pink' produit une inflorescence rose.

Bouvardia humboldtii On la considère comme une variété de *Bouvardia longiflora*. Ses fleurs sont un peu plus grandes. La plante ne dépasse pas les 70 cm de haut, et encore si elle est cultivée en pleine terre ou dans un grand pot. Avec des tailles adéquates et régulières, elle s'adapte aisément à des pots de 13-15 cm de diamètre.

Caladium

Famille : **Aracées**

Nom usuel : **caladium**

Peu de plantes d'intérieur ont une allure aussi élégante que les caladiums, avec leurs feuilles fines comme du papier de soie, dont les couleurs délicates sont rehaussées par le dessin des nervures. Les plus remarquables sont peut-être les variétés à feuilles blanches, véritablement arachnéennes, qui font penser aux ailes de quelque libellule géante.

Mais tant de beauté exige en contrepartie des soins très attentifs. À dire vrai, les caladiums, originaires d'Amérique du Sud et des Antilles, sont à peine des plantes d'appartement. Il leur faut une ambiance de serre, chaude et humide, faute de quoi leur splendeur sera éphémère. C'est bien pourquoi on les traite le plus souvent comme des annuelles. Seul un jardinier expérimenté est capable de leur faire passer l'hiver.

Leurs feuilles diaphanes sont souvent utilisées pour les bouquets : elles tiendront une bonne quinzaine de jours, voire plus si on prend la précaution de les immerger entièrement, sitôt coupées, pendant vingt-quatre heures.

TECHNIQUES DE CULTURE

Printemps et été. Planter les caladiums début mars (trois tubercules pour un pot de 12 cm de diamètre) dans un compost riche et plutôt acide, à base de terreau de feuilles bien décomposé et de terre de

Caladium bicolor On admirera ici la variété hybride 'Beauté rose', dont les feuilles si décoratives ont besoin de lumière pour garder leurs belles couleurs.

bruyère, allégé avec un peu de sable grossier (y ajouter quelques menus fragments de charbon de bois).

D'abord modérés au début de la période de croissance, les arrosages devront être plus abondants (deux ou trois fois par semaine) dès que les nouvelles feuilles pousseront. Veiller toutefois à ne jamais détremper la terre.

Reste à assurer au caladium une température ne descendant pas au-dessous de 20 °C et à le préserver de tout courant d'air. Pour éviter tout refroidissement qui serait fatal à la plante, arroser avec de l'eau tiédie. Toutes les trois semaines, diluer dans l'eau d'arrosage une demi-dose d'engrais liquide spécial pour plantes à feuilles. Pour entretenir un degré suffisant d'humidité atmosphérique, poser le pot sur des galets dans une cuvette à demi pleine d'eau, sans que sa base touche le liquide. L'humidificateur électrique est idéal.

Pas de pulvérisations, en revanche, encore moins de produits lustrants, pas même de chiffon doux ni de plumeau pour les feuilles fragiles du caladium, que le moindre contact risque de détériorer. Jamais de plein soleil, non plus, qui les brûlerait, mais une bonne lumière légèrement tamisée, qui leur conservera leurs belles couleurs.

À la fin de l'été apparaît parfois une fleur blanchâtre (constituée d'une spathe en cornet et d'un court spadice), qui n'offre pas un grand intérêt ornemental.

Automne et hiver. Vers le milieu de l'automne, les feuilles commencent à se faner. C'est un phénomène normal. Diminuer alors progressivement les rations d'eau, puis cesser tout arrosage et conserver les tubercules dans leur pot pendant l'hiver, à une température d'environ 15-16 °C.

MULTIPLICATION

Par division des tubercules au moment de la reprise de la végétation. Replanter et tenir à 21 °C. Il faut cependant savoir que la reprise sera aléatoire si on ne dispose pas d'un germoir.

Espèces

Caladium bicolor Ce caladium à feuilles sagittées (triangulaires avec une base largement échancrée, comme la pointe d'une flèche) vert sombre tachetées de blanc, aux nervures soulignées de rose vif, a donné naissance aux hybrides horticoles, qui rivalisent de magnificence.

Caladium x hortulanum On regroupe sous cette appellation la plupart des hybrides commercialisés. La gamme des cultivars est presque infinie. 'Silver Leaves' (ci-dessus, à gauche) est particulièrement spectaculaire avec ses feuilles diaphanes sur lesquelles le réseau des nervures se détache avec la précision et l'élégance d'une calligraphie. Même délicatesse de dessin chez 'Candidum', aux feuilles d'un vert pâle presque blanc et aux nervures vert sombre. 'Lord Derby' se signale par le délicat rose pâle de ses feuilles, souligné par la bordure et par les nervures vertes. Même contraste de couleurs chez 'Freda Hempel', à cette différence que la partie centrale de la feuille est du plus beau rouge. 'Kathleen' présente un superbe dégradé de nuances, du pourpre au rose clair, avec des marges vertes.

Caladium humboldtii Une espèce originaire du Brésil, plus petite (de 25 à 35 cm), à feuilles translucides, panachées de vert et de blanc (ci-dessus, à droite).

Caladium picturatum Ses feuilles vertes à nervures blanches sont plus étroites. Il existe des variétés à feuilles rouges.

Calathea

Famille : **Maranthacées**

Nom usuel : **calathéa**

Parmi les plantes à feuillage ornemental, les calathéas occupent une place de choix, et on les apprécie d'autant mieux qu'elles savent nous épargner la monotonie : pour une même variété, pas un spécimen identique, ni dans les dessins ni dans les couleurs. Voilà qui vaut bien quelques efforts pour offrir à ces plantes qui nous viennent pour la plupart du bassin amazonien l'atmosphère chaude et humide sans laquelle elles ne sauraient prospérer. Sans compter que certaines calathéas peuvent donner des fleurs en épi assez gracieuses.

Plusieurs espèces étaient jadis classées dans le genre *Maranta,* très voisin, et on confond souvent les calathéas avec les marantas.

TECHNIQUES DE CULTURE

Printemps et été. Rempoter fin mars, si possible dans des pots larges et peu profonds, au fond desquels on aura disposé une couche de drainage. Le compost doit être léger et poreux (par exemple, une part de terre pour trois parts de terre de bruyère, plus un peu de sable et de la sphaigne hachée).

Arroser régulièrement pour maintenir la motte toujours humide et entretenir l'humidité ambiante par des pulvérisations. Veiller à ce que le thermomètre ne descende pas au-dessous de 16 °C et éviter une lumière trop directe, qui délaverait les couleurs des feuilles. Nourrir tous les quinze jours avec un engrais liquide.

Automne et hiver. Pas d'engrais pendant la période de repos. Diminuer les arrosages (ne pas utiliser d'eau trop froide).

MULTIPLICATION

Par division des touffes au moment du rempotage. Tenir bien au chaud et à l'ombre jusqu'à la reprise.

Calathea makoyana Une plante au magnifique feuillage décoratif et au port très élégant.

Espèces

Calathea lancifolia On l'appelle aussi *calathea insignis.* C'est une plante touffue et robuste, dont les feuilles, longues et assez étroites, ont des bords légèrement ondulés. La face supérieure, vert tendre, est marquée de bandes transversales irrégulières vert foncé, alternativement courtes et longues, qui partent de la nervure centrale; la face inférieure est brune.

Calathea makoyana Portées par de longs et fins pétioles, ses feuilles ovales s'évasent en un mouvement gracieux. C'est ce qui explique que cette calathéa ait été surnommée plante-paon. Aux taches oblongues vert sombre qui soulignent les nervures sur la face supérieure vert argenté, en alternance avec de fines rayures, correspondent sur la face inférieure des macules pourprées.

Calathea ornata Une calathéa dont les feuilles vertes de 15 à 20 cm de longueur, lancéolées et acuminées à longs pétioles, sont marquées de fines stries claires le long des nervures latérales lorsque la plante est jeune; la face intérieure est d'un rouge cuivré. Blanches chez la variété 'Albolineata', ces stries sont roses chez la variété 'Roseolineata' et rouges chez 'Regalis'.

Calathea sanderiana L'espèce la plus résistante avec *C. ornata,* reconnaissable à ses abondantes feuilles dressées, à la face supérieure vert bronze marquée de rayures transversales roses le long des nervures et au revers pourpré.

Calathea zebrina Se distingue par ses feuilles qui s'étalent perpendiculairement à l'axe de la tige (ci-dessus). La face supérieure présente des rayures transversales régulières vert clair et vert très foncé (le revers est violacé). Les fleurs, violettes, sont réunies en inflorescences globuleuses.

Calceolaria

Famille : **Scrofulariacées**

Nom usuel : **calcéolaire**

Aspect port en touffes	**Hauteur** de 30 à 60 cm	**Floraison** printemps
Culture facile	**Exposition** ombragée	**Humidité** normale

Après tant de plantes tropicales qui veulent vous faire transformer votre maison en serre chaude, en voici une qui aime la fraîcheur, bien qu'elle vienne, elle aussi, d'Amérique du Sud. Mais comme elle vit sur les versants des Andes, elle est habituée aux nuits froides.

Les calcéolaires d'appartement sont toutes des variétés hybrides annuelles. On les achète au printemps, lorsque leurs boutons sont sur le point d'éclore, et l'on profite pendant un mois (dans les meilleures conditions) de leurs fleurs si caractéristiques, en forme de petite outre ou de pantoufle, d'où leur nom (qui vient du latin *calceolus*, « petit soulier »). Après quoi, on s'en débarrasse.

Mais il existe aussi des variétés de jardin vivaces et plus résistantes, à tiges ligneuses et à floraison abondante, les unes naines, qui conviennent parfaitement pour des bordures, les autres atteignant jusqu'à 70 cm de hauteur.

TECHNIQUE DE CULTURE

Il s'agit avant tout de trouver un emplacement adéquat pour la calcéolaire. La température idéale est de l'ordre de 10-12 °C, avec une tolérance jusqu'à 15 °C. Au-dessus, les boutons avortent au lieu de fleurir. Plus la pièce sera fraîche, plus durable sera la floraison. Il faut assurer une bonne aération, mais préserver malgré tout la plante des courants d'air. Lumière tamisée ou indirecte obligatoire. Le soleil serait fatal à la calcéolaire, qui se plaira près d'une fenêtre donnant au nord.

Arroser fréquemment, à petites doses, pour garder la motte juste humide, mais sans jamais mouiller les feuilles ni les

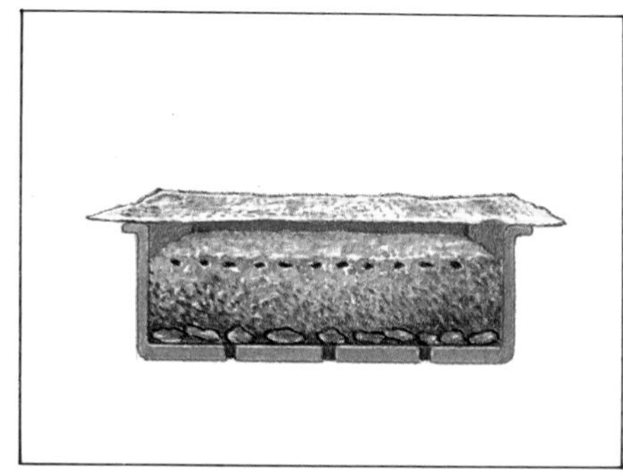

Semer en caissette, dans un compost stérile spécial pour semis, sans enterrer les graines. Humidifier et couvrir d'une feuille de papier journal.

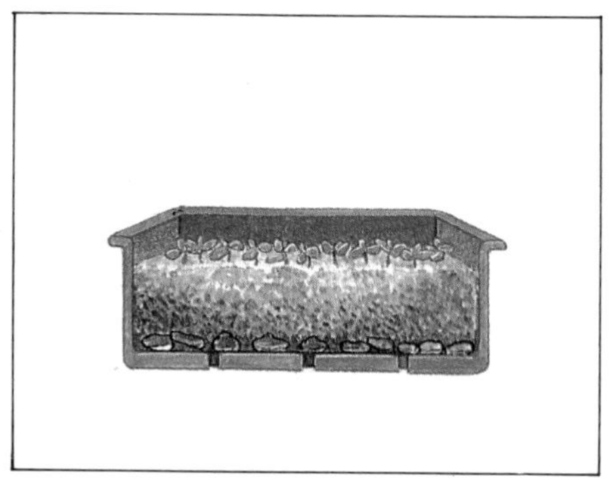

Si les petites pousses sortent de terre trop serrées, en arracher une partie pour donner plus de vigueur aux plants.

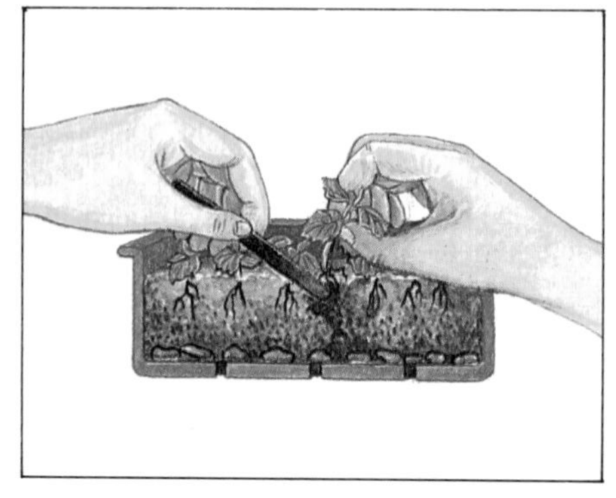

Lorsqu'une paire de feuilles est apparue sur les plantules, le moment est venu de repiquer. Les extraire une à une du compost, en veillant à ne pas endommager les racines.

Les installer dans des pots de 7 cm de diamètre, dans un mélange de tourbe, de terreau de feuilles et de sable, en pressant délicatement le compost autour des racines avec les deux pouces.

Calceolaria x herbeohybrida On ne profite de ses fleurs caractéristiques que pendant un mois.

fleurs, en utilisant impérativement une eau non calcaire. En cas de dessèchement du compost, immerger immédiatement le pot dans un seau d'eau tiède pendant une quinzaine de minutes, puis l'égoutter et vider l'eau qui s'est écoulée dans la soucoupe au bout d'une heure. Pour maintenir l'humidité, on peut aussi poser le pot sur un lit de tourbe humide. Fertiliser tous les quinze jours.

MULTIPLICATION

Propager par semis, en été, de juin à août, dans une petite caissette ou une terrine. Tenir à l'abri et au frais. Lorsque les petites plantules ont développé une paire de feuilles, les repiquer en pot dans un mélange composé à parts égales de tourbe, de terreau de feuilles et de sable.

Maladies et parasites

Les pucerons verts peuvent envahir les jeunes pousses, qu'ils déforment. Les enlever avec un Coton-Tige imbibé d'alcool dénaturé, puis pulvériser un insecticide à base de pyrèthre. Contre le botrytis, favorisé par l'humidité, traiter avec un fongicide.

Espèces

Calceolaria integrifolia Une calcéolaire de jardin fleurissant en été, à feuilles ovales légèrement duveteuses et dentées, à nombreuses petites fleurs jaunes.

Calceolaria herbeohybrida On regroupe sous ce nom différents hybrides à feuilles en rosette légèrement velues et rugueuses sur leur face supérieure. Fleurs caractéristiques, souvent mouchetées, à la corolle irrégulière, dont la lèvre supérieure forme un petit sac, et la partie supérieure une poche largement évasée (en haut, à droite).

Calceolaria crenatiflora Cette calcéolaire est parente avec la plupart des hybrides horticoles. Fleurs jaunes, roses ou orangées.

Calceolaria x grandiflora Un hybride à larges feuilles, qui a donné naissance à de nombreux cultivars à grandes fleurs tigrées (à gauche) ou mouchetées.

Calceolaria multiflora nana Variété naine (de 20 à 25 cm) d'un autre hybride, à fleurs jaunes ou rouges (ci-dessus).

Calceolaria acutifolia Plante qui convient parfaitement aux rocailles, avec ses feuilles en touffes, lancéolées et velues.

Callistemon

famille : **Myrtacées**
Nom usuel : **callistémon, rince-bouteilles**

Les fleurs des callistémons sont tout à fait étonnantes : de gros épis cyndriques, apétales, constitués de plusieurs centaines de longues étamines fines comme des aiguilles, rouges et brillantes. Et, à l'extrémité de cette inflorescence hérissée, un bouquet de feuilles en plumet. On dirait un gros goupillon à bouteilles écarlate, ce qui explique son nom vernaculaire de rince-bouteilles.

Les quelques arbrisseaux ou arbustes à feuillage persistant qui appartiennent au genre *Callistemon* (le nom vient du grec *kallos*, « beauté », et *stemon*, « étamine ») sont originaires d'Australie et de Nouvelle-Calédonie. Ils se sont assez bien acclimatés dans les jardins du Midi, voire sur la côte atlantique et en Bretagne quand ils bénéficient d'une exposition bien abritée. Seul *Callistemon citrinus* se cultive à l'intérieur, car il s'adapte bien à la température d'un appartement si on peut lui assurer suffisamment de soleil.

TECHNIQUES DE CULTURE

Printemps et été. Rempoter dès la reprise de la végétation, dans un mélange à base de terreau (ou bien un tiers de terreau, un tiers de tourbe et un tiers de sable), en mettant au fond du pot une bonne couche de galets qui le lestera et qui favorisera le drainage. Lorsque l'arbuste a atteint son plein développement, se contenter chaque année d'un surfaçage (renouvellement de la couche supérieure du compost sur 5 à 6 cm).

Arroser modérément et nourrir tous les quinze jours avec un engrais liquide pour plantes à fleurs. Le callistémon accepte aussi bien des températures de 24-25 °C que les 18 °C qui sont plutôt la norme dans nos appartements, mais il lui faut plusieurs heures de soleil par jour, sinon il fleurira difficilement.

***Callistemon citrinus* 'Splendens'** Ses inflorescences en goupillon l'on fait appeler rince-bouteilles.

Espèces

Callistemon citrinus On l'appelle encore *C. lanceolatus*. Aux antipodes, cet arbuste peut atteindre 10 m de hauteur; dans nos régions, sa taille est plus modeste. En pot, il ne dépasse guère 1,20 m, et on peut encore limiter sa croissance verticale par une taille judicieuse. Les premières années, tiges et rameaux sont couverts d'un fin duvet qui disparaît par la suite. Les feuilles lancéolées gris-vert, épaisses et résineuses, dégagent quand on les froisse une plaisante et tonique odeur de citron (d'où le nom de cette espèce). La variété 'Splendens' a de superbes inflorescences cramoisies.

Callistemon speciosus En horticulture, il est d'usage d'appeler métrosidéros (de même que tous les callistémons cultivés) cet arbrisseau de 1 à 2 m, aux rameaux rougeâtres et aux grandes feuilles lancéolées et mucronées (se terminant en pointe aiguë) et un peu glauques. Les longs filets cramoisis des étamines se terminent par des anthères jaune d'or.

Automne et hiver. À la fin de la floraison, le moment est venu de tailler le callistémon : rabattre de moitié toutes les pousses de l'année précédente, ce qui permettra d'obtenir un port plus touffu.

Mettre le pot à l'extérieur pendant trois heures, dans un endroit bien ensoleillé, pour une cure d'air et de lumière. On le rentrera dès que la température tombera au-dessous de 10 °C.

Pendant les mois d'hiver, laisser reposer au frais (7-8°C), mais toujours dans un endroit très bien éclairé, en réduisant au minimum l'apport d'eau.

MULTIPLICATION

Prélever au printemps des boutures de parties ligneuses : des segments de 7 à 10 cm auxquels reste attachée une languette d'écorce (talon). Planter dans des petits pots remplis d'un mélange de tourbe et de sable tenu à peine humide. Enfermer dans un sachet en plastique transparent et garder à 16-18 °C (ou dans une caissette de multiplication), sous une lumière tamisée. Rempoter quand les racines commencent à sortir par l'orifice de drainage.

Campanula

Famille : **Campanulacées**

Nom usuel : **campanule isophylle, étoile-de-Marie**

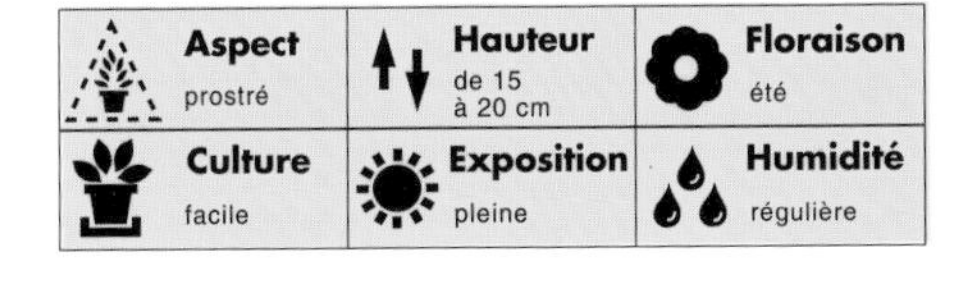

La campanule isophylle est une charmante plante d'appartement qui appartient à une vaste famille de plantes de jardin. Ce sont pour la grande majorité des plantes vivaces originaires d'Europe, dont le nombre s'élève à plus de deux cents. Cette plante se prête à merveille à la culture en paniers suspendus, où elle pousse très vite en laissant retomber ses tiges couvertes de fleurs.

TECHNIQUES DE CULTURE

Printemps et été. Pour obtenir une bonne végétation et une floraison abondante, donner à la campanule, tout au long de l'année, une exposition très lumineuse, mais abritée du soleil direct. En cas de luminosité insuffisante, les tiges s'allongent et deviennent grêles (on dit souvent que la plante « file »), et la floraison s'appauvrit. Une température de 15 °C environ est idéale.

En cas de nécessité évidente, rempoter en tout début de printemps en utilisant un bon mélange fertile. Arroser généreusement, tous les jours en période de forte chaleur, et vaporiser de l'eau régulièrement pour donner une bonne hygrométrie. Si la plante reste trop au sec, elle cesse de fleurir et meurt. Tous les quinze, vingt jours, appliquer un engrais liquide. Supprimer les fleurs fanées pour encourager la formation de nouveaux boutons floraux. Ainsi, la plante reste épanouie tout l'été durant.

Campanula isophylla C'est une plante vivace produisant de nombreuses fleurs étoilées de coloris variés.

Maladies et parasites

En cas d'arrosage insuffisant, les feuilles se recroquevillent, jaunissent et meurent, tandis que fleurs et bourgeons se dessèchent. Retirer les parties mortes, puis arroser et vaporiser de l'eau régulièrement. À l'inverse, si la floraison n'apparaît pas et que la plante s'affaisse, c'est l'indice d'arrosages excessifs, qui font pourrir les racines. Couper les rameaux abîmés et ne reprendre les arrosages que quand le substrat est à peine frais.

L'apparition de minuscules toiles sur les feuilles et les bourgeons est le signe d'une invasion d'araignées rouges. Lutter à l'aide d'insecticides systémiques. On peut agir de manière préventive en les appliquant deux ou trois fois l'an sur le substrat.

Multiplication par bouturage. Couper une jeune tige.

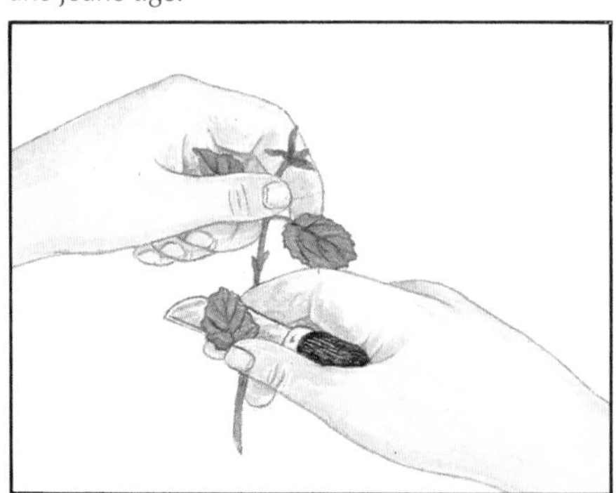

Raccourcir la tige à 7-10 cm de long.

Planter après avoir appliqué une hormone de bouturage.

Espèces

Campanula isophylla Cette espèce originaire d'Italie du Nord est légèrement ligneuse à sa base, d'où partent d'élégants rameaux vert vif aux feuilles arrondies et à bords dentés. La plante s'élève rarement au-dessus de 15-20 cm de haut, mais les rameaux rampants peuvent atteindre de 40 à 60 cm de long. C'est une plante parfaite pour les paniers suspendus. Les fleurs bleu lilacé sont des clochettes étoilées de 2-3 cm de diamètre. Elles s'épanouissent en abondance de façon continue entre la fin du printemps et le début de l'automne. 'Alba' est une variété plus vigoureuse avec des fleurs blanches, comme celles de 'Kristel' (ci-dessus).

Campanula tomentosa (syn. *Campanula rupestris*) Cette plante croît spontanément en Grèce sur les pierriers ensoleillés. Les feuilles arrondies, gris-vert, soyeuses, se développent en rosette depuis le cœur. De cette rosette émergent, presque à l'horizontale, des fleurs en clochettes, bleu vif, dotées de quelques feuilles grises à leur base. On cultive cette espèce en paniers suspendus, en apportant un peu de craie au substrat.

Campanula vidalli C'est une espèce originaire des Açores. Touffue, elle produit des tiges charnues portant de jolies fleurs roses ou blanches. Elle est sensible au gel.

Pour cultiver la campanule en panier suspendu, le garnir au préalable de mousse humide.

Automne et hiver. La température peut sans dommage descendre à 7 °C, voire plus bas encore. Arroser modérément, de façon à éviter que le substrat ne sèche complètement.

Veiller particulièrement à ce que la plante bénéficie en permanence d'une bonne lumière, en la protégeant toutefois du soleil hivernal. Lorsque l'hiver touche à sa fin, la tailler vigoureusement en ne laissant que 5 ou 7 cm de tiges. Les branches taillées peuvent servir à faire des boutures.

MULTIPLICATION

Semer en août dans un substrat léger maintenu humide et à une température de 15 °C. Au bout de trois mois environ, les plantules sont assez fortes pour être rempotées individuellement.

On peut également propager les campanules par bouturage de tronçons de tiges longs de 7 à 10 cm. Plonger leur base dans une poudre d'hormones spécifiques et planter dans un mélange riche en sable grossier. Maintenir le tout humide, à une température de 15 °C et à mi-ombre. Dès qu'a eu lieu l'enracinement, rempoter dans un mélange riche.

Capsicum

Famille : **Solanacées**

Nom usuel : **piment d'ornement**

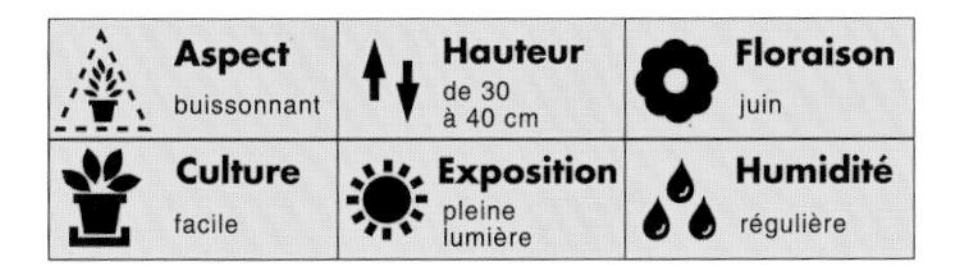

Aspect	Hauteur	Floraison
buissonnant	de 30 à 40 cm	juin
Culture	**Exposition**	**Humidité**
facile	pleine lumière	régulière

Les piments d'ornement sont des plantes d'appartement originaires d'Amérique du Sud. On les cultive pour la qualité ornementale de leurs fruits. Contrairement aux piments condimentaires, ils ne sont pas comestibles. Ces plantes annuelles ou cultivées comme telles sont simplement jetées après que les fruits ont disparu.

TECHNIQUES DE CULTURE

Printemps et été. La plante arrive à maturité dans le courant de l'été. Les fleurs, petites, blanches et plutôt insignifiantes apparaissent en juin. La plante demande un bon terreau fertile et une forte luminosité. Les températures varient entre 16 et 21 °C maximum. Durant toute la période de croissance, arroser abondamment en veillant toutefois à laisser le sol ressuyer d'un arrosage à l'autre. Chaque semaine, ajouter un engrais liquide à l'eau d'arrosage. On cesse ces apports dès que les fruits sont parfaitement formés.

Automne et hiver. C'est le moment où la plante apparaît dans toute sa splendeur. Veiller à lui assurer une température minimale de 10 °C. Par ailleurs, maintenir une bonne aération, en évitant les courants d'air froid. Les arrosages doivent être suffisants pour maintenir la terre à peine fraîche. Au tout début du printemps, on élimine la plante, qui a terminé son cycle.

MULTIPLICATION

Semer en février-mars dans un bon mélange pour semis maintenu frais, à une température de 18 à 21 °C. Veiller à maintenir l'aération pour éviter le pourrissement des graines. Vers la fin mars, dès que les plantes sont assez hautes pour être manipulées sans danger, on les installe individuellement dans des pots emplis d'un mélange terreux riche.

Capsicum annuum Produit des fruits rouge vif qui parsèment un dense feuillage vert vif.

Maladies et parasites

Le déclin et la chute des feuilles sont le signe d'un traitement inadéquat. Arrosages ou éclairement sont insuffisants, ou bien la température ne convient pas à la plante, ou encore la nourriture est insuffisante.

De minuscules insectes blancs, volants, s'envolent parfois de la plante quand on la secoue. Ce sont des aleurodes, ou « mouches blanches », dont on se débarrasse à l'aide d'insecticides systémiques.

Des toiles de petite taille entre les rameaux sont l'indice certain de la présence d'araignées rouges, qui ne se développent qu'en atmosphère très sèche. Augmenter l'humidité atmosphérique par des bassinages réguliers et utiliser, si nécessaire, un insecticide spécifique.

Espèces

Capsicum annuum Cette petite plante buissonnante atteint de 30 à 40 cm de haut. Les feuilles, d'un vert brillant, étroites et lancéolées, sont denses et donnent un port compact à la plante. Les fleurs blanches, petites, apparaissent en juin. Elles sont suivies de fruits décoratifs rouges, pointus. Il en existe des hybrides avec fruits jaunes, orange, érigés, pendants, ronds (ci-dessous) ou allongés.

Capsicum frutescens Cet arbuste peut atteindre une hauteur de 90 cm. Les fleurs blanches se forment au bout des branches et donnent naissance à des fruits rouges ou jaunes de 2,5 cm de long.

Les nombreux hybrides cultivés ont été obtenus par croisement des deux espèces ci-dessus. 'Bonfire' se caractérise par de petits fruits qui passent du vert au jaune, puis au rouge. 'Fips' est une sélection aux fruits d'abord verts, puis orange et enfin rouge sombre. 'Fiesta' produit des fruits dressés de 5 cm de long qui passent du crème au jaune, puis à l'orange avant de tourner au rouge. Les différences de nuances sont toutes présentes sur une même plante, ajoutant à l'effet décoratif.

Celosia

Famille : **Amaranthacées**

Nom usuel : **célosie, crête-de-coq**

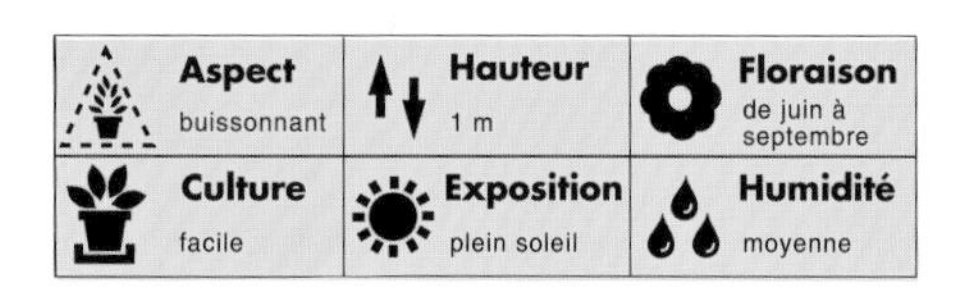

Aspect	**Hauteur**	**Floraison**
buissonnant	1 m	de juin à septembre
Culture	**Exposition**	**Humidité**
facile	plein soleil	moyenne

Les espèces de célosie, originaires des régions tropicales d'Asie, d'Amérique et d'Afrique, sont cultivées pour leurs vives inflorescences en épis, insolites, spectaculaires et rappelant chez certaines la crête d'un coq. On les trouve en fleur dans les magasins, mais elles sont faciles à cultiver de semis. Avec de bonnes conditions de température et d'humidité, elles croissent à merveille. Mais, comme ce sont des plantes annuelles, on les jette après la floraison. Les variétés cultivées dérivent presque toutes de *Celosia argentea*, originaire d'Asie tropicale. Les fleurs séchées peuvent entrer dans les bouquets d'hiver.

***Celosia argentea* 'Pyramidalis'** *(à gauche)* Produit des fleurs aux coloris éclatants. Les sélections de cette plante offrent une gamme de coloris : rouge, orange ou jaune, au choix *(à droite)*.

TECHNIQUES DE CULTURE

Printemps et été. Pour produire de belles inflorescences, la célosie a besoin d'un mélange à base de terreau, de tourbe et de sable, et d'une température de 18 °C. On arrose modérément. Il suffit de maintenir le sol juste humide, en évitant les excès d'eau, qui font pourrir les racines. Durant les mois les plus chauds, maintenir l'humidité atmosphérique en bassinant le feuillage. À partir de mai, apporter un engrais liquide une fois par mois environ. Augmenter les doses et rapprocher les apports durant la floraison.
Automne et hiver. Comme toutes les plantes annuelles, les célosies meurent à la fin de leur période d'activité végétative. On s'en sépare donc sans regret dès qu'elles finissent de fleurir, à moins de vouloir obtenir des graines pour une seconde production. Il faut savoir cependant que, d'année en année, les variétés horticoles dégénèrent et retournent au type sauvage. Il est donc plus sage de se procurer chaque année des semences sélectionnées ou d'acheter des potées toutes venues.

MULTIPLICATION

On sème en mars dans un mélange pour semis assez riche en recouvrant les graines de 2 mm de substrat. Disposer au fond de la caissette un lit de graviers ou de sable grossier pour assurer un bon drainage. Maintenir la caissette dans une atmosphère humide, à mi-ombre, à une température de 15 à 18 °C jusqu'à la germination. Quand les plantules ont atteint 3 ou 4 cm de haut, on les repique en pots individuels. Maintenir à peine humide, en arrosant la terre plutôt que le feuillage.

Maladies et parasites

Si la plante s'étiole et s'affaisse ou si les feuilles se recroquevillent, c'est que les arrosages sont trop abondants ou la nourriture insuffisante, ou encore qu'elle souffre de courants d'air froid. Placer les potées dans une ambiance chaude, les arroser régulièrement en ayant la main légère et apporter un engrais.

Les pucerons s'attaquent parfois aux feuilles et aux tiges jeunes. Des vaporisations d'insecticide en viennent à bout.

Espèces

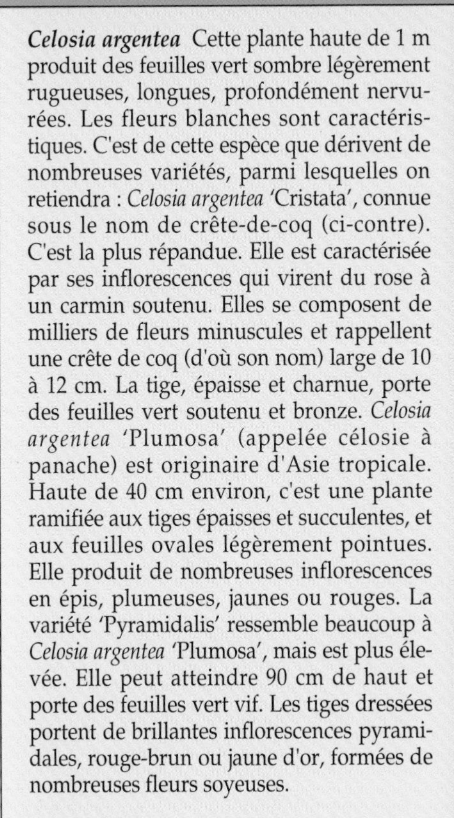

Celosia argentea Cette plante haute de 1 m produit des feuilles vert sombre légèrement rugueuses, longues, profondément nervurées. Les fleurs blanches sont caractéristiques. C'est de cette espèce que dérivent de nombreuses variétés, parmi lesquelles on retiendra : *Celosia argentea* 'Cristata', connue sous le nom de crête-de-coq (ci-contre). C'est la plus répandue. Elle est caractérisée par ses inflorescences qui virent du rose à un carmin soutenu. Elles se composent de milliers de fleurs minuscules et rappellent une crête de coq (d'où son nom) large de 10 à 12 cm. La tige, épaisse et charnue, porte des feuilles vert soutenu et bronze. *Celosia argentea* 'Plumosa' (appelée célosie à panache) est originaire d'Asie tropicale. Haute de 40 cm environ, c'est une plante ramifiée aux tiges épaisses et succulentes, et aux feuilles ovales légèrement pointues. Elle produit de nombreuses inflorescences en épis, plumeuses, jaunes ou rouges. La variété 'Pyramidalis' ressemble beaucoup à *Celosia argentea* 'Plumosa', mais est plus élevée. Elle peut atteindre 90 cm de haut et porte des feuilles vert vif. Les tiges dressées portent de brillantes inflorescences pyramidales, rouge-brun ou jaune d'or, formées de nombreuses fleurs soyeuses.

Celosia childsii Originaire des Indes, cette célosie est l'espèce dont sont issues la plupart des variétés les plus spectaculaires, telle 'Golden Feather', qui porte une inflorescence ramifiée, plumeuse, jaune vif.

Celosia thompsonii Cette espèce compacte atteignant 60 cm de haut se caractérise par ses inflorescences plumeuses aux nombreuses fleurettes rouge vif.

Chaenomeles

Famille : **Rosacées**

Nom usuel : **cognassier à fleurs, cognassier du Japon**

Ce genre est très voisin des *Cydonia*, qui comprennent le vrai cognassier. Il est composé d'arbustes qui peuvent atteindre un grand développement.

Les rameaux tortueux sont couverts d'épines et finissent, avec le temps, par s'entremêler. Les feuilles caduques et dentées, oblongues-ovales, sont d'un vert brillant et sont dotées de stipules plus ou moins développées.

C'est au printemps qu'apparaissent les fleurs. Si l'arbuste est placé à une exposition abritée et ensoleillée, il peut lui arriver de fleurir dès l'hiver. Les fleurs apparaissent avant que les feuilles ne se développent, ce qui donne à l'ensemble un aspect très décoratif.

Elles peuvent revêtir différentes couleurs allant du blanc au rouge soutenu, avec des intermédiaires variant du rose à l'orange. Ce sont les rameaux d'au moins un an qui les portent.

Cette floraison spectaculaire désigne les cognassiers du Japon pour être isolés, utilisés en haies défensives ou pour constituer des massifs fleuris.

Ces fleurs donnent en outre des fruits consommables en gelées très parfumées. Jaune vif, elles ajoutent en automne un aspect décoratif à l'arbuste.

TECHNIQUES DE CULTURE

Printemps et été. Les cognassiers à fleurs affectionnent les terrains fertiles et frais, riches en fumure ancienne.

Ajouter des engrais chimiques du commerce à l'eau d'arrosage au moins deux fois par mois.

Afin d'acidifier légèrement le terrain, faire un apport de tourbe ou d'aiguilles de pin. L'arbuste, dans son jeune âge, pousse plutôt lentement.

C'est sa belle floraison qui en fait l'intérêt essentiel. Le placer en plein soleil pour qu'elle soit abondante. L'eau d'arrosage ne doit pas stagner au pied.

Ces cognassiers supportent des tailles sévères, qui n'ont lieu qu'après la floraison. C'est sur les nouveaux rameaux, émis pendant l'été, que se forment les fleurs du printemps suivant.

Automne et hiver. C'est au début de l'automne qu'on récolte éventuellement les fruits. Commencer alors à réduire les arrosages.

MULTIPLICATION

On multiplie les variétés horticoles en les greffant sur un porte-greffe obtenu de semis. Cependant, il est difficile de distinguer le sujet des rejetons issus du porte-greffe. C'est pourquoi on a plus souvent recours aux boutures à bois vert, aux boutures de racines ou au marcottage.

La croissance de ces boutures, ou marcottes, est très lente durant les premières années.

Chænomeles Ses fleurs spectaculaires illuminent le jardin entre la fin de l'hiver et le début du printemps.

Maladies et parasites

Ce genre est peu sujet aux attaques de maladies ou de parasites. En cas de chlorose (jaunissement), faire immédiatement un apport de chélate de fer.

Espèces

Chænomeles speciosa Originaire de Chine, cette espèce peut atteindre 3 m de haut. Les fleurs sont rouge vif ou écarlate intense et s'épanouissent du milieu de l'hiver à la fin du printemps. On en a obtenu de très élégantes variétés d'excellente qualité. 'Cardinalis' épanouit des fleurs cramoisies; 'Moerlosei' produit des grappes compactes de boutons rose vif s'épanouissant blancs : 'Nivalis' est une variété à grandes fleurs blanc pur : 'Simonii', trés élégant, possède des fleurs semi-doubles de couleur rouge sang.

Chænomeles japonica Moins élevée que la précédente, cette espèce dépasse rarement les 2 m de haut. Ses feuilles vernissées, finement dentées, sont dotées de grandes stipules à leur base. Elle épanouit en avril-mai des fleurs rouge foncé.

Chænomeles* x *superba Cet hybride a été obtenu par croisement de *Chænomeles japonica*. De hauteur intermédiaire, il produit un grand nombre de fleurs. On trouve, parmi ses variétés : 'Lagenaria', l'un des plus répandus des cognassiers à fleurs. Très vigoureux, il épanouit en avril des fleur rouge vif; 'Cathayensis', doté d'aiguillons effilés, de fleurs blanches ombrées de rose et de fruits jaunes à joues rouge.

Chlorophytum

Famille : **Liliacées**

Nom usuel : **chlorophytum**

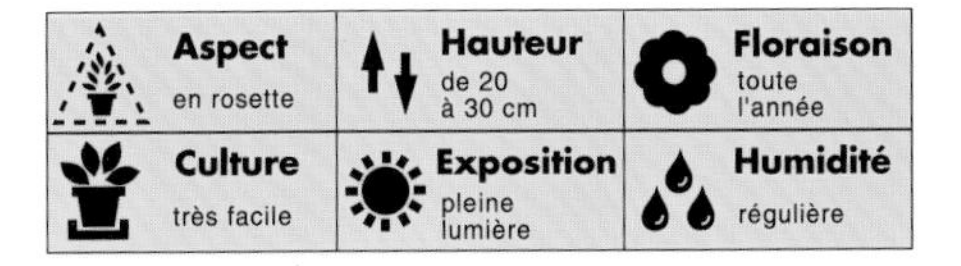

Les chlorophytums sont des plantes très connues, disponibles en de nombreuses variétés, toutes plus décoratives les unes que les autres. Ils se caractérisent par leurs feuilles en rosette, nombreuses, longues, élégantes. Arquées, elles sont le plus souvent vert et blanc. Les plantes produisent de minuscules fleurs blanches. Quelques espèces moins connues en produisent de très décoratives. Les tiges à fleurs, allongées, charnues, blanches, s'élèvent du centre de la rosette. Elles portent, outre les fleurs, des touffettes de feuilles qui servent à la multiplication. Il suffit de les couper et de les planter en pots. On peut également les laisser en place pour les laisser retomber en cascade depuis la plante mère, placée sur un support élevé. L'effet décoratif est certain. On comprend que ces plantes soient particulièrement spectaculaires en paniers suspendus, ou palissées sur un treillis de bambou ou en métal. Pour que la panachure des feuilles soit bien marquée, les plantes doivent recevoir beaucoup de lumière.

TECHNIQUES DE CULTURE

Printemps et été. La température peut atteindre 25 °C et plus sans dommage pour la plante. En cas de chaleur intense et prolongée, toutefois, protéger la plante du soleil direct en la maintenant dans un coin lumineux mais ombragé, avec une bonne humidité atmosphérique. Du prin-

Chlorophytum Son élégant feuillage arqué est aussi beau en sujet isolé que mêlé à d'autres plantes.

Maladies et parasites

Un excès d'arrosage ou de l'eau qui stagne trop longtemps dans la soucoupe entraînent un aspect maladif. En effet, les racines charnues pourrissent lorsqu'elles sont baignées en permanence. Arroser plus modérément en laissant la terre se ressuyer d'un arrosage à l'autre.

Si les pointes des feuilles brunissent, c'est que l'arrosage est insuffisant. Arroser abondamment du printemps à la fin de l'été. Ne commencer à réduire les arrosages qu'en automne et en hiver.

L'araignée rouge et la cochenille farineuse s'attaquent parfois aux chlorophytums. On s'en débarrasse à l'aide de pulvérisations et d'insecticides et de traitements préventifs à l'aide de produits systémiques.

temps à la fin de l'été, arroser abondamment en ajoutant une goutte d'engrais liquide dans l'eau à chaque arrosage.

Automne et hiver. La température ne doit pas descendre au-dessous de 17 °C. L'atmosphère doit être aérée, mais abritée des courants d'air. Rempoter en fin d'hiver en utilisant un mélange à base de tourbe. Si l'on ne rempote pas la plante quand les racines ont envahi le pot, elles continuent à se développer. La pression qu'elles exercent alors est telle qu'elles peuvent faire éclater le pot. Tout au long de l'hiver, maintenir la plante le plus possible en pleine lumière. Un éclairement trop faible risquerait de faire disparaître les belles panachures vertes et blanches des feuilles.

MULTIPLICATION

On sème en mars-avril. Quand les plantules sont manipulables, les rempoter et leur donner le régime des plantes adultes.

Il est également aisé de reproduire la plante au moyen des rejets aériens portés par les tiges à fleurs. Il suffit de les séparer de la plante mère pour les planter aussitôt en pot ou de les marcotter dans un petit pot en les laissant attachés à la plante mère pour les séparer au bout de quelques semaines, quand ils ont émis leurs propres racines. Les maintenir à l'ombre jusqu'à la reprise, puis les cultiver comme des plantes adultes.

Les résultats sont plus sûrs avec le marcottage car, jusqu'à ce que les jeunes plantes aient développé leurs propres racines, elles reçoivent de la plante mère des substances nutritives à travers la tige à fleurs, qui agit comme un cordon ombilical.

Une autre technique efficace consiste à placer les rejets dans le col d'une carafe emplie d'eau. Ils émettent rapidement des racines. Quand ces dernières sont assez nombreuses, au bout d'un mois environ, rempoter les jeunes plantes dans des godets emplis de terre et les cultiver comme pour la technique précédente.

Enterrer une jeune plante et la séparer de la plante mère au bout de six semaines.

On peut également faire tremper les plantules dans l'eau jusqu'à l'enracinement.

La division est également un excellent moyen de propager les chlorophytums. Éclater la touffe et rempoter les divers éclats.

Espèces

Chlorophytum comosum (syn. *Chlorophytum capense, Chlorophytum elatum*). Cette espèce provient des forêts montagneuses d'Afrique du Sud. Les feuilles vertes, à bords ondulés, se développent en une rosette à base étroite. Les longues tiges claires portent de nombreuses fleurettes blanches, puis, après la chute des pétales, des touffes de rejets. Il existe des variétés de cette espèce, tantôt à feuillage vert sombre uniforme et tantôt, comme chez 'Variegata' (ci-dessus), à feuilles gracieusement courbées et panachées dans le sens de la longueur de bandes blanches de longueur variable. Les longues tiges rampantes portent des fleurs insignifiantes et se terminent par des houppettes de feuilles.

Chlorophytum laxum En provenance d'Afrique, notamment du Ghana et du Nigeria occidental, cette petite plante touffue possède des feuilles rubanées vert vif. Elles sont délicatement ourlées de blanc. Les fleurs apparaissent en épis rigides à l'extrémité des tiges épaisses.

Chlorophytum undulatum Cette espèce, elle aussi originaire d'Afrique du Sud, atteint 30 cm de haut. Ses feuilles raides, dures, sont légèrement rugueuses sur les bords. Du centre de la rosette s'élève un épi de fleurs blanches décoratives, de 5 cm de diamètre environ. Le revers des pétales est marqué d'une bande médiane rouge foncé.

Chrysanthemum

Famille : **Astéracées**

Nom usuel : **chrysanthème**

Aspect buisson	**Hauteur** 30 cm	**Floraison** mai-octobre
Culture facile	**Exposition** pleine lumière	**Humidité** régulière

La famille des chrysanthèmes comprend un grand nombre de plantes aux fleurs très diverses. Cette plante est très répandue en France, où, à chaque Toussaint, elle fleurit les tombes de ceux qui nous ont quittés.

On ne cultive que quelques espèces en pot, comme plantes d'appartement, alors que quelques autres entrent dans la maison sous forme de fleurs coupées. Ces dernières sont cultivées en terre et sont entourées de soins attentifs.

Bien qu'ils durent relativement peu à l'intérieur, les chrysanthèmes ont acquis une grande popularité grâce à leur facilité de culture et à leur floraison spectaculaire. Les pépiniéristes les traitent à l'aide de produits nanifiants spécifiques pour en réduire la taille. Les plantes ainsi obtenues sont compactes et régulières, et garnies de fleurs épanouies presque toutes à la fois. On voit que ce sont des plantes idéales pour égayer une pièce d'une tache de couleur. Cette plante présente en effet une grande diversité de coloris.

Une des espèces d'où sont issus les chrysanthèmes pour potées, *Chrysanthemum morifolium*, est cultivée en Chine et au Japon depuis au moins trois mille ans. C'est une plante vivace, ramifiée, haute de près de 1 m. En pot, cependant, elle reste beaucoup plus courte, soit environ 30 cm. En général, on la jette après la floraison. Il est cependant possible de garder et de faire refleurir un chrysanthème pour potée durant quelques années si on le plante au jardin, en pleine terre. Il retrouve alors sa taille normale.

Chrysanthemum Une plante très facile à cultiver, qui a l'avantage de fleurir en automne et en hiver.

Maladies et parasites

Au jardin, il faut redouter la rouille du chrysanthème, de loin la maladie la plus grave (causée par le champignon *Puccinia chrysanthemi,* dont les spores brunâtres colorent les feuilles). Un traitement énergique s'impose. L'oïdium, qui se propage en plaques feutrées et blanchâtres, se combat par des pulvérisations à base de soufre.

Cultivé en plante d'intérieur, le chrysanthème est moins vulnérable aux maladies, mais il peut succomber aux attaques des pucerons, friands de ses feuilles jeunes et tendres. De menus filaments blancs sous les feuilles ou entre les pétales des fleurs révèlent la présence des araignées rouges. Après un nettoyage soigneux, des pulvérisations répétées d'insecticide en viendront à bout.

TECHNIQUES DE CULTURE

Printemps et été. Le chrysanthème en pot encore épanoui est gardé à l'abri de la chaleur (l'idéal serait de pouvoir maintenir toute l'année une température de 16 °C) et à l'abri du soleil ardent de la mi-journée.

Des arrosages réguliers et des pulvérisations d'eau douce — le calcaire tache et abîme les feuilles — garderont à la plante sa fraîcheur. Quand la floraison s'achève, on a le choix entre s'en défaire ou la transférer au jardin, en sachant néanmoins que le chrysanthème ne pourra pas être rempoté ultérieurement et qu'il poussera tout en hauteur, sans conserver ce port bas et touffu dû aux traitements « miniaturisants ».

Automne et hiver. Généralement achetés à la mi-automne, les chrysanthèmes en pot ont besoin d'une bonne lumière, et même de deux ou trois heures d'ensoleillement par jour, sinon leurs boutons auront du mal à éclore, et leurs tiges tendront à s'allonger disgracieusement (des fleurs trop « maigres » ou déformées sont aussi un indice de manque de lumière).

Dans des conditions optimales, ils resteront en fleur pendant une douzaine de semaines, jusqu'au début du printemps. La principale difficulté consiste à maintenir un taux moyen d'humidité atmosphérique : l'air desséché par le chauffage central leur est nuisible, de même que les pulvérisations ou les arrosages trop abondants, qui peuvent faire noircir les feuilles. Si la température de la pièce est

Espèces

Chrysanthemum frutescens Originaire des Canaries, cette espèce, communément appelée anthémis des horticulteurs, peut atteindre jusqu'à 1 m et même 1,50 m de hauteur, mais les plantes vendues en pot, spécialement traitées, dépassent rarement 45 cm. Ses tiges très ramifiées sont garnies de feuilles alternes épaisses d'un vert glauque, profondément découpées. Très abondante floraison en capitules blancs ou jaune pâle (ci-dessus), assez semblables à ceux des marguerites. Il existe aussi une variété à fleurs roses.

Chrysanthemum indicum C'est l'un des parents, avec *C. morifolium*, des innombrables cultivars proposés par les horticulteurs sous le nom de chrysanthèmes d'automne. Ses capitules jaunes à ligules courtes sont sertis dans une collerette de larges bractées écailleuses.

Chrysanthemum morifolium Un chrysanthème vivace cultivé en pot ou pour les fleurs coupées. De couleurs variées, ses fleurs peuvent être simples (ci-contre) ou doubles, à pétales incurvés ou récurvés (recourbés vers l'extérieur).

un peu trop élevée (au-dessus de 18 °C), poser le pot sur une couche de cailloux qui resteront mouillés en permanence ou le placer dans un récipient où il sera enveloppé de tourbe humide.

Dans la mesure où l'on ne conservera pas les chrysanthèmes au-delà de la saison, il est inutile de leur donner de l'engrais. Pour prolonger la floraison, il est important d'éliminer à mesure les fleurs et les feuilles fanées en les coupant au ras des tiges.

MULTIPLICATION

Mieux vaut renouveler les chrysanthèmes chaque année car, à moins de posséder des connaissances poussées en horticulture, la multiplication en appartement donne des résultats décevants, les plantes ne conservant pas, même transférées au jardin, ce port bas et touffu qui les rendait si séduisantes en potées fleuries. Semis et boutures sont surtout valables pour les espèces à cultiver en pleine terre.

Guide d'achat

L'acheteur peut rester perplexe devant la multiplicité des variétés horticoles. Le coloris et la forme des fleurs seront les premiers critères de sélection. Une plante à la forme compacte et régulière aura plus de chances de donner une floraison bien fournie. Choisir un chrysanthème dont les boutons laissent déjà voir la teinte des pétales — des boutons encore verts risqueraient de ne pas éclore.

Citrus

Famille : **Rutacées**

Nom usuel : **agrumes**

Posséder des orangers était jadis un privilège réservé à une élite aristocratique — et fortunée. Cultivés en caisses, ces beaux arbustes ornaient à la belle saison terrasses et jardins avant d'être rentrés pour l'hiver dans un bâtiment spécialement construit pour eux : l'orangerie, complément indispensable du château.

Ce luxe est aujourd'hui à la portée de tous, grâce aux espèces naines, qui acceptent de vivre en appartement tout en offrant les mêmes séductions que les agrumes traditionnels : forme élégante, beau feuillage vert sombre vernissé, fleurs blanches délicieusement parfumées et fruits très décoratifs.

TECHNIQUES DE CULTURE

Printemps et été. Orangers et citronniers nains se rempotent au printemps dans un mélange fertile à base de terreau et de terre de jardin, en prenant garde de ne pas abîmer leurs racines très fragiles. Mettre au fond du pot une couche de 3 à 5 cm de tessons ou de petits galets qui assureront un bon drainage.

Placer les plantes à la pleine lumière, faute de quoi elles dépériront. Elles ne supporteront une température supérieure à 18 °C que si on leur procure une bonne ventilation. En été, une cure d'air et de soleil à l'extérieur leur sera bénéfique. Arroser assez souvent, mais à petites doses, sans jamais saturer le compost. Bassiner presque quotidiennement le feuillage et placer le pot sur un lit de cailloux mouillés. Nourrir tous les quinze jours avec un fertilisant riche en potasse, du type engrais à tomates.

Automne et hiver. Tenir les Citrus au frais (13 °C) et à la lumière en les protégeant soigneusement des courants d'air et des émanations polluantes, et en les arrosant parcimonieusement.

Citrus mitis Le calamondin, ou oranger de Panama, porte des petits fruits très décoratifs.

MULTIPLICATION

On peut multiplier les Citrus par semis, en plantant les pépins au printemps, mais les plantules ainsi obtenues ne donneront pas de fleurs ni de fruits avant sept, huit ans. La multiplication par boutures de jeunes pousses exige moins de patience. Prélever en juin des segments de 7 à 8 cm, plonger l'extrémité dans une poudre radiculaire à base d'hormones et planter dans un mélange mi-tourbe, mi-sable grossier, légèrement humide. Enfermer le pot dans un sachet en plastique et tenir à 18-21 °C, et à l'abri du plein soleil. L'enracinement prendra de six à huit semaines.

Espèces

Citrus limon En pleine terre, ce citronnier peut atteindre 6 m de hauteur. Cultivé à l'intérieur, il dépassera rarement 1,20 m. Grandes feuilles ovales et coriaces vert sombre, à la surface brillante et au revers mat. Les fleurs blanches s'épanouissent du printemps au début de l'été, suivies par des fruits qui mettent de longs mois pour parvenir à maturation.

Citrus mitis Le calamondin, encore appelé oranger nain ou oranger de Panama, est un petit arbuste touffu à croissance très lente qui dépasse rarement 60 cm de hauteur. Ce qui ne l'empêche pas d'arborer de jolis fruits dès qu'il atteint 15-20 cm, d'où son succès comme plante d'intérieur.

Clivia

Famille : **Amaryllidacées**

nom commun : **clivia, clivie**

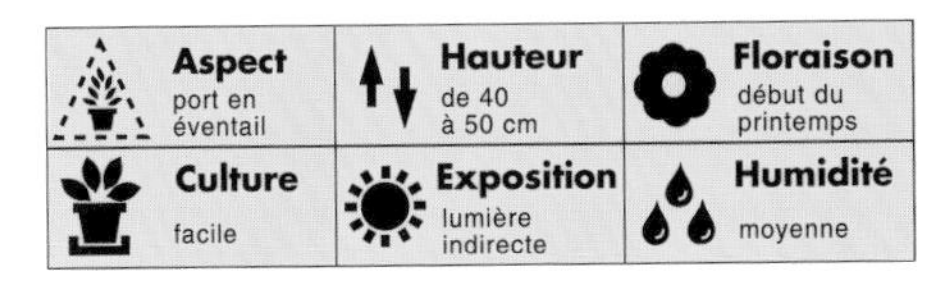

Originaires d'Afrique du Sud, mais acclimatés depuis longtemps dans nos appartements, les clivias sont devenus des plantes d'intérieur très recherchées, aussi séduisantes que faciles à vivre. L'un de leurs attraits réside dans l'élégante disposition en éventail de leurs longues et souples feuilles rubanées. Toutefois, c'est surtout au début du printemps qu'il faut les admirer, lorsque d'entre ses feuilles surgit une hampe rigide au sommet de laquelle s'épanouit une ombelle de fleurs tubuleuses dont les couleurs varient du rouge orangé à l'abricot et au jaune citron. Les fleurs ne durent que quelques jours, mais sont aussitôt remplacées par d'autres, et cette superbe floraison se poursuit ainsi pendant plusieurs semaines. La plante adulte produit en général de nombreux rejets qui, s'ils ne sont pas enlevés, donnent à leur tour naissance à de nouvelles hampes florales.

TECHNIQUES DE CULTURE

Printemps et été. Le clivia produit un important appareil radiculaire qui tend à envahir tout le pot, sans inconvénient aucun pour la floraison, qui est au contraire plus riche quand les racines sont un peu à l'étroit. Par conséquent, on ne rempotera que tous les trois ou quatre ans, dans un mélange à base de terreau. Choisir de préférence un pot en terre

Clivia miniata Une plante d'intérieur appréciée autant pour l'élégance de ses feuilles rubanées en éventail que pour ses fleurs orangées en cornet.

cuite ou en grès vernissé, plus stable que les pots en plastique, car la plante devient lourde avec les années.

Choisir un emplacement bénéficiant d'une lumière indirecte, à l'abri des rayons du soleil (le clivia, d'ailleurs, accepte la mi-ombre), et tenir à 16-18 °C, en considérant une température de 22 °C comme le maximum tolérable. Arroser très régulièrement, de manière à garder en permanence le compost légèrement humide. Augmenter la ration d'eau dès qu'apparaissent les hampes florales.

Jusqu'au début du mois de septembre, nourrir tous les quinze jours avec une dose d'engrais liquide. Dès que les fleurs se fanent, couper la hampe à la base.

Automne et hiver. Respecter une période de repos hivernal en tenant la plante au frais (10 °C) et en arrosant à peine (le compost doit rester presque sec). Dès que les boutons floraux se forment, augmenter peu à peu la température.

MULTIPLICATION

Au printemps, au moment du rempotage, prélever les rejets en les séparant de la plante mère avec un couteau tranchant. Les planter isolément dans un compost fertile, tout juste humide, qui sera tenu à 10-12 °C et dans un lieu semi-ombragé. Donner davantage de lumière dès que l'enracinement aura eu lieu.

Maladies et parasites

Parmi les principaux dangers qui menacent le clivia, il faut toujours prendre garde aux cochenilles farineuses, aisément identifiables aux petites plaques blanchâtres, semblables à des brins d'ouate, qui adhèrent au revers ou à l'aisselle des feuilles. Les enlever avec un pinceau ou un tampon imbibé d'alcool dénaturé, et répéter l'opération jusqu'à l'élimination complète des parasites.

L'absence de fleurs peut avoir plusieurs causes : manque d'engrais, non-respect de la période de repos hivernal, température trop basse. Le fait de laisser les graines se former peut suffire à compromettre la floraison au printemps suivant.

Espèces

Clivia miniata On l'appelle clivie vermillon, et c'est l'espèce la plus couramment cultivée comme plante d'intérieur. Une plante qui, avec l'âge, peut atteindre un développement imposant (jusqu'à 90 cm de diamètre). Ses longues feuilles rubanées vert sombre se superposent autour de la souche, se déployant souplement en éventail. Les hampes florales d'au moins 45 cm de hauteur portent à leur sommet une inflorescence en ombelle réunissant une quinzaine de fleurs en cornet, longues de 7 à 8 cm, dont le rouge orangé très vif rappelle celui du minium, d'où le nom latin donné à cette espèce.

Clivia nobilis Une plante de taille plus modeste (de 30 à 45 cm), qui se différencie de la précédente par ses fleurs beaucoup plus petites, d'un rouge orangé moins lumineux, nuancées de vert au sommet.

Clivia x cyrtantiflora Un hybride des deux précédentes, à fleurs rouge saumoné.

Le clivia ne se rempote que lorsque les racines, faute de place, sortent par l'orifice de drainage.

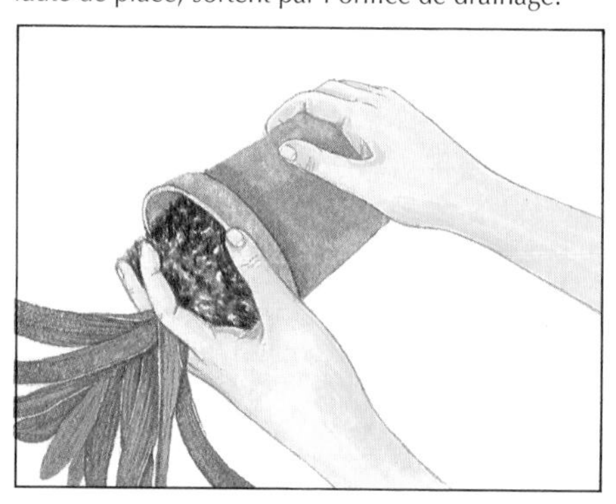

Extraire alors délicatement la motte du pot en maintenant les tiges avec l'autre main.

Disposer une couche de compost frais au fond d'un pot plus grand et y installer la plante dépotée avec sa motte. Compléter avec le nouveau compost et tasser pour chasser les bulles d'air.

Codiaeum

Famille : **Euphorbiacées**

Nom usuel : **croton**

Les crotons ont tout pour combler les vœux des amateurs de feuillages richement panachés : non seulement les multiples variétés horticoles offrent presque toutes les formes de feuilles (lancéolées, rubanées, lobées, etc.) et toutes les couleurs imaginables (du moins toutes les nuances de vert, de jaune, d'orange, de rose et de rouge), mais encore chaque spécimen présente à lui seul une étonnante diversité, aucune feuille n'ayant exactement le même dessin ni les mêmes tons que sa voisine.

Rappelons enfin que ce nom courant de croton, donné aux quatre espèces connues du genre *Codiæum* et à leurs variétés et cultivars, est impropre, les véritables crotons — qui ne sont nullement des plantes d'ornement — appartenant en fait à un genre distinct. Mais l'usage prévaut...

TECHNIQUES DE CULTURE

Printemps et été. À la fin de la période de repos végétatif, vers février-mars, si les racines du croton tendent à déborder du pot, rempoter dans un mélange à base de terreau. La plante, cependant, se trouve bien d'être un peu à l'étroit, et la plupart du temps, il suffira de procéder au renouvellement du compost de surface.

Lumière, chaleur et humidité sont les trois exigences vitales du croton. Une lumière vive, et, mieux, quelques heures de soleil par jour, sont indispensables

Codiæum variegatum pictum a donné naissance à la plupart des variétés panachées cultivées à l'intérieur.

Bouturage. Prélever une jeune pousse avec deux paires de feuilles et un bourgeon.

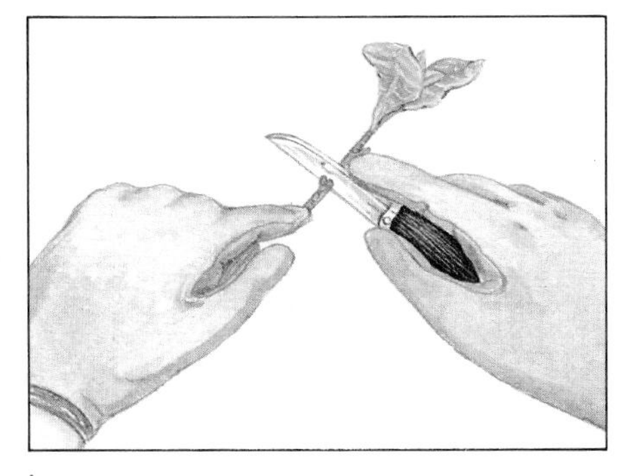

Ôter les feuilles inférieures et écorcer la tige sur 6- 7 cm avec un petit couteau tranchant.

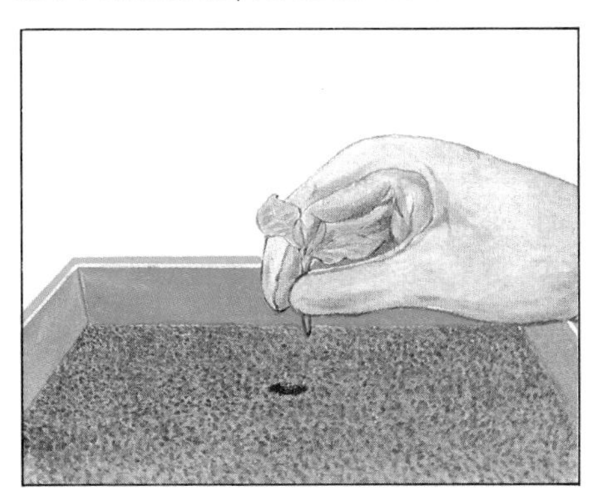

Tremper cette extrémité dans une poudre radiculaire à base d'hormones et planter dans un mélange de tourbe et de sable. Tenir à 24 °C.

Maladies et parasites

Cette feuille ratatinée peut aussi bien être le symptôme d'un excès d'arrosages que d'une atmosphère trop sèche.

Ces filaments blanchâtres révèlent la présence des araignées rouges, qui sucent la sève et font jaunir les feuilles.

Les cochenilles, hélas! envahissent fréquemment les crotons, et mieux vaut s'en débarrasser sans attendre qu'elles aient causé de sérieux dégâts. Les cochenilles farineuses se remarquent facilement, car elles forment des petites excroissances floconneuses et blanchâtres sur la face inférieure et à l'aisselle des feuilles. Le plus simple est de les enlever manuellement en frottant délicatement avec un tampon d'ouate imbibé d'alcool dénaturé.

Les cochenilles brunes s'incrustent, protégées par une carapace brunâtre et cireuse, sur le pétiole et le revers des feuilles, qu'elles couvrent souvent d'une sécrétion poisseuse. Elles sont un peu plus difficiles à déloger, et mieux vaut employer une petite brosse imbibée d'insecticide dilué ou d'eau savonneuse. Après élimination des parasites, vaporiser un insecticide approprié sur toute la plante.

Parmi les ennemis à ne pas négliger, citons encore les thrips, qui sécrètent un liquide tachant disgracieusement les feuilles, ou encore les araignées rouges, qui dévitalisent les feuilles et les font jaunir en en suçant la sève. Leur présence est généralement le signe d'une atmosphère trop sèche. Comme ces petits insectes détestent l'humidité, le meilleur moyen pour les repousser consistera à vaporiser quotidiennement le feuillage par temps chaud et à poser le pot sur un lit de cailloux mouillés.

Mais maintenir une bonne humidité ambiante ne veut pas dire arroser avec prodigalité. Les excès d'eau sont plus néfastes encore que la sécheresse : les feuilles s'affaissent, sans tonus, ou bien se marquent de taches brunes; les tiges deviennent molles, brunissent et finissent par pourrir à la base.

pour conserver au feuillage ses belles couleurs. La température normale d'une pièce (de 18 à 24 °C) convient à la plante.

Des arrosages fréquents mais pas trop abondants (à l'eau tiédie de préférence) garderont le compost humide, tandis qu'aux jours les plus chauds des vaporisations quotidiennes lutteront contre le dessèchement de l'air. Nourrir tous les quinze jours avec un engrais liquide.

C'est aussi au printemps que l'on procède éventuellement à la taille. Le croton a naturellement un port buissonnant, mais la plante sera encore plus touffue si on pince les jeunes pousses. Si on rabat les tiges principales, on verra surgir de la base de nouveaux rameaux vigoureux. Comme les feuilles exsudent une sorte de latex, cautériser la « blessure » avec de la poudre de charbon de bois.

Automne et hiver. La survie de la plante dépend surtout de la température, qui doit rester régulière, sans jamais descendre au-dessous de 13 °C. Cesser de donner de l'engrais et arroser plus parcimonieusement. Protéger soigneusement la plante des courants d'air.

MULTIPLICATION

Par boutures à la fin de l'hiver. Prélever des jeunes pousses de 8 à 12 cm et arrêter l'écoulement de latex comme indiqué précédemment. Planter dans un mélange de tourbe et de sable bien humidifié, tenu à 24 °C.

Codiæum variegatum pictum On connaît quatre espèces de *Codiæum*, mais la quasi-totalité des spécimens vendus comme plantes d'intérieur sont des cultivars de *Codiæum variegatum pictum*.

Originaire de l'Inde méridionale, de Ceylan et de Malaisie, le croton panaché est une belle plante arbustive à port buissonnant qui dépasse assez rarement 90 cm de hauteur pour 60 cm de diamètre. Ses feuilles persistantes alternes, portées par de courts pétioles, sont toujours coriaces et lisses. Ce sont à peu près les seuls caractères communs aux différentes variétés, qui peuvent avoir des feuilles longues et étroites ou ovales, entières ou lobées, à bords ondulés ou dentés. Chez certains crotons, les feuilles naissent entièrement vertes et ne prennent leurs couleurs qu'au cours de la croissance. Chez d'autres, au contraire, feuilles jeunes ou vieilles ont exactement le même aspect. Les inflorescences blanchâtres ne présentent pas d'in-

térêt décoratif. La variété 'Aucubæfolium' a des feuilles ovales épaisses et brillantes, d'un vert vif parsemé de mouchetures jaunes. Plus rutilante et très touffue, 'Disraeli' (ci-dessus) a de longues feuilles lancéolées et spatulées, nuancées de vert, de jaune orangé et de rouge cuivré, aux nervures soulignées de jaune d'or. La variété 'Reidii' peut atteindre une taille imposante (jusqu'à 2 m). Ses larges feuilles ovales à bord légèrement ondulé présentent des marbrures vertes sur un fond orangé ou rouge carmin (en haut, à droite). D'aspect très compact, 'Spirale' a des feuilles étroites et plutôt rigides, aux nervures soulignées de rouge et de jaune.

Codiæum warrennii Originaire de la jungle malaise, cette espèce luxuriante a l'aspect d'un petit arbre. Les jeunes feuilles vert tendre deviennent à l'âge adulte d'un vert sombre presque noir, souligné de pourpre le long des nervures (ci-contre).

Columnea

Famille : **Gesnériacées**

Nom usuel : **columnea**

Aspect grimpant ou rampant	**Hauteur** de 60 cm à 1,20 m	**Floraison** de mars à mai
Culture tolère mal l'air sec	**Exposition** lumière tamisée	**Humidité** élevée

Le genre *Columnea* compte une centaine d'espèces, originaires pour la plupart de l'Amérique tropicale, où elles poussent en épiphytes sur les arbres de la forêt. À de rares exceptions près, ce sont des plantes rampantes, dont les longs rameaux souples, garnis de petites feuilles opposées, ovales et arrondies, généralement disposées par paires, sont du plus bel effet en corbeilles suspendues. On les admire surtout pour leurs spectaculaires fleurs tubuleuses, dont la corolle s'épanouit en cinq lobes asymétriques. Mais il faudra des soins attentifs pour que la floraison puisse avoir lieu à l'intérieur.

TECHNIQUES DE CULTURE

Printemps et été. Certaines espèces ont une floraison continue et peuvent se rempoter à n'importe quelle période de l'année. Pour les autres, dont les fleurs s'épanouissent de mars à mai, mieux vaut procéder au rempotage au printemps, au moment de la reprise de la croissance. Un compost léger et bien aéré, à base de terre de bruyère, de tourbe et de terreau, convient à ces plantes épiphytes. Les columneas ont besoin d'au moins douze heures de forte lumière par jour, mais craignent l'ensoleillement direct. Il faut leur procurer chaleur (de 18 à 24 °C) et humidité constantes. Arrosages fréquents, mais à petites doses, et vaporisations quotidiennes au plus chaud de l'été leur garderont leur fraîcheur. Nourrir chaque mois avec un engrais complet.

Automne et hiver. Pallier le manque de lumière par l'éclairage artificiel. Réduire les arrosages au strict minimum et protéger soigneusement des courants d'air. La plante ne survivra pas à des températures inférieures à 13-14 °C.

MULTIPLICATION

Au moment du rempotage, quelle qu'en soit l'époque, prélever des boutures de 7 à 8 cm et les planter dans un mélange de sable, de vermiculite et de tourbe, qui sera tenu à peine humide. Garder au chaud et à l'abri des courants d'air. Compter quatre semaines pour l'enracinement et replanter comme un sujet adulte.

Maladies et parasites

Il faut redouter le *botrytis*, ou pourriture grise, qui s'attaque facilement aux plantes cultivées, comme les columneas, en corbeilles suspendues, car le drainage s'effectue moins bien que dans un pot classique. Il est donc particulièrement important d'arroser à petites doses pour éviter les saturations.

Espèces

Columnea banksii C'est en réalité un hybride dont les flexueuses tiges rampantes peuvent atteindre 1 m-1,20 m de longueur. Ses petites feuilles opposées ovales, charnues et soyeuses au toucher, poussent par paires. Les corolles écarlates au cœur marbré de jaune sont gainées à la base par un calice vert. Une plante d'un magnifique effet en corbeilles suspendues, d'autant que la floraison (fin de l'hiver, début du printemps) peut se poursuivre presque toute l'année dans des conditions favorables.

Columnea crassifolia L'une des très rares espèces à tiges dressées, originaire du Mexique septentrional et du Guatemala : tiges épaisses, feuilles charnues et fleurs tubulaires d'un beau rouge corail.

Columnea gloriosa L'espèce la plus connue : feuilles duveteuses à revers rougeâtres et splendides fleurs écarlates à gorge jaune (ci-dessus).

Columnea microphylla Une espèce originaire du Costa Rica, aux petites feuilles arrondies et aux fleurs rouge saumoné.

Columnea banksii Un hybride d'un splendide effet en corbeille suspendue.

Conophytum

Famille : **Aizoacées**

Nom usuel : **conophyton, caillou-à-fleurs**

Aspect plante grasse en touffe	**Hauteur** de 1 à 8 cm	**Floraison** fin de l'été et automne
Culture difficile	**Exposition** variable	**Humidité** irrégulière

Les amateurs d'insolite seront comblés avec ces petites plantes grasses originaires des zones arides de l'Afrique australe, dont les petites feuilles très charnues, soudées par paires, se développent en touffes compactes directement à partir de la souche, évoquant davantage un amas de petits cailloux qu'un végétal, du moins jusqu'à l'époque de la floraison. Car, alors, la fissure marquant la soudure entre les deux feuilles accolées s'agrandit, laissant jaillir une corolle délicatement découpée, aux couleurs ravissantes et au parfum suave et pénétrant.

C'est également de cette fente qu'émergent les nouvelles feuilles, tandis que les anciennes se ratatinent et meurent.

TECHNIQUES DE CULTURE

Printemps et été. En cette période, les conophytons sortent de leur période d'hibernation, qui correspond dans leur habitat d'origine à la saison sèche, et ils exigent des soins très particuliers. On ne les rempotera dans un mélange à parts égales de terreau et de sable que s'ils sont vraiment très à l'étroit, car leurs racines délicates n'aiment pas les perturbations. Au cours de ce long réveil (d'avril à juillet), il est essentiel de ne pas les exposer trop vite au soleil, mais au contraire de les habituer très progressivement à des lumières de plus en plus vives. La chaleur leur convient à condition de leur donner de l'air frais, mais ils tolèrent aussi très bien des températures voisines de 15 ou 16 °C.

Les arrosages ne doivent reprendre que vers la mi-juillet, et, là encore, très progressivement. Lorsque les nouvelles feuilles apparaissent alors que les anciennes sont déjà presque ratatinées, donner de l'eau en petites doses régulières. Cette phase est décisive, car des arrosages prématurés aboutiraient à la formation de doubles têtes imbriquées les unes dans les autres, ce qui débiliterait la plante — et la floraison n'aurait pas lieu. La fin de l'été, de début à fin septembre, correspond à la période de croissance la plus intense. Arroser alors par petites doses répétées, de manière à maintenir en permanence le compost juste humide.

Déjà habitué à la lumière, le conophyton profitera d'un ensoleillement moyen, mais on filtrera les rayons les plus ardents de la mi-journée. Les nouvelles feuilles se développent et rejettent peu à peu leur gangue végétale flétrie, un peu comme un serpent change de peau (on aidera la plante en retirant ces fragments desséchés à l'aide d'une pince).

Automne et hiver. Les conophytons peuvent être exposés à la pleine lumière du soleil sans aucune protection. Jusqu'à la fin du mois de décembre, arroser seulement tous les quinze jours, et de plus en plus parcimonieusement. La plante entre ensuite en période de repos. Les feuilles s'entourent d'une membrane coriace. Toute la plante semble se flétrir, mais prépare en réalité son réveil printanier. Surtout, ne pas arroser.

MULTIPLICATION

À l'aide d'un couteau bien tranchant, prélever des feuilles courant juillet, au moment où elles sont bien charnues et gorgées de sève (quand les arrosages sont les plus copieux). Laisser sécher quelques jours, jusqu'à ce que l'entaille soit cicatrisée, et planter comme des sujets adultes.

Conophytum louisae On voit ici des fleurs épanouies et des boutons prêts à éclore.

Espèces

Conophytum louisae Cette espèce originaire de Namibie a des feuilles en forme de cœur et des fleurs jaune vif.

Conophytum tischerii Les feuilles vert jade forment une touffe très dense. Fleurs de deux tons de jaune (ci-dessus).

Conophytum spectabile Feuilles accolées, joliment marbrées de vert et de noir comme des pierres dures, et fleurs mauves au parfum exquis.

Crassula

Famille : **Crassulacées**

Nom usuel : **crassule**

Les crassules offrent une étonnante diversité de taille et d'aspect. La plupart ont un port érigé, mais il existe des espèces buissonnantes, grimpantes ou rampantes.

Originaires d'Afrique australe, ces plantes vertes sont parfaitement adaptées à des milieux très différents et sont capables de résister dans un environnement aride. Leurs fleurs en étoile apparaissent entre mars et septembre, mais le plus souvent en mai-juin-juillet. Elles sont si petites chez certaines espèces qu'on peut les considérer comme insignifiantes. Chez d'autres, elles sont regroupées en corymbes, en grappes ou en épis au sommet d'une hampe rigide. Les feuilles, charnues comme les tiges (c'est là que la plante emmagasine ses réserves d'eau), sont alternes et souvent recouvertes d'une sorte de pruine argentée.

Division d'une crassule. Au printemps, détacher avec soin, en se servant d'un couteau bien tranchant, un rejet à la base.

Le planter dans un mélange de tourbe et de sable bien humidifié et tenir au chaud et à la lumière. L'enracinement se fait très facilement.

TECHNIQUES DE CULTURE

Printemps et été. Les crassules se rempotent au printemps si leurs racines ont envahi tout le pot et sont par trop à l'étroit. Pour un sujet adulte, choisir un pot de 15 cm de diamètre, de préférence assez bas. Installer dans un compost pour cactées ou dans un mélange composé de deux parts de terreau pour une part de sable grossier. L'important, c'est que ce compost soit à la fois riche et léger, parfaitement perméable afin d'assurer un drainage efficace et très rapide.

D'avril à mai, on augmentera progressivement les quantités d'eau données, pour en arriver à arroser abondamment, mais en laissant la terre sécher entre-temps et en veillant surtout à ne pas laisser stagner d'eau dans la soucoupe. En procédant ainsi, on permettra aux feuilles et aux tiges de se gorger chaque fois d'eau sans craindre que les racines ne pourrissent.

Placer le pot au soleil aussi souvent que possible (sans soleil, la plante fleurira plus difficilement). La température idéale se situe aux environs de 21 °C, mais les crassules supportent bien les fortes chaleurs, jusqu'à 27 °C et même plus. Ne jamais arroser aux heures les plus chaudes de la journée. Éviter également les pulvérisations, beaucoup plus nuisibles qu'utiles pour cette plante qui s'accommode d'un air sec (on a vu souvent des crassules dépérir à la suite de bassinages intempestifs).

De la mi-avril au mois d'août, nourrir une fois par semaine ou tous les dix jours en ajoutant une ou deux gouttes de fertilisant liquide à l'eau d'arrosage.

Automne et hiver. À partir du mois de septembre, réduire peu à peu le rythme des arrosages et de la distribution d'engrais, qui cessera complètement en novembre.

Dès ce moment, on ne donnera plus d'eau à la plante, qui doit rester au sec pendant toute sa période de repos hivernal. Au cours de l'hiver, la température doit rester proche de 13 °C. En aucun cas le thermomètre ne doit descendre au-dessous de 10 °C. Plus il fera froid, plus la floraison sera tardive.

Crassula portulacea Une espèce très exotique qui fait penser à un bonsaï.

Espèces

Crassula arborescens Une plante verte ramifiée à tiges érigées, qui peut atteindre 1 m de hauteur. Ses feuilles charnues d'un vert légèrement argenté sont finement mouchetées de rouge vif et bordées d'un liseré rouge sombre. Les fleurs blanches s'épanouissent en mai-juin (ci-dessus).

Crassula portulacea Certains botanistes l'appellent *Crassula argentea*. Encore une magnifique plante verte de 90 cm-1 m de hauteur, aux tiges très épaisses (jusqu'à 7 cm à la base). Les feuilles ovales et charnues, d'un vert plus ou moins foncé selon l'âge, présentent des marges rougeâtres. Fleurs roses ou blanches au printemps.

Crassula rupestre Une petite plante ramifiée aux tiges minces et aux feuilles ovales d'un vert bronze lumineux, bordées de rouge. Belles fleurs roses (ci-contre).

Crassula falcata Cette espèce n'a généralement qu'une seule tige, mais très ramifiée, au point de former à elle seule une touffe luxuriante. Au début de l'été, c'est un magnifique buisson de fleurs rouge orangé réunies en corymbes, qui laissent à peine voir les feuilles d'un vert bleuté, très charnues, incurvées, pointues, falciformes, d'où le nom latin donné à cette crassule (ci-dessus).

Crassula lycopodioides Une plante haute d'environ 25 cm, aux tiges érigées entièrement gainées de minuscules feuilles charnues ovales à extrémité pointue.

Crassula perforata Les feuilles de la crassule perforée, opposées par paires et soudées à la base, sont disposées de telle sorte qu'on les croirait « enfilées » sur la tige comme sur une brochette.

MULTIPLICATION

Par boutures. Entre mai et juillet, prélever des segments de tige de 10-15 cm portant deux paires de feuilles. Laisser sécher l'entaille, puis planter à 5 cm de profondeur dans un mélange de sable et de tourbe tout juste humide, tenu en permanence à 21 °C. Après enracinement, traiter comme une plante adulte. On peut aussi prélever l'un des rejets qui se développent à la souche.

Maladies et parasites

Des plaques blanches duveteuses sur les tiges et à l'aisselle des feuilles sont dues aux cochenilles farineuses. Si l'invasion n'en est qu'à son début, enlever manuellement les parasites en utilisant un tampon imbibé d'alcool dénaturé. Si la situation appelle des mesures plus radicales, traiter avec un produit approprié ou administrer un insecticide systémique, ce qui aura l'avantage de combattre également d'autres ravageurs qui sont peut-être passés inaperçus. Il existe des insecticides adaptés aux plantes grasses, qui sont vulnérables aux substances chimiques.

La chute ou le jaunissement prématurés des feuilles ne sont pas obligatoirement le signe d'une maladie et peuvent être causés par des courants d'air froid. La solution est simple : mettre la plante à l'abri.

Cryptanthus

Famille : **Broméliacées**
Nom usuel : **cryptanthus**

Aspect	Hauteur	Floraison
en rosette	20 cm	insignifiante
Culture	**Exposition**	**Humidité**
facile	lumière vive	assez abondante

Cryptanthus bivittatus Très séduisant avec ses feuilles ondulées aux longues rayures roses.

Ces Broméliacées de très petite taille se distinguent des autres représentants de cette famille d'épiphytes par le fait qu'elles ne poussent pas dans les arbres. Les cryptanthus, en effet, vivent au sol, sur des amas de feuilles mortes, sur des vieilles souches pourries, sur des racines moussues ou dans des creux de rocher où se sont amassés des débris organiques.

Ils se signalent encore par leurs fleurs minuscules tout à fait insignifiantes, qui se forment dans le petit entonnoir s'ouvrant au centre de la rosette, le plus souvent sans qu'on les remarque. C'est là, du reste, l'origine de leur nom générique, qui vient du grec *krypto* (c'est-à-dire « caché ») et *anthos* (« fleurs »). On en connaît environ une douzaine d'espèces, en majorité originaires du Brésil.

TECHNIQUES DE CULTURE

Printemps et été. Installer le cryptanthus dans un mélange de terreau et de terre de bruyère. Étant donné le peu de développement de ses racines, il ne sera pas nécessaire de le rempoter. L'installer en pleine lumière, sans craindre le soleil, et le tenir à une température comprise entre 18 et 24 °C. Arroser à peu près deux fois par semaine, de manière à garder la terre constamment humide. En été, vaporiser tous les deux jours le feuillage avec de l'eau douce, à laquelle on ajoutera toutes les six semaines deux gouttes d'un engrais foliaire concentré. Ne jamais effectuer ces pulvérisations au soleil, ce qui provoquerait des brûlures indélébiles sur les feuilles (attendre toujours qu'elles soient parfaitement sèches avant de remettre la plante au soleil). Ces vaporisations suffiront à nettoyer le feuillage et rendront superflu l'emploi des lustrants.

Automne et hiver. Le cryptanthus ne peut survivre à des températures inférieures à 15 °C. Le problème se pose moins en hiver (le chauffage central fonctionne) qu'à la mi-saison, lorsque la chaleur estivale n'est plus qu'un souvenir et que le chauffage n'est pas allumé.

Les arrosages doivent être réduits (une fois par semaine ou tous les dix jours). Comme l'air est souvent beaucoup trop sec dans les appartements chauffés, continuer les vaporisations.

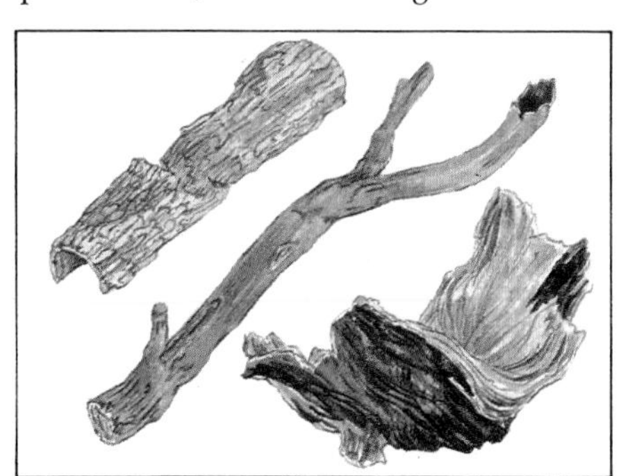

Cultiver le cryptanthus sur un morceau d'écorce de forme adéquate et suffisamment épais.

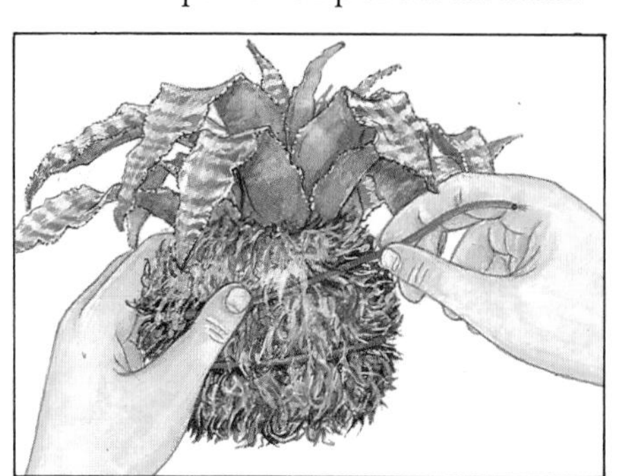

Envelopper ses racines de sphaigne humide et attacher avec un fil de fer plastifié.

Fixer ensuite la plante sur son support et humidifier régulièrement ses racines.

Espèces

Cryptanthus acaulis Une plante touffue, à feuilles ondulées et irrégulièrement dentelées. Leur face supérieure vert clair est lisse, tandis que le revers présente des écailles blanchâtres. C'est l'espèce qui a les fleurs les plus intéressantes, blanches et agréablement parfumées (ci-dessus). Les variétés 'Roseo-pictus' et 'Ruber' ont un feuillage teinté de rose plus ou moins vif.

Cryptanthus beuckeri C'est une petite plante qui ne dépasse pas 15 cm de hauteur. Ses feuilles vertes spatulées à bords ondulés et dentés, qui forment une rosette très aplatie, sont finement marbrées de blanc et de rose, avec une face inférieure écailleuse et blanchâtre.

Cryptanthus bivittatus Petites fleurs blanches beaucoup plus discrètes (et même en fait insignifiantes) chez cette espèce à feuilles ondulées et dentées, dont la face supérieure est marquée de deux larges rayures, rougeâtres à la base, rose crème à l'extrémité. Ces rayures sont très estompées chez la variété 'Atropurpureus', aux feuilles teintées de pourpre. Feuilles vert olive à bandes brunes pour la variété 'Minor', tandis que 'Tricolor' se signale par ses dimensions supérieures et par ses feuilles étroites et coriaces d'un vert bronze très clair, dont les bords crème se nuancent délicatement de rose.

Cryptanthus fosterianus Cette espèce se distingue par ses feuilles marquées de stries non pas longitudinales, mais transversales, pourprées et cuivrées (ci-dessus). Leurs bords ondulés sont ourlés de petites épines, et leur face inférieure est tapissée d'une épaisse couche d'écailles blanchâtres.

Cryptanthus bromelioides Forme une large rosette d'où émerge une tige qui produit successivement des racines et une nouvelle plante. Ses feuilles molles et charnues, d'environ 20 cm de longueur, ont une surface verte et lisse, et un revers pelucheux plus clair. La variété 'Tricolor' a des feuilles vertes à rayures longitudinales blanches, soulignées de rose.

Cryptanthus zonatus Cette espèce originaire du Brésil a des feuilles lancéolées oblongues à bord épineux, avec des stries transversales vert argenté qui se détachent sur un fond vert bronze, et un revers tapissé de larges écailles d'un blanc grisâtre.

Chaque fois que cela sera possible, mettre la plante au soleil (en lui administrant de l'engrais foliaire comme indiqué précédemment).

On peut aussi cultiver le cryptanthus dans un récipient clos en verre, mais il faut alors le protéger de l'ensoleillement direct, à cause de l'effet de loupe des parois transparentes. Le planter dans un mélange de sphaigne et de tourbe auquel on ajoutera de menus fragments de charbon de bois (il faut éviter que l'humidité ne s'accumule autour des racines).

MULTIPLICATION

La méthode la plus facile consiste à détacher au printemps les rejetons qui se sont développés à la souche ou entre les feuilles. Les planter dans un mélange de terreau et de sable, et tenir à 22-23 °C en plaçant le pot dans une caissette de multiplication ou en le couvrant avec un sachet en plastique transparent (mais découvrir une dizaine de minutes par jour). Dès qu'ils auront pris racine, les replanter individuellement dans des pots.

Maladies et parasites

Des feuilles aux pointes roussies sont souvent la conséquence d'un air trop desséché par le chauffage. Vaporiser plus souvent le feuillage, poser le pot sur un lit de cailloux mouillés et faire disparaître ces pointes brunes en les coupant aux ciseaux. Le surarrosage ne sera pas une solution, au contraire, car il risque fort de faire pourrir la plante à la base, surtout si la température est un peu trop basse. Si les feuilles s'affaissent, il faut incriminer le manque de lumière.

Cycas

Famille : **Cycadacées**

Nom usuel : **sagoutier**

Aspect	**Hauteur**	**Floraison**
ressemble à un palmier	de 1 à 1,20 m	ne fleurit pas à l'intérieur
Culture	**Exposition**	**Humidité**
facile	lumière vive	normale

Cycas revoluta La seule espèce cultivée à l'intérieur.

Les cycas ressemblent à s'y méprendre à des palmiers, mais ils n'ont absolument rien de commun avec eux. Ce sont en réalité des végétaux bien curieux, qui présentent des caractères extrêmement archaïques, pratiquement non modifiés depuis la Préhistoire.

Songez que cette plante qui orne nos salons du XXe siècle est à peu de chose près identique à ses ancêtres qui vivaient voilà des millions d'années, à la même époque que les dinosaures.

Le genre regroupe huit espèces, originaires des zones tropicales et subtropicales d'Afrique et d'Asie. Le tronc subligneux des cycas — formé par les couches successives des bases persistantes des pétioles — est coiffé d'un ou plusieurs verticilles de grandes feuilles arquées et pennées semblables à des palmes, dont les folioles présentent une nervure centrale très accentuée, mais sont dépourvues de nervures latérales. Ce sont des plantes dioïques : les fleurs mâles et femelles sont portées par des sujets différents. Dans son milieu naturel, la plante adulte produit des inflorescences spectaculaires en forme de cône, mais les cycas cultivés à l'intérieur ne fleurisssent pas.

Espèces

Cycas revoluta Originaire du Japon et de Malaisie, cette espèce est la seule qui soit cultivée à l'intérieur, sa croissance extrêmement lente (une feuille par an) lui permettant de garder des dimensions acceptables. La seule aussi qui soit assez rustique pour supporter des gelées de — 5 °C. Ses feuilles, très découpées mais coriaces, disposées en rosette, jaillissent directement d'une sorte de tronc mi-conique, mi-ovoïde évoquant un peu un ananas, tronc qui contient des réserves d'eau permettant à la plante de supporter la sécheresse.

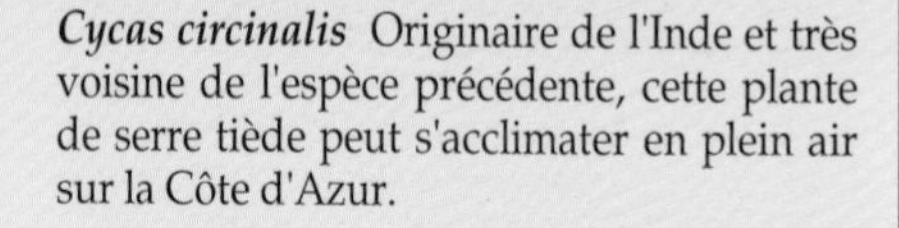

Cycas circinalis Originaire de l'Inde et très voisine de l'espèce précédente, cette plante de serre tiède peut s'acclimater en plein air sur la Côte d'Azur.

Les plantes qui n'appartiennent pas aux genre *Cycas* mais offre les traits caractéristiques de la famille des Cycadacées : très proche de *Cycas revoluta*, *Dioon edule* (à gauche) a des feuilles plus fines et est originaire du Mexique, tandis que les représentants du genre *Encephalartos* (à droite) sont parfois vendus pour des cycas.

TECHNIQUES DE CULTURE

Printemps et été. Les cycas sont des plantes à croissance très lente, et il suffit de les rempoter tous les trois ou quatre ans au printemps, lorsque leurs racines finissent par être trop à l'étroit. Il est très important d'assurer un bon drainage : disposer une couche de cailloux ou de tessons au fond du pot et employer un mélange composé de deux tiers de terreau pour un tiers de perlite.

Ce sont des plantes qui ont besoin de beaucoup de lumière, mais pas obligatoirement de soleil direct. Elles ne sont pas exigeantes quant aux températures, qui peuvent varier de 16 à 27 °C. Arroser régulièrement, mais avec modération, en laissant le compost sécher sur presque 1 cm avant de redonner de l'eau. Nourrir tous les mois avec un engrais liquide.

Automne et hiver. Réduire les arrosages. Si les températures doivent être inférieures à 15 °C, tenir la plante presque au sec. Veiller à assurer une bonne aération sans pour autant exposer le cycas aux courants d'air.

MULTIPLICATION

Par semis printaniers, en mettant les graines à germer à la surface d'un mélange de terreau fertile et de sable dans une caissette de multiplication (tenir à 24-27 °C). C'est une opération très longue que les jardiniers amateurs laisseront aux horticulteurs.

Maladies et parasites

Malgré son aspect très exotique, le *Cycas* est une espèce peu fragile, qui peut pâtir de soins inappropriés, mais qui retrouvera facilement sa vigueur et sa santé pour peu qu'on lui fournisse des conditions favorables. Des arrosages trop copieux en hiver — surtout par des températures inférieures à 16 °C — provoquent des taches brunes sur les feuilles. Ces dernières sont parfois envahies par les cochenilles farineuses, à enlever avec un tampon de coton imbibé d'alcool dénaturé.

Cyclamen

Famille : **Primulacées**

Nom usuel : **cyclamen**

Il existe des cyclamens sauvages. D'autres se cultivent au jardin, mais c'est surtout comme plante d'intérieur que le cyclamen a acquis sa popularité. Il doit beaucoup de son succès au fait qu'il fleurit de novembre à mars, agrémentant avec ses couleurs délicates les tristes mois d'hiver.

Bien qu'il s'agisse d'une plante vivace (tubercule), on le traite le plus souvent comme une annuelle, s'en défaisant après la floraison, mais il est fort possible de le conserver quelques années. On le trouve en abondance chez les fleuristes dès septembre et jusqu'à Noël. Mieux vaut toutefois l'acheter au début de la saison, alors qu'il est couvert de boutons prêts à éclore.

Ses jolies feuilles en forme de cœur, ornées de dessins d'un gris argenté, sortent directement du tubercule épais et fibreux qui donne naissance aux racines sur sa face inférieure. De cette touffe de feuilles émergent les hampes qui portent chacune une fleur à cinq pétales élégamment retroussés, souvent ourlés de blanc.

TECHNIQUES DE CULTURE

Printemps et été. Pendant l'été, le cyclamen réclame peu de soins, car son activité végétative se ralentit et il entre dans sa phase de repos. Vers la fin du printemps, enlever les feuilles flétries en extirpant délicatement les fragments de pétiole restés attachés aux tubercules, qui pourraient pourrir et faire mourir la plante. Garder au frais et au sec en arrosant juste assez pour que la terre ne devienne pas trop dure autour du tubercule.

Automne et hiver. Au moment où la croissance reprend, retirer les tubercules du pot et les replacer dans un compost frais et plutôt acide, par exemple un mélange de tourbe, de terreau de feuilles bien décomposées et de terre de bruyère, auquel on ajoutera un peu de sable pour améliorer le drainage. Le cyclamen fleurit mieux si ses racines sont un peu à l'étroit. On l'installera donc dans un pot assez petit. Le mettre dans une pièce très claire, car le cyclamen aime la lumière vive, mais impérativement à l'abri des rayons du soleil.

Idéalement, la température ne devrait jamais dépasser 16-17 °C. Au-dessus de 18 °C, la durée de la floraison sera réduite. Pour conserver aux cyclamens leur fraîcheur, il faudra augmenter l'humidité ambiante, soit au moyen d'un humidificateur d'air, soit en posant le pot sur une assiette remplie de graviers mouillés. On le placera la nuit dans une pièce moins chauffée (à 10-12 °C).

Les tubercules des cyclamens, enterrés peu profondément dans le compost, ont tendance à pourrir facilement. Pour cette raison, on n'arrosera jamais par le haut, mais en mettant le pot dans une bassine à demi remplie d'eau, de sorte que la plante absorbe la quantité dont elle a besoin, pas davantage. Une excellente méthode consiste à poser le pot sur un feutre mouillé : ainsi, l'eau monte régulièrement, par capillarité.

Dès l'apparition des premiers boutons floraux, nourrir tous les quinze jours avec un apport d'engrais liquide pour plantes à fleurs.

Les fleurs fanées seront coupées à mesure. Au cours du printemps, lorsque la floraison s'achève, réduire progressivement les arrosages pour inciter la plante à entamer sa période de dormance.

MULTIPLICATION

Les semis se font en été, à n'importe quelle période comprise entre juillet et septembre. Semer en caissette de multiplication et en godets, dans un mélange de bon terreau fertile et de sable de rivière. Placer à l'ombre, voire dans l'obscurité, et tenir à 18-20 °C en arrosant juste assez pour que le compost reste légèrement humide. La germination prendra de cinq à six semaines.

On peut également procéder par division des tubercules à la fin du printemps en les coupant avec un couteau bien tranchant et en les partageant de telle sorte que chaque portion comporte quelques bourgeons et des racines. Replanter ensuite dans des pots plus petits.

Cyclamen persicum La plus séduisante de toutes les plantes fleurissant en hiver.

Espèces

Cyclamen balearicum Son nom révèle ses origines : les Baléares. Petites fleurs blanc rosé, à la gorge d'un rose plus accentué, légèrement parfumées, apparaissant en mars-avril (ci-contre, en bas).

Cyclamen graecum Un cyclamen originaire de Grèce, dont les fleurs offrent diverses nuances du rose tendre nacré au rose saumon. Feuilles cordiformes légèrement duveteuses, aux délicates marbrures pourprées (en haut).

Cyclamen libanoticum Le cyclamen du Liban fleurit en février. Ses feuilles vert vif, souvent panachées de vert clair ou de jaune, ont un revers pourpre. Ses fleurs très odorantes ont des pétales auriculés, dont la base est plus claire que le sommet et dont la gorge est en général marquée d'une petite tache pourpre (ci-contre, en haut).

Cyclamen persicum Le cyclamen de Perse, ou cyclamen des fleuristes, est l'une des plus ravissantes plantes ornementales, et on le cultive également pour les fleurs coupées. Il en existe de multiples variétés, les unes à petites fleurs parfumées, assez proches des cyclamens sauvages, les autres à grandes fleurs, pour la plupart non odorantes. Citons 'Candlestick', dont les ravissantes fleurs présentent des stries rose pâle et rose vif, 'Rococo', aux pétales charnus, aux bords plus clairs et ondulés, ou 'Vogt Double', à fleurs doubles roses.

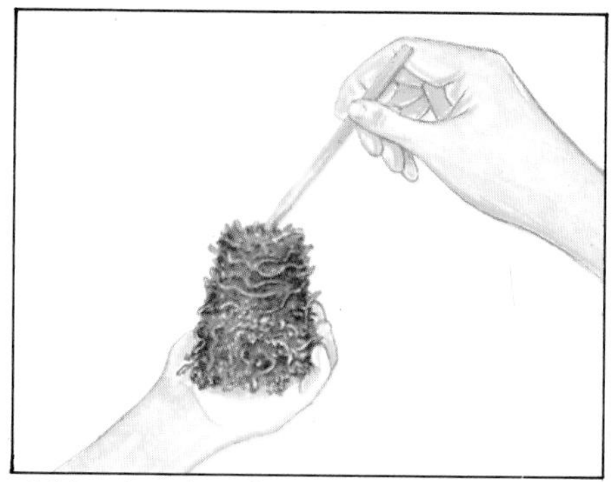

Division des tubercules. Dépoter et dégager la terre autour du tubercule sans abîmer les racines.

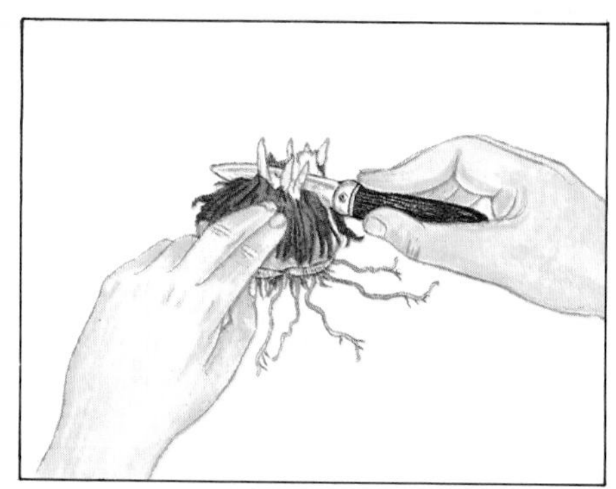

Partager le tubercule de sorte que chaque portion comporte au moins une pousse et des racines.

Planter séparément chaque portion et placer le pot dans un endroit frais et bien aéré.

Maladies et parasites

Comme toutes les plantes qui aiment les ambiances fraîches et humides, le cyclamen est sujet aux maladies cryptogamiques, en particulier à la pourriture grise, ou botrytis, qui feutre ses feuilles de plaques de moisissure duveteuses et grisâtres. Éviter de les mouiller lors de l'arrosage et pulvériser un fongicide à titre préventif. *Botrytis cinerea* provoque la pourriture des tiges et du tubercule, surtout si ce dernier est recouvert de terre. Le dégager afin qu'il émerge d'un tiers et arroser en prenant garde de ne pas le mouiller. Enlever les parties malades et poudrer avec un fongicide. Lutter également contre les parasites des racines (*Thielaviopsis basicola* et *Cylindrocarpon radicicola*), qui favorisent l'apparition des maladies cryptogamiques.

Cymbidium

Famille : **Orchidacées**
Nom usuel : **cymbidium**

Aspect en touffe	**Hauteur** de 30 à 90 cm	**Floraison** de novembre à mars
Culture facile pour une orchidée	**Exposition** forte lumière indirecte	**Humidité** assez abondante

Cymbidium hybride à fleurs roses L'une des multiples variétés de ces magnifiques orchidées terrestres.

Les orchidées ne sont pas toutes des plantes de luxe à réserver aux serres chaudes, et certaines espèces, typiques des zones montagneuses au climat relativement tempéré, sont parfaitement adaptées aux températures qui règnent dans nos appartements, pourvu que soient respectées leurs exigences en air frais, en lumière et en humidité.

C'est le cas des cymbidiums, dont les horticulteurs ont multiplié hybrides et variétés (plusieurs centaines). Le genre compte une cinquantaine d'espèces, originaires pour la plupart d'Asie orientale et d'Océanie, aussi bien épiphytes que terrestres (mais celles qui sont cultivées à l'intérieur sont presque toutes épiphytes).

Ce sont des plantes dont le rhizome se développe horizontalement à fleur de terre, donnant naissance à des pseudobulbes : ainsi appelle-t-on des renflements en forme de bulbe à la base des tiges aériennes, qui constituent, de même que le rhizome, des organes de réserve. D'épaisseur variable, le pseudo-bulbe donne naissance à des feuilles ensiformes dressées, assez semblables à celles d'un poireau, et à des hampes florales rigides et érigées (mais aussi pendantes chez quelques espèces). Ces tiges portent de six à quinze fleurs — voire davantage — exceptionnellement durables (jusqu'à six semaines sur pied, quatre semaines dans l'eau, une fois coupées).

TECHNIQUES DE CULTURE

Printemps et été. Les cymbidiums se rempotent tous les deux ans au printemps (après la floraison), en prenant garde de ne pas endommager leurs racines très enchevêtrées. Utiliser un compost spécial pour orchidées, vendu tout préparé, ou un mélange composé d'une part de terreau fertile fibreux, de deux parts d'osmonde (fibre de fougère), d'une part de tourbe et d'une part de sable de rivière, ou encore d'écorce de pin broyée associée à de la tourbe de sphaigne, à du charbon végétal et à du sable grossier. Veiller à ce que le drainage soit parfait.

Le cymbidium a besoin de lumière et, tant qu'il n'est pas en période de floraison, il supportera même le soleil (qui avivera ses couleurs) le matin et en fin d'après-midi. Une pièce à 18-22 °C lui convient, mais il faut essayer de lui procurer des températures nocturnes plus basses. Il est recommandé de lui faire passer la nuit dehors en été.

Arroser régulièrement, sans jamais noyer les racines (laisser sécher le compost sur 1,5 à 2 cm entre deux arrosages) et en utilisant de l'eau non calcaire, pas trop froide. Par temps chaud, lutter contre le dessèchement de l'atmosphère par des vaporisations (sur les feuilles et sur la terre) et en posant le pot sur un lit de cailloux mouillés. Tous les quinze jours, diluer dans l'eau d'arrosage quelques gouttes d'engrais liquide riche en azote (on trouve dans le commerce des fertilisants spéciaux pour orchidées).

Automne et hiver. Après avoir fait une cure d'air frais durant les nuits d'été, le cymbidium ne fleurira — entre la mi-automne et le printemps — que s'il est tenu dans une atmosphère bien ventilée et s'il n'a pas trop chaud (sinon ses hampes florales ne pousseront pas). Au-dessus de

Maladies et parasites

Les araignées rouges envahissent parfois les feuilles quand l'atmosphère est trop sèche. Traiter avec un insecticide spécifique (acaricide) et poser le pot sur un lit de graviers mouillés pour prévenir toute infestation ultérieure. Si, au contraire, les arrosages sont excessifs et détrempent le compost, on peut voir apparaître de minuscules insectes qui s'envolent en nuages à ras de terre : ce sont des mouches blanches, qu'on éliminera par des pulvérisations d'un insecticide à base de pyrèthre. Il faut davantage redouter la mosaïque du cymbidium, une virose qui tache feuilles et fleurs et à laquelle il n'y a d'autre remède que d'isoler les sujets atteints.

Guide d'achat

Autrefois coûteux, comme toutes les orchidées, les cymbidiums sont devenus abordables grâce aux techniques modernes d'horticulture. Les variétés hybrides naines (pas plus de 40 cm de hauteur pour les hampes florales) sont les plus recherchées.

18 °C, ses boutons jauniront sans éclore. Les températures nocturnes peuvent descendre jusqu'à — 12, — 13 °C si la plante est tenue un peu plus au sec. Renforcer l'apport en engrais pendant la période de floraison. Un repos hivernal, au frais et presque sans arrosage, sera bénéfique.

MULTIPLICATION

La méthode la plus aisée consiste à diviser les rhizomes après la floraison : dépoter la plante, bien dégager la terre autour du rhizome et le sectionner au couteau en deux ou en trois parties qui porteront chacune des racines et un ou deux pseudo-bulbes. Planter chaque segment dans des pots remplis d'un compost neuf à base de sphaigne et tenir au frais et à mi-ombre, sans trop arroser, pendant environ un mois, jusqu'à ce que de nouvelles racines se soient développées.

Espèces

Cymbidium devonianum Une espèce naine originaire de l'Inde, qui a donné naissance à de nombreux hybrides. Chacun de ses pseudo-bulbes donne naissance à deux ou trois feuilles rubanées, assez coriaces, et mesurant de 20 à 35 cm, et à plusieurs hampes d'une trentaine de centimètres de hauteur portant de douze à dix-huit fleurs qui présentent la disposition caractéristique des orchidées : trois sépales et trois pétales alternés, le dernier pétale étant modifié en labelle. Chez l'espèce type, pétales et sépales sont d'un vert olive très doux strié de pourpre, avec un labelle carminé (ci-contre).

Cymbidium giganteum Originaire de l'Himalaya oriental, ce cymbidium a des feuilles ensiformes longues d'une soixantaine de centimètres. Ses hampes portent de six à douze grandes fleurs subtilement parfumées, aux sépales et aux pétales légèrement charnus, avec des stries et de fines mouchetures rouge-brun sur fond vert clair et un labelle jaune.

Cymbidium pumilum C'est une orchidée terrestre originaire de Chine méridionale, aux étroites feuilles ensiformes (30 cm de longueur environ) d'un vert vif et aux fleurs brun orangé de consistance cireuse. Cette espèce est le parent de nombreux hybrides, soit standards, soit miniatures. Parmi eux, 'Albomarginatum' a des feuilles ourlées de blanc et des fleurs rouge-brun à labelle blanc tacheté de rouge. 'Flirtation' se signale par son port très compact et sa taille naine; ses fleurs peuvent présenter diverses nuances de blanc verdâtre, de rose et de brun pourpré, mais le labelle est toujours blanc avec des mouchetures brun foncé. Signalons encore 'Mary Pinchess Del Ray', une variété américaine à fleurs jaunes.

Cymbidium virescens Une gracieuse espèce miniature à fleurs parfumées, originaire du Japon (en haut). La variété 'Angustifolium' a des fleurs d'un vert intense délicatement striées de pourpre.

Davallia

Famille : **Polypodiacées**

Noms usuels : **davallie, pattes-de-lapin**

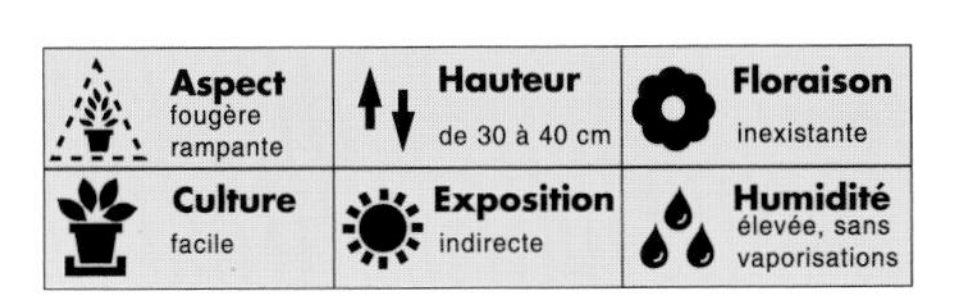

Aspect fougère rampante	**Hauteur** de 30 à 40 cm	**Floraison** inexistante
Culture facile	**Exposition** indirecte	**Humidité** élevée, sans vaporisations

Davallia canariensis Très facile à cultiver.

Vigueur et élégance, telles sont les caractéristiques de ces fougères de culture facile, dont les frondes triangulaires forment une luxuriante touffe de verdure et retombent tout autour du pot, qu'elles masquent complètement. Les davallies sont donc tout indiquées pour les corbeilles suspendues. Mais ce n'est pas là leur trait le plus remarquable : elles émettent des rhizomes adventifs tapissés de longs poils argentés ou mordorés qui rampent à la surface de la terre et pendent hors du pot, semblables à des appendices animaux couverts de fourrure, d'où leur nom familier de pattes-de-lapin.

TECHNIQUES DE CULTURE

Printemps et été. Rempoter les jeunes plants au printemps dans un mélange composé d'une moitié de tourbe fibreuse ou de terreau de feuilles, d'un quart de sphaigne hachée et d'un quart de sable. Choisir un récipient large et assez plat, où les rhizomes puissent s'étaler, et disposer au fond une couche de tessons pour assurer le drainage. Dépoter les plantes adultes pour raccourcir leurs racines extérieures et renouveler le compost.

Les davallies ont besoin d'une bonne lumière indirecte (devant une fenêtre donnant au nord), et la température normale d'une pièce (18-23 °C) leur convient. Arroser deux fois par semaine (en laissant entre-temps le compost sécher sur 1 cm) en veillant à ne pas mouiller les tiges : verser de l'eau dans une soucoupe ou bien immerger le pot à mi-hauteur pendant une quinzaine de minutes. Les vaporisations sont nocives pour ces espèces, qui supportent en revanche mieux que les autres fougères une atmosphère un peu sèche, et l'eau calcaire est à proscrire (employer de l'eau de pluie). Tous les quinze jours, nourrir avec un fertilisant liquide dilué dans l'eau d'arrosage.

Automne et hiver. Si les températures sont inférieures à 15 °C, réduire l'arrosage au strict minimum. Au-dessous de 10 °C, les frondes peuvent mourir (il en apparaîtra de nouvelles dès que le thermomètre remontera).

MULTIPLICATION

Prélever au printemps des segments de rhizome de 6 à 7 cm portant une ou deux frondes et les installer sans les enterrer dans un pot rempli d'un mélange, bien humidifié, à parts égales de tourbe et de sable. Les fixer sur la surface avec un arceau en plastique. Compter un mois pour le réenracinement.

Maladies et parasites

En été, des sortes de moisissures blanches peuvent tacher les pinnules : il s'agit du mildiou, maladie cryptogamique très courante, et c'est très probablement la conséquence d'arrosages trop abondants ou de vaporisations intempestives, très mal tolérées par la davallie, de même que les lustrants, qui font vilainement noircir ses frondes. Commencer par rempoter la plante et traiter le compost en diluant un insecticide systémique dans l'eau d'arrosage.

Toute forme de pulvérisation étant nocive à la plante, les insecticides ne pourront être administrés de la sorte. Il faudra dans chaque cas avoir recours à un insecticide systémique ajouté à l'eau d'arrosage, qu'il s'agisse d'éliminer les mouches blanches, qui volent au ras de la terre, ou les thrips (minuscules moucherons noirs sur les pinnules), qui peuvent gravement perturber la croissance de cette fougère. N'utiliser de même qu'un fertilisant liquide, jamais d'engrais en bâtonnets, qui ferait noircir les rhizomes.

Espèces

Davallia canariensis À l'état naturel, cette fougère originaire des îles Canaries pousse souvent sur des palmiers. Rhizomes courts et épais, écailleux, revêtus de longs poils fins et doux, et garnis de longues écailles fibreuses de couleur jaune, et frondes quadripennées vert vif de consistance coriace.

Davallia fijiensis Souvent utilisée par les fleuristes comme garniture, cette espèce originaire des îles Fidji pousse également sur les arbres et se distingue par la longueur de ses frondes vert pâle, qui peuvent atteindre 60 cm (à gauche), et par ses rhizomes épais et rampants, très écailleux, d'une jolie teinte gris rose. La variété 'Plumosa', très répandue en Polynésie, est la plus appréciée avec ses élégantes frondes d'un délicat vert argenté.

Davallia mariesii Originaire du Japon, elle est appelée fougère patte d'écureuil à cause de ses rhizomes couvert de poils brun doré. Ses frondes vert sombre tirent parfois sur le vert bronze (ci-dessus).

Dieffenbachia

Famille : **Aracées**

Nom usuel : **dieffenbachia**

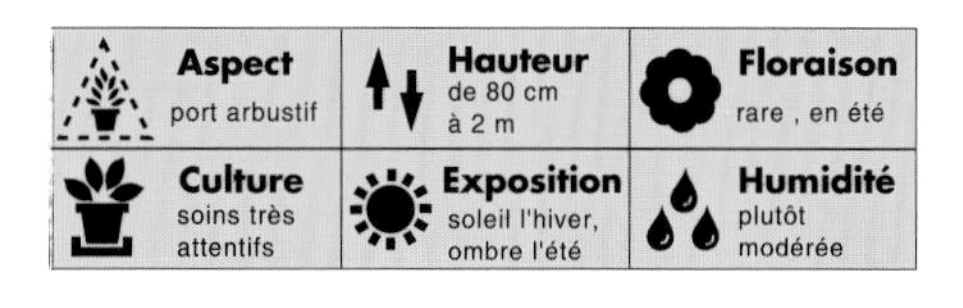

Le genre doit son nom à J.F. Dieffenbach (1790-1863), intendant des jardins impériaux des Habsbourg. C'est en effet dans les serres du palais de Schoenbrünn, vers 1830, que le dieffenbachia, venu du Brésil, a commencé sa brillante carrière de plante verte ornementale.

Depuis lors, son succès ne s'est jamais démenti. Exotique sans être extravagant, élégant et harmonieux, le dieffenbachia nous séduit surtout par son feuillage panaché aux dessins contrastés ou en camaïeu raffiné. Jusqu'à une époque relativement récente, c''était surtout une plante de serre ou de jardin d'hiver, mais les nouvelles variétés horticoles (pour la plupart des hybrides de *Dieffenbachia picta*) sont tout à fait adaptées, si on leur apporte les soins appropriés, à la vie en appartement.

Le genre compte une vingtaine d'espèces, toutes originaires d'Amérique centrale et d'Amérique du Sud. Ce sont des plantes suffrutescentes à tiges robustes et épaisses, coiffées d'un large bouquet de feuilles lancéolées charnues, légèrement retombantes, portées par de longs pétioles engainants. Leur seul défaut : avec l'âge, les feuilles inférieures tombent, laissant la tige dégarnie.

TECHNIQUES DE CULTURE

Printemps et été. Rempoter d'abord chaque printemps, puis tous les deux ans, dans un compost riche et léger à domi-

***Dieffenbachia picta* 'Exotica'** Son succès vient de son magnifique feuillage aux larges panachures ivoire.

nante acide, par exemple un mélange à parts égales de terreau et de terre de bruyère, additionné d'un peu de sable.

Placer le pot dans un endroit bien éclairé, mais à l'abri du soleil et d'une lumière directe trop intense, surtout au cœur de l'été. Les dieffenbachias s'accommodent beaucoup mieux de la mi-ombre que la plupart des plantes à feuillage panaché. Si on les installe devant une fenêtre, il faudra filtrer le jour avec un voilage. Une température douce et régulière, voisine de 18 °C, leur est nécessaire. Au-dessus de 24 °C, la plante souffre beaucoup de la chaleur.

Durant toute la période de croissance, d'avril à octobre, arroser environ une fois par semaine, sans imbiber, mais juste assez pour humidifier le compost. Laisser sécher sur 2 cm entre deux arrosages. Les jardinières avec réserve d'eau sont idéales pour cette plante. Par temps sec, des vaporisations fréquentes seront les bienvenues. Nettoyer aussi les feuilles du dieffenbachia avec une éponge, ce qui aura pour effet de les rafraîchir. Nourrir deux fois par mois avec un engrais liquide dilué dans l'eau d'arrosage. Si la tige se dégarnit trop par le bas, la taille est la seule solution. Rabattre la tige à une dizaine de centimètres, et de nouvelles pousses apparaîtront bientôt.

Automne et hiver. À cette époque, le dieffenbachia a besoin d'une lumière plus vive. Veiller à le protéger du froid : des températures inférieures à 13°C lui seront

***Diffenbachia picta* 'Splendens'** Ses feuilles d'un beau vert émeraude sont délicatement mouchetées.

Boutures de segments de tige principale. Au printemps, fractionner la tige en segments de 5 à 10 cm comportant chacun au moins un bourgeon (point d'attache d'une feuille).

Après avoir saupoudré les sections de poudre à base d'hormones, poser ces segments à plat à la surface d'un compost bien humide et tenir au chaud dans une caissette de multiplication.

Dès qu'une paire de feuilles apparaît, replanter et traiter comme une plante adulte.

nuisibles et compromettront sa croissance. Réduire sensiblement les arrosages et cesser de donner de l'engrais.

MULTIPLICATION

Les dieffenbachias se multiplient le plus fréquemment par boutures. Au printemps, prélever le segment terminal d'un rameau, d'une dizaine de centimètres de longueur, en coupant juste sous le point d'attache d'une paire de feuilles. Après avoir ôté les feuilles inférieures, plonger la section dans une poudre radiculaire aux hormones qui aidera à la cicatrisation et favorisera l'enracinement. Planter dans un mélange de tourbe et de sable bien humidifié et placer en caissette de multiplication. À défaut, enfermer le pot dans un sachet en plastique transparent et tenir à 21-22 °C. On peut de même, si on a rabattu la tige principale, bouturer des segments qui seront placés parallèlement à la surface du compost.

Guide d'achat

Deux critères guideront votre choix. En premier lieu, les tiges, qui devront être robustes, rigides et bien droites. Écarter les exemplaires à tige retombante (manque de vigueur) ou tordue, car le développement de la plante ne serait pas harmonieux. En second lieu, les feuilles doivent être parfaitement saines, à la fois fermes et souples, sans entailles ni marques d'aucune sorte.

Maladies et parasites

Cette feuille jaunie, aux bords tachés de brun (à droite), indique un excès d'arrosage.

Ces brûlures (à gauche) sont provoquées par un excès de soleil. Le dommage est irréparable.

Les pucerons doivent être combattus dès leur apparition.

Si les feuilles pâlissent et tombent prématurément, c'est peut-être que la plante est trop au froid : il faut lui assurer une température minimale de 13-14 °C en hiver et la tenir à l'abri des courants d'air (mais avec l'âge, les feuilles inférieures meurent une à une).

Des feuilles qui se parcheminent et deviennent friables, qui se marquent de stries brunes et dont les bords s'effritent, indiquent que le dieffenbachia est placé trop près d'une source de chaleur (radiateur, par exemple) ou bien qu'il est resté trop longtemps exposé sans protection aux rayons du soleil. Des brûlures qui se présentent comme des taches peuvent être dues à des pulvérisations effectuées en plein soleil, chaque gouttelette agissant alors comme une loupe. Une plante qui marque un arrêt de croissance, dont le feuillage panaché perd ses couleurs, manque sans doute de lumière, à moins qu'elle ne soit insuffisamment nourrie. La déplacer dans un endroit mieux éclairé et lui donner de l'engrais.

Dans une ambiance sèche, les dieffenbachias peuvent être envahis par les araignées rouges : on distingue sous les feuilles de fins filaments soyeux. Enlever ces minuscules toiles avec une éponge et pulvériser un insecticide à base de malathion. Pour prévenir toute nouvelle invasion, maintenir une atmosphère plus humide et isoler le pot en le posant sur des cales reposant dans une soucoupe pleine d'eau.

Plus rares, les cochenilles farineuses peuvent passer inaperçues, quand elles fixent leurs carapaces blanchâtres et pelucheuses à l'aisselle des feuilles. Les déloger avec un Coton-Tige imbibé d'alcool dénaturé et traiter avec un insecticide systémique. Il ne faut pas non plus laisser s'installer sur la plante des colonies de pucerons, qui proliféreraient bientôt et qui peuvent être les vecteurs de graves maladies. Là encore, la prévention est la meilleure tactique : au printemps, traiter le compost avec un insecticide systémique et répéter l'opération toutes les six semaines jusqu'à la fin septembre.

ATTENTION !
Le dieffenbachia est une plante vénéneuse, dont la sève attaque les muqueuses. Dangereuses pour les yeux, elle provoque des ulcérations et des œdèmes des lèvres, de la langue et de l'intérieur de la bouche, pouvant même causer un début d'étouffement chez les sujets allergiques, ou encore une extinction de voix. En fait, toutes les parties de la plante sont toxiques : il faut donc la tenir hors de portée des enfants et ne pas y toucher sans porter de gants protecteurs.

Espèces

Dieffenbachia amoena Cette espèce originaire du Costa Rica et de Colombie est l'une des plus robustes, avec sa tige volumineuse (presque un tronc) qui lui confère un aspect compact que renforce le port étalé de ses grandes feuilles ovales (jusqu'à 60 cm de longueur pour 25 cm de largeur), portées par de très longs pétioles (30 cm). Stries ou taches allongées blanc crème se détachent sur le fond vert sombre. La variété la plus en vogue est 'Tropic Snow' (en bas), caractérisée par ses feuilles rigides et coriaces à l'aspect légèrement vernissé, marquées de bandes crème et vert clair qui suivent le dessin des nervures latérales. La variété 'Pia' présente des panachures vert tendre et jaun clair sur fond vert foncé.

Dieffenbachia bausei C'est un très bel hybride issu du croisement entre *Dieffenbachia picta* et *Dieffenbachia weiri* (en haut, à gauche). Ses feuilles ovales lancéolées, longues de 30 cm environ et portées par des pétioles de 20 cm, sont entièrement couvertes de mouchetures irrégulières blanc crème. Leur pointe est d'un vert plus clair, tirant sur le jaune.

Dieffenbachia imperialis Cette plante de belles dimensions (c'est l'une des plus grandes du genre) est originaire du Pérou. À l'état naturel, on dirait un petit arbre. Ses grandes feuilles ovales et coriaces sont tachetées de gris-argent.

Dieffenbachia oerstedii Une espèce originaire du Costa Rica et du Guatemala. Très pittoresque avec ses grandes feuilles vert émeraude à bord souplement ondulé, dont les fortes nervures (celle du centre se présente comme une côte épaisse) sont soulignée de stries blanc crème (en haut, à droite).

Dieffenbachia picta C'est l'espèce reine, venue de l'Amazonie et parfois appelée *D. maculata*. Mais la sagesse populaire lui a donné un autre nom : plante des muets, car sa sève extrêmement toxique a des effets paralysants sur la langue et le larynx. Elle a donné naissance à la plupart des variétés modernes aujourd'hui commercialisées : 'Gigantea', dont les très grandes feuilles (véritablement géantes) fortement nervurées sont portées par des pétioles d'un vert plus pâle; 'Superba', bien nommée, aux feuilles charnues délicatement panachées de vert doux et d'ivoire pâle; 'Exotica' (parfois considérée comme une espèce distincte), où le crème domine sur le vert; 'Rudolf Roehrs', vert jaune et vert sombre.

Dionaea

Famille : **Droséracées**

Noms usuels : **dionée, attrape-mouches**

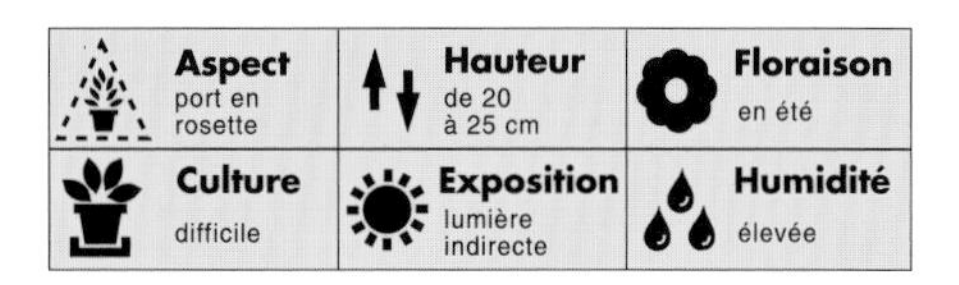

Dionæa muscipula En se refermant comme les mâchoires d'un piège, ses feuilles capturent les insectes.

Les dionées sont toujours fort recherchées. Et pas seulement par les amateurs de jardinage, mais aussi par tous les collectionneurs avides de curiosités naturelles. Il faut avouer que cette plante qui nous vient des marais du sud des États-Unis a des mœurs bien étranges puisqu'elle ne se contente pas des substances nutritives que ses racines extraient de la terre, mais ajoute à son menu les insectes qui passent à sa portée.

Un bel exemple d'adaptation à des conditions de vie difficiles. Cette espèce a en effet réussi à survivre dans les tourbières de la Caroline du Nord et de la Caroline du Sud — milieu particulièrement stérile et ne lui offrant guère d'aliments assimilables, — grâce à des modifications de ses organes aériens.

Étalées en rosette sur le sol, ses feuilles allongées se terminent par un article arrondi bilobé, bordé de dents acérées, dont la nervure centrale fait office de charnière. La face supérieure est tapissée de poils rougeâtres, sensibles à toutes les stimulations extérieures, qui agissent comme autant d'antennes et qui commandent la fermeture des lobes. Dès qu'un insecte les effleure, les deux parties se referment (la face supérieure se trouvant alors à l'intérieur), emprisonnant sans rémission l'imprudent, voué à une mort horrible : il sera lentement digéré par le liquide visqueux et corrosif, semblable à un suc gastrique, sécrété par le limbe.

TECHNIQUES DE CULTURE

Printemps et été. La dionée peut se cultiver en pot à condition de reconstituer aussi fidèlement que possible son milieu naturel : l'installer dans un mélange de tourbe (ou de terre de bruyère tourbeuse), de sphaigne vivante (on en trouve dans les jardineries) et de sable (pour favoriser le drainage). Placer le pot dans un contenant un peu plus grand, tapissé intérieurement de tourbe humide, ce qui maintiendra l'humidité tout en protégeant la plante du froid. La préserver également du soleil, qu'elle ne supporte pas, et la tenir à 13-14 °C : une fenêtre donnant au nord offre un bon emplacement si les courants d'air ne sont pas à craindre. Nourrir une fois par mois avec un engrais liquide.

Automne et hiver. La température ne doit pas descendre au-dessous de 7 °C, mais la plante a toujours besoin d'autant d'humidité. Si l'air est trop desséché par le chauffage central, la dionée passera l'hiver dans l'atmosphère tempérée et moite d'une caissette de multiplication ou d'un terrarium.

MULTIPLICATION

Fin mars, début avril, on peut multiplier la dionée par division des touffes. Replanter chaque portion et traiter comme indiqué précédemment. La plante se reproduit également par semis (sur mousse humide) en mars-avril, en plaçant le pot dans un sachet en plastique.

Espèces

Dionæa muscipula Une plante doublement singulière puisque c'est l'unique espèce du genre. En été, la dionée produit de petites fleurs blanches, portées par de fines tiges d'une vingtaine de centimètres de hauteur. Mais ce sont surtout les redoutables pièges constitués par ses feuilles qui retiennent l'attention — comme en témoigne son nom usuel d'attrape-mouches —, ainsi que le suc digestif sécrété par les nombreuses glandes qui tapissent le limbe et donnent une coloration rougeâtre à la surface. Toutefois, aussi corrosive que soit cette substance, la digestion est très lente : de neuf jours à plus d'un mois suivant la taille de la proie capturée. Au bout de ce temps, les « mâchoires » s'ouvrent de nouveau pour évacuer les restes non comestibles. Faute d'insectes, on peut nourrir la dionée en lui présentant de minuscules parcelles de viande ou de poisson, mais il faut prendre garde à ne pas la faire périr d'indigestion, car chaque « bouche » ne mange que cinq ou six fois durant toute l'existence de la plante.

Echeveria

Famille : **Crassulacées**

Nom usuel : **echeveria**

Les *Echeveria* sont des plantes succulentes originaires d'Amérique centrale et du nord-ouest de l'Amérique du Sud. Dans leur habitat naturel, les températures sont caractérisées par de forts écarts entre le jour et la nuit, ce qui rend la plante facile à cultiver à l'intérieur. L'emplacement idéal pour installer sa belle rosette est une fenêtre ensoleillée.

Echeveria derenbergii Chaque rosette se couvre au printemps de gracieuses fleurs jaunes.

TECHNIQUES DE CULTURE

Printemps et été. On rempote les echeverias chaque année en avril si cela est nécessaire. Utiliser un bon mélange terreux pour cactées ou du terreau additionné d'une bonne part de sable grossier. Arroser abondamment une seule fois par semaine, en laissant le substrat sécher entre deux arrosages. Il faut éviter de mouiller les feuilles au cours des arrosages pour ne pas que les feuilles pourrissent. Si la plante recouvre tout le pot et qu'on ne peut arroser sans mouiller les feuilles, il faut installer la potée dans une soucoupe emplie d'eau et laisser tremper durant quelques minutes, pour que le substrat absorbe par capillarité l'humidité nécessaire. Pour assurer à la plante une croissance vigoureuse, ajouter toutes les quatre ou cinq semaines deux gouttes d'engrais liquide à l'eau d'arrosage.

Bien qu'il s'agisse de plantes résistantes, les echeverias apprécient une température comprise entre 15 et 21 °C, et aiment le soleil, à condition de leur éviter les heures les plus brûlantes de la mi-journée pendant lesquelles, si nécessaire, on doit les protéger. Les feuilles de beaucoup d'espèces de ce genre sont recouvertes d'un fin poudrage, tout à fait naturel. Il faut donc éviter de le laver ou de tenter de le retirer en le frottant.

Automne et hiver. Durant les mois de la mauvaise saison, arroser plus que modérément : plus la température est basse, moins on arrose. Si elle descend au-dessous de 7 °C, il faut transférer la plante dans un emplacement plus chaud, mais toujours très lumineux.

MULTIPLICATION

On prélève des boutures de feuilles en détachant tout simplement ces dernières avec délicatesse. Enfouir la base des feuilles dans un mélange un peu frais et placer le tout dans un emplacement lumineux. Les arrosages se limiteront à éviter le dessèchement du substrat. Une température de 15 à 18 °C suffit amplement. Quand les plantules sont assez grandes pour être manipulées sans risque, on les rempote individuellement.

La méthode de propagation la plus simple consiste à planter en pot les rejets qui apparaissent au pied de la rosette centrale ou le long de la tige principale. On sépare ces rejets de la plante mère en mars et on les laisse sécher durant un ou deux jours. Puis on les repique dans un mélange riche en sable grossier en disposant une couche de ce dernier en surface.

Multiplication des echeverias. Prélever une rosette bien développée et la laisser sécher durant un ou deux jours.

Planter le rejet après avoir retiré les feuilles les plus basses ; couvrir le sol d'une couche de sable grossier.

Espèces

Echeveria derenbergii Cette espèce produit une rosette d'environ 7 cm de large, aux feuilles lisses, gris-vert. Les fleurs, jaune orangé, apparaissent au printemps. La variété 'Dorosa' produit une rosette plus grande qui atteint 18 cm de diamètre. Ses feuilles vert pâle possèdent une pointe rouge et des bords légèrement duveteux. 'Worfield Wonder' est une variété à la floraison facile. Elle peut supporter des hivers doux en plein air, à condition d'être placée à l'abri dans un coin ensoleillé.

Echeveria gibbiflora Cette plante atteint 60 cm de hauteur. Le tronc et les rameaux épars portent des rosettes de grandes feuilles charnues en forme de spatule, gris-vert légèrement ombré de rose. Les grandes fleurs, jaune et rouge, sont portées par de hautes tiges et apparaissent le plus souvent en automne. Les feuilles de la variété 'Carunculata' (en haut, à gauche) produisent des excroissances irrégulières à leur face supérieure.

Echeveria setosa Cette rosette compacte est dépourvue de tige. Les feuilles, vert foncé, sont recouvertes d'une sorte de pelage blanc. Les fleurs sont orange.

Echeveria harmsii (syn. *Oliversanthus elegans*). Ce petit buisson ramifié produit des feuilles lancéolées vertes, réunies en rosettes plus ou moins lâches. Les grandes fleurs, écarlates, longues de 2,5 cm (ci-dessus, à droite) sont produites isolément ou réunies en petites grappes au bout de tiges minces.

Echeveria glauca Chez cette espèce, les feuilles bleu-vert sont réunies en rosettes denses. Les plus âgées d'entre elles présentent une coloration rosée sur les bords. Les fleurs rouge vif, groupées en grappes d'une vingtaine, sont portées par des tiges élevées.

Echeveria zahnii Les feuilles de cette espèce sont gris-vert, ponctuées de rose sur le dessus. La rosette apparaît en solitaire au bout d'un tronc trapu. Les petites fleurs en clochette, jaune orangé, sont portées par des tiges d'environ 15 cm de haut.

Guide d'achat

Il faut choisir des plantes de jolie forme, sans pousses dégingandées, et aux feuilles saines, indemnes de toute blessure. La rosette doit être intacte, dénuée de feuilles difformes ou pourries.

Manipuler ces végétaux avec précaution afin de ne pas arracher les feuilles ni briser les branches, assez fragiles de nature. Pour les transporter sans dommage, les caler à l'intérieur d'une boîte en carton.

Maladies et parasites

Des arrosages excessifs provoquent la pourriture des tiges, des racines et des feuilles, et entraînent un développement irrégulier de la plante. À la suite de négligences répétées ou quand la plante vieillit, les feuilles basses se flétrissent et tombent, laissant alors à nu la tige trapue.

Retailler alors la partie supérieure restée saine au ras des feuilles les plus basses. Laisser sécher la rosette pendant un jour ou deux. Après, la planter dans un pot rempli de terreau et couvert en surface d'une couche légère de sable grossier.

Les divers plis et recoins des rosettes serrées des echeverias constituent un refuge idéal pour les cochenilles farineuses. Elles signalent leur présence par l'apparition de petits flocons blancs sur les feuilles. On s'en débarrasse en les badigeonnant à l'aide d'un pinceau fin trempé dans l'alcool.

Echinopsis

Famille : **Cactacées**

Nom usuel : **échinopsis**

Aspect	Hauteur	Floraison
globuleux	de 8 à 15 cm	juin-septembre
Culture	**Exposition**	**Humidité**
facile	ensoleillée	faible

Les échinopsis sont renommés pour la beauté de leurs fleurs délicatement parfumées, très abondantes, qui éclosent le soir et ne durent qu'un jour ou deux. Le genre se compose d'une trentaine de cactées originaires d'Amérique du Sud.

Ces cactus possèdent une tige épaisse en forme de globe allongé, parcourue, dans le sens de la hauteur, de côtes épineuses fortement marquées. Leur aspect général rappelle vaguement un hérisson.

Le long des côtes sont disposées de petites protubérances, appelées aréoles, d'où émergent des épines groupées en étoile. Dès l'âge de trois ou quatre ans, les plantes produisent de magnifiques grandes fleurs. Les premières fleurs apparaissent au début de l'été, au niveau des aréoles. Elles se parent de ravissantes nuances de rose et dégagent un parfum agréable.

Les échinopsis réclament autant de lumière qu'il est possible d'en fournir tout au long de l'année et réagissent favorablement à l'ensoleillement direct. Presque tous sont des végétaux à floraison nocturne : les fleurs s'épanouissent une demi-heure après le crépuscule et restent ouvertes toute la nuit et le jour suivant.

Echinopsis multiplex Grâce aux rejets émis à sa base, on le multiplie aisément.

TECHNIQUES DE CULTURE

Printemps et été. Si les racines ont envahi tout le récipient, on rempote la plante au début du printemps dans un mélange classique pour cactées ou dans un terreau riche généreusement additionné de sable grossier.

La température estivale idéale oscille entre 15 et 24 °C. Arroser la plante quand la terre est sèche et laisser ressuyer fortement. Comme tous les cactus désertiques, ces végétaux ne supportent pas l'excès d'eau. Entre avril et septembre, ajouter toutes les trois ou quatre semaines quelques gouttes d'engrais liquide complet à l'eau d'arrosage.

Automne et hiver. Pour bien fleurir, les échinopsis réclament une période de repos hivernal, à une température de 7 à 10 °C. De novembre à mars, les arrosages sont restreints. On évite simplement le dessèchement complet du substrat. Donner à la plante le maximum de lumière.

MULTIPLICATION

On sème en mars-avril, en recouvrant les graines d'une couche légère de mélange pour cactées. On maintient le tout humide, à l'ombre, jusqu'aux premiers signes de germination. La terrine sera placée à une température de 18 à 24 °C.

Plus simple encore que le semis, la division est un moyen pratique de propagation. Pour ce faire, on détache les rejets de la base à l'aide d'un couteau tranchant. Laisser sécher la coupe durant une semaine, puis empoter les rejets. Si ces derniers présentent des racines quand on les détache, les remettre en pot aussitôt dans un mélange quasiment sec.

Maladies et parasites

Si les plantes se ratatinent et deviennent molles, c'est le signe qu'elles sont en train de pourrir, dans la plupart des cas à la suite d'arrosages excessifs. Laisser la terre sécher totalement avant tout nouvel arrosage.

Si la plante ne fleurit pas et prend une forme bizarre, c'est qu'elle manque de lumière. On y remédie en prélevant des rejets à la base pour les boutures et on élimine la plante mère défectueuse.

La présence de petits flocons blancs est l'indice d'une invasion de cochenilles farineuses, qu'on élimine soit en les badigeonnant avec un Coton-Tige imbibé d'alcool, soit en vaporisant un insecticide adapté.

Echinopsis aurea Originaire d'Argentine, cet échinopsis possède un tronc plus ou moins sphérique et produit volontiers à son pied de nombreux rejets qui forment des colonnes denses. Il fleurit très généreusement, produisant des inflorescences jaune citron. La variété 'Aurantiaca', très proche de l'espèce type, possède un tronc brun-vert, épineux, et forme aisément des colonies serrées. Les fleurs, extrêmement belles, se parent de brun cuivré.

Echinopsis eyriesii Chez cette espèce d'origine brésilienne et urugayenne, les grandes fleurs parfumées se colorent en blanc légèrement violacé. Longues de 20 à 25 cm, elles atteignent 10 ou 12 cm de large et apparaissent au bout de longs tubes. Elles s'épanouissent au crépuscule et restent ouvertes tout le jour suivant. Le corps de la plante, vert sombre, est parcouru d'une quinzaine d'arêtes ponctuées d'aréoles grises qui portent chacune quatorze épines de 8 mm de long environ (ci-dessus).

Echinopsis huascha (syn. *Trichocereus huascha*) C'est une plante aux tiges vivement épineuses, longues de 7 cm environ, et parcourue de nombreuses côtes. Des aréoles très serrées partent de nombreux aiguillons jaune-brun. Les fleurs revêtent des coloris variés : jaune vif dans l'espèce type, elles se parent, dans la variété 'Rubiflorus', par exemple, d'un bel orange carminé.

Echinopsis multiplex Cette espèce brésilienne est la plus connue et la plus spectaculaire de tout le genre. Les tiges sont globuleuses, mais tendent à s'allonger en vieillissant. Elles sont parcourues de la base au sommet de douze à quatorze côtes parsemées d'aréoles, d'où émergent de robustes épines brunes. Pendant tout l'été, la plante produit des fleurs rose pâle, très parfumées, longues de 18 à 20 cm et larges de 15, qui durent un ou deux jours.

Echinopsis tubiflora Originaire d'Argentine et du Brésil, cet échinopsis forme plus ou moins un globe allongé, ramifié, aux côtes ondulées proéminentes, munies d'aiguillons noirs de 1 cm de long environ. Les fleurs, de grande taille, en forme de cloche, sont blanc ombré de bleu (ci-dessous).

Echinopsis oxygona Globuleux quand il est jeune, ce cactus devient cylindrique en vieillissant et peut atteindre 30 cm de haut. Les côtes sont disposées très régulièrement et portent de grandes aréoles réparties à intervalles réguliers, d'où naissent des épines récurvées. Les fleurs, longues de 15 à 20 cm, sont composées de pétales internes blanc teintés de rose, tandis que les pétales externes sont rose vif.

Echinopsis silvestrii Originaire d'Argentine, cette espèce donne des fleurs de très grande taille, surtout dans sa jeunesse. À l'inverse de la plupart des autres échinopsis, celui-là produit rarement de rejets. C'est une plante globuleuse, gris-vert, qui atteint environ 15 cm de hauteur. Le tronc est parcouru de nombreuses côtes — plus de vingt — munies d'aiguillons. Entre la fin du printemps et le début de l'été apparaissent de grandes fleurs blanches.

Echinopsis spachianus (syn. *Trichocereus spachianus*) Cette espèce est disponible en exemplaires de 5 à 7 cm de haut, mais atteint en peu d'années de 90 cm à 1,20 m. Les troncs, vert vif, sont garnis de côtes chargées de groupes d'épines jaune-brun. Les fleurs, de grande taille, sont blanches au cœur et rouge vif à l'extérieur.

Epiphyllum

Famille : **Cactacées**

Nom usuel : **épiphyllum**

Les épiphyllums poussent à l'état sauvage dans les forêts tropicales d'Amérique centrale. Ces plantes exotiques, aux tiges plates, aux bords dentelés, produisent au bout de leurs rameaux de très grandes fleurs spectaculaires qui durent un jour et une nuit. Les espèces botaniques sont peu répandues, et celles que l'on trouve dans le commerce sont des hybrides dérivés de l'espèce *Epiphyllum crenatum*.

TECHNIQUES DE CULTURE

Printemps et été. On rempote la plante chaque année au printemps, dans un compost riche à base de tourbe. Les épiphyllums préfèrent une bonne lumière au soleil direct. En général, les fleurs apparaissent entre avril et la fin juin. La plante demande de bons arrosages, la terre devant être bien mouillée. Pendant la période de floraison, on ajoute tous les dix jours quelques gouttes d'engrais liquide complet à l'eau d'arrosage.

Automne et hiver. La température minimale requise est de 10 °C. Même en hiver, la plante a toujours besoin de beaucoup de lumière, toujours à l'abri des rayons du soleil. Entre octobre et mars, on garde le substrat à peine humide, sans toutefois laisser les racines sécher complètement. Quand les bourgeons commencent à apparaître, on augmente peu à peu les apports d'eau et l'on commence à nourrir la plante à l'aide d'engrais liquide pour favoriser l'apparition de boutons à fleurs.

MULTIPLICATION

Vers la fin juillet-début août, après la fin de la floraison, prélever sur les tiges des boutures de 10 à 15 cm de long. Les laisser sécher durant deux jours environ. Planter ensuite dans un bon substrat à base de terre riche, maintenu humide et placé à une température de 20-21 °C. Dès que l'enracinement a eu lieu, soit au bout de trois semaines, on donne aux jeunes plants le régime des sujets adultes.

Pour le semis, on installe les graines dans un terreau riche, en les recouvrant à peine. On maintient le tout humide, à l'ombre, à une température de 20 à 24 °C. Après la germination, on éclaircit les jeunes plantes en ne conservant que les plus fortes. Quand elles sont assez développées pour être manipulées sans dommage, on les repique séparément à raison d'une par godet dans un mélange terreux pour cactées ou dans une préparation à base de terreau fertile et de sable grossier en parts égales. Les jeunes plantes sont conservées en pleine lumière.

Maladies et parasites

L'apparition de flocons blancs et cotonneux est l'indice de la présence de cochenilles farineuses, dont on se débarrasse à l'aide d'un Coton-Tige imbibé d'alcool ou d'un insecticide spécifique.

Des arrosages excessifs, en hiver particulièrement, provoquent le flétrissement des tiges et la pourriture des racines. En hiver, quand la plante est au repos, le substrat doit rester humide, certes, mais non trempé. Il faut donc juste assez d'eau pour éviter le dessèchement des racines.

Exposées trop longtemps en plein soleil, les feuilles brûlent. Assurer à la plante une exposition moins brûlante.

Epiphyllum crenatum Produit de magnifiques fleurs blanc-crème.

Espèces

Epiphyllum ackermanii Cette espèce très répandue, facile à cultiver, est caractérisée par ses longues tiges plates. Elle produit de nombreuses fleurs allongées, en forme d'entonnoir, de couleur rouge orangé vif (ci-contre).

Epiphyllum crenatum Chez cette espèce, les fleurs ne s'ouvrent que dans la journée. C'est une plante dressée, ramifiée, qui peut atteindre 90 cm de hauteur. Les tiges, de section arrondie à la base, sont ensuite aplaties sur presque toute leur longueur. Elles ressemblent plutôt à des feuilles, gris-vert, charnues, dotées de bords dentés. Les fleurs blanc-crème, en trompette, atteignent de 20 à 25 cm de long et 15 cm de diamètre. Les hybrides les plus répandus sont issus du croisement de cette espèce avec d'autres. Ces cultivars fleurissent mieux que l'espèce mère. Les variétés 'Cooperi' et 'Kimnachi' possèdent des fleurs blanches et parfumées, qui s'épanouissent à midi et ne durent que vingt-quatre heures. 'Dreamland' possède des fleurs rose orangé à gorge rose vif. Les fleurs de 'Impello' présentent toute une gamme de nuances allant du rouge au violet en passant par le rose. Particulièrement remarquable, 'King Midas' produit de grandes fleurs jaune d'or. Les pétales de 'Pegasus' sont orangés et ourlés de violet. 'Queen Ann' est doté de fleurs frisées jaunes. 'Space Rocket' (ci-dessous) se couvre d'énormes fleurs carmin bordé de rose, tandis que 'Reward' (ci-dessous, à droite) fleurit en jaune.

Erica

Famille : **Ericacées**

Nom usuel : **bruyère**

Aspect buissonnant	**Hauteur** de 40 à 60 cm	**Floraison** novembre-mars
Culture facile	**Exposition** mi-ombre	**Humidité** régulière

Surtout utilisées pour décorer jardins et balcons, les bruyères, du genre *Erica*, peuvent être cultivées avec succès à l'intérieur, où elles apportent de splendides notes colorées. Celles qui s'y prêtent sont de belles plantes originaires d'Afrique du Sud. À l'intérieur, leur taille excède rarement 60 cm. Elles prennent un port touffu aux tiges couvertes de minuscules feuilles en forme d'aiguillons. Vers la fin de l'automne, les rameaux se garnissent de petites fleurs tubulées ou en clochette. Il en existe de nombreuses variétés, les coloris allant du blanc au rouge foncé.

Erica gracilis est l'espèce la plus répandue par le biais de sa variété 'Alba', dont les fleurs blanches apparaissent à Noël. Parmi les autres espèces populaires, on trouve *Erica hyemalis* (également connue sous le nom d'*Erica perspicua*). Cet arbrisseau à port dressé se garnit de grappes de fleurs assez grandes. Tubulaires, elles se parent de blanc et de rose. Cette espèce pousse à l'état sauvage dans les zones marécageuses et humides de la province du Cap, en Afrique du Sud.

Erica gracilis Cette espèce fleurit à Noël.

TECHNIQUES DE CULTURE

Printemps et été. Si les racines ont envahi tout le pot, on rempotera au printemps, dans un bon substrat à base de tourbe (deux parties) auquel on ajoute du sable fin (une partie) pour assurer un bon drainage.

Les bruyères poussent dans une atmosphère fraîche. C'est pourquoi, en été, il est souhaitable de les maintenir dans un emplacement ombragé à l'extérieur plutôt que dans la maison, où la température devient trop élevée. On arrose alors abondamment. Toutes les deux ou trois semaines pendant la période de croissance, on ajoute deux ou trois gouttes d'engrais liquide à l'eau d'arrosage.

Automne et hiver. Les bruyères fleurissent à une température comprise entre 7 et 15 °C. Dans ces conditions, la floraison se prolonge de la fin de l'automne jusqu'au printemps, et les fleurs tiennent longtemps. Il faut aussi maintenir une bonne humidité atmosphérique en bassinant les pousses.

On arrose régulièrement afin de garder le substrat bien humide. Ces bruyères ne supportent pas les sols calcaires.

MULTIPLICATION

Préparer des boutures de 5 cm de long sur les branches latérales. On agit à la fin du printemps ou en été. Planter dans un mélange de tourbe et de sable grossier. Maintenir le tout en atmosphère humide, à une température ambiante de 18 à 24 °C et à mi-ombre jusqu'à ce que de nouvelles pousses apparaissent.

On peut placer le pot avec ses boutures dans un sac en plastique transparent maintenu fermé pour conserver l'humidité. Chaque jour, on ouvre le sac quelques minutes. Quand les boutures ont atteint 7 cm de hauteur, on les transplante dans un mélange à base de tourbe, mêlé à du sable grossier.

Espèces

Erica gracilis Cet arbuste ramifié atteint 45 cm de hauteur. Ses rameaux portent par centaines des grappes de fleurettes sphériques de couleur rose pourpré. Les feuilles, semblables à des aiguillons, sont vert clair. La variété 'Alba' produit des fleurs blanches. Elle fleurit en hiver.

Erica hyemalis (ou *Erica perspicua*) Cet arbuste, originaire d'Afrique du Sud, à port dressé épanouit sur ses rameaux des grappes denses et tubulaires, longues de 1 à 2 cm environ, où alternent le rose et le blanc (ci-dessus).

Erica melanthera C'est un arbuste touffu pouvant atteindre 60 cm de hauteur. Ses tiges minces et duveteuses portent de petites feuilles étroites. Les petites fleurs évasées sont roses à étamines noires.

Erica pageana Élégante, cette plante peut atteindre de 0,90 à 1,20 m de hauteur. En la taillant régulièrement et avec soin, on peut la maintenir à la moitié de cette hauteur. Les belles fleurs jaunes, campanulées, apparaîssent au début de l'automne.

Maladies et parasites

Des tiges fragiles et la chute des feuilles sont l'indice d'une sécheresse trop prolongée. Le substrat de culture doit rester humide en permanence. À l'inverse, un excès d'eau provoque la pourriture des racines, qui deviennent brunes et molles. Il faut alors laisser la plante au sec quelque temps, puis la rempoter en ajoutant du sable grossier au mélange pour améliorer le drainage. Par la suite, on se contentera d'arrosages plus légers pour maintenir la terre à peine fraîche.

De minuscules toiles alliées à l'apparition de rouge sur les feuilles sont l'indice de la présence d'araignées rouges, que l'on combat à l'aide d'insecticides spécifiques. Ce parasite se complaisant dans une atmosphère sèche, on préviendra son apparition en bassinant régulièrement la plante.

Euphorbia

Famille : **Euphorbiacées**

Nom usuel : **euphorbe**

Aspect	Hauteur	Floraison
buissonnant	de 0,60 cm à 1,50 m	novembre-janvier
Culture	**Exposition**	**Humidité**
facile	très lumineuse	légère

Le genre *Euphorbia* comprend un grand nombre de plantes différentes les unes des autres. Cela va du poinsettia, ou *Euphorbia pulcherrima*, doté de bractées rouges, à *Euphorbia milii*, ou épine du Christ, qui, avec ses tiges charnues aux aiguillons acérés, ressemble plus à un cactus .

Euphorbia pulcherrima (poinsettia) se distingue par sa rosette caractéristique de bractées (fausses feuilles) écarlates, semblables à des fleurs, apparaissant au sommet des tiges. Elles entourent des fleurettes plutôt insignifiantes de couleur jaune crème. La plante commence sa croissance en fin d'automne, et on conduit sa culture pour la faire fleurir vers Noël. On peut en acquérir avec des bractées de diverses couleurs allant du jaune pâle au blanc et au rose clair.

Ce n'est pas par hasard qu'*Euphorbia milii* s'appelle aussi épine du Christ. Si la plante ressemble à un cactus à cause des épines qui garnissent ses branches, elle n'en garde pas moins ses feuilles. Adulte, elle prend un port arbustif, avec des feuilles terminales vert vif et des fleurs minuscules entourées de bractées rouges ou jaunes, assez petites pour qu'on les confonde avec des pétales.

Les euphorbes ne se distinguent pas seulement par leur aspect : chacune a ses exigences particulières. Pour faciliter les choses, nous avons divisé les rubriques « Techniques de culture » et « Multiplication » en trois paragraphes distincts, selon qu'on traite des euphorbes arbustives, des poinsettias ou des euphorbes suffrutescentes.

Euphorbia pulcherrima Cette plante spectaculaire est une des plus populaires en Europe.

TECHNIQUES DE CULTURE

Printemps et été. Poinsettia : rabattre les tiges à 10 cm de la plante et laisser la terre presque au sec. On garde la plante pendant un mois à la lumière, mais loin du soleil, à température ambiante. Puis on arrose abondamment, et le poinsettia redémarre. Quand les premières pousses apparaissent, vers le mois de mai, on le rempote dans un mélange terreux neuf et dans un contenant pas trop grand. On maintient la plante en pleine lumière, mais toujours à l'abri du soleil, et l'on n'arrose que lorsque le sol est pratiquement sec. Tous les quinze jours, de la fin mai à septembre, on ajoute un peu d'engrais liquide à l'eau d'arrosage.

Autres euphorbes arbustives (du type *Euphorbia fulgens*) : on plante à la fin du printemps, dans un mélange additionné de sable grossier ou on commence chaque année une nouvelle série à l'aide de boutures enracinées. Ce type d'euphorbes réclame une température comprise entre 18 et 24 °C, une atmosphère humide et une bonne luminosité. Entre chaque arrosage, laisser le substrat sécher presque totalement. De juin à septembre, on ajoute toutes les deux semaines un engrais liquide à l'eau d'arrosage.

Euphorbes suffrutescentes : *Euphorbia milii, Euphorbia trigona, Euphorbia tirucallii* et *Euphorbia flanaganii* demandent une atmosphère sèche, une exposition très lumineuse et la température moyenne des intérieurs. On rempote au printemps, dans un milieu riche en sable, en disposant un lit de tessons au fond du pot. Arroser pour obtenir une terre fraîche. Tous les quinze jours, on ajoute quelques gouttes d'engrais liquide à l'eau.

Automne et hiver. Poinsettia : pendant huit semaines de suite, on enveloppe la plante dans un sac en plastique noir, quatorze heures sur vingt-quatre, du soir au lendemain matin. Puis on expose la plante en pleine lumière, mais à l'abri du soleil, à température ambiante, en arrosant peu et sans engrais.

Autres euphorbes arbustives : jusqu'à la floraison, on maintient la terre humide, puis on réduit les apports d'eau jusqu'à la fin du printemps. La température hivernale ne doit pas descendre sous 13 °C.

Euphorbes suffrutescentes : après la floraison, on arrose moins, en réduisant l'apport d'eau en fonction des baisses de température, sans laisser la terre sécher totalement. On laisse les plantes au soleil et à l'abri des courants d'air froid.

MULTIPLICATION

Poinsettias et autres euphorbes arbustives : la plante mère est arrosée au début du printemps pour encourager la reprise de la végétation. On taille ensuite des pousses de 7-10 cm de long et on les laisse tremper dans l'eau pour arrêter l'écoulement de sève. On plante ensuite chaque bouture isolément en godets de 7 cm de diamètre, dans un mélange de sable grossier et de tourbe. Couvrir les pots de sachets en plastique transparent et conserver à température ambiante, entre 18 et 24 °C, jusqu'à ce qu'apparaissent de nouvelles feuilles.

Euphorbes suffrutescentes : on peut prélever des boutures terminales au printemps et en été. Après les avoir raccourcies à 7-10 cm, on les trempe aussitôt dans un verre d'eau et on bassine les coupes pour arrêter l'écoulement de la sève caoutchouteuse. On laisse ensuite sécher les boutures pendant une journée avant de les planter dans des godets de 7 cm emplis de mélange à parts égales de sable grossier et de tourbe.

Le milieu doit être légèrement humide, sinon les boutures pourriront avant de s'enraciner. On laisse les godets découverts, exposés à une bonne lumière indirecte, loin des courants d'air et à une température de 18 °C. Au bout d'un mois, quand apparaissent les premières pousses, on repique dans un terreau de bonne qualité mêlé à autant de sable grossier et on cultive les jeunes plantes comme les adultes.

Maladies et parasites

Si la plante est attaquée par le botrytis (ci-dessous), une poudre impalpable apparaît au moindre choc sur les feuilles.

Des taches sur les feuilles (ci-dessus) sont l'indice d'un excès d'eau.

Les poinsettias et autres euphorbes arbustives peuvent jaunir soudainement et voir leurs feuilles tomber à la suite de l'exposition à des courants d'air trop froids ou à une atmosphère très polluée. Il faut alors placer la plante dans un milieu plus accueillant.

La décoloration des bractées et des feuilles est due à un excès d'humidité. Si on laisse la plante tremper, les racines pourrissent, les feuilles et les bractées tombent. Mieux vaut laisser sécher le mélange entre deux arrosages.

Les pucerons verts attaquent les jeunes pousses par colonies entières et provoquent le recroquevillement des feuilles. On les combat en pulvérisant sur toute la plante un insecticide spécifique, efficace également contre les cochenilles à bouclier, qui vivent au détriment de la plante dont elles sucent la sève sur les tout jeunes bourgeons. On les reconnaît à l'apparition de petites excroissances aplaties sous les feuilles et les tiges.

Les poinsettias peuvent aussi être victimes d'une maladie cryptogamique, le botrytis, qui se signale par des taches grisâtres sur les feuilles et les rameaux de la base. On traite cette affection en ôtant les parties atteintes et en traitant à l'aide d'un fongicide spécifique.

Les euphorbes suffrutescentes sont sujettes à la pourriture des tiges, des feuilles et des racines, à laquelle on remédie en retirant les parties atteintes, en plaçant la plante dans un lieu sec et en réduisant les arrosages.

Espèces

Euphorbia flanaganii Cette espèce suffrutescente est caractérisée par des tiges minces et charnues, longues de 15 à 20 cm; elle produit occasionnellement de nombreuses fleurs entourées de bractées jaunes.

Euphorbia fulgens Arbustive, cette espèce est connue sous le nom d'*Euphorbia jacquinæflora.* Les feuilles sont étroites et lancéolées, les tiges arquées. La plante atteint 1,20 m de haut. Les fleurs, aux bractées rouges ou blanches, apparaissent en hiver.

Euphorbia milii (syn. *Euphorbia splendens*) Les tiges de cet arbrisseau demi-succulent sont épineuses, dotées de bouquets de feuilles à leur extrémité. La plante atteint 45 cm de hauteur. En hiver apparaissent des fleurettes blanches, entourées de grandes bractées rouge vif (ci-dessus, à droite). La variété 'Tananarivæ' (ci-dessus, à gauche) produit des bractées jaunes.

Euphorbia pulcherrima On connaît mieux cette plante sous le nom de *poinsettia pulcherrima*. C'est un arbuste à feuilles caduques originaire du Mexique, qui, cultivé à l'intérieur, atteint de 1,20 à 1,50 m de hauteur. Les feuilles, grandes, légèrement lobées, sont portées par de minces tiges ramifiées. Les petites fleurs jaunes apparaissent en hiver, bien qu'on puisse les faire fleurir en toute saison grâce au forçage. Elles sont entourées de bractées colorées, disposées en étoile autour du groupe de fleurs et au-dessus du feuillage vert mat. Les couleurs de ces bractées varient du crème au rouge vif, de l'écarlate au rose.

Euphorbia tirucallii Cette plante peut atteindre 2 m de hauteur. Elle se compose de tiges cylindriques charnues, aux feuilles minuscules. Comme elle fleurit très rarement, elle paraît assez dépouillée.

Euphorbia trigona Cette plante érigée, suffrutescente et ramifiée, produit de grosses tiges côtelées vert sombre, ornées de mouchetures jaunes. La floraison est rare.

ATTENTION
Le latex de la plupart des euphorbes est extrêmement caustique. Il faut donc faire attention quand on manipule les plantes. Si on prélève des boutures, il faut se laver les mains très soigneusement ou, mieux encore, utiliser des gants en caoutchouc.

Multiplication d'*Euphorbia milii* : on coupe sur l'extrémité des tiges des boutures de 7 cm de long.

On met les boutures à tremper et on bassine les coupes sur les plantes mères pour arrêter l'écoulement de la sève laiteuse.

Placer ensuite les boutures, après les avoir laissé sécher, dans un mélange à parts égales de tourbe et de sable grossier.

Ficus

Famille : **Moracées**

Nom usuel : **ficus**

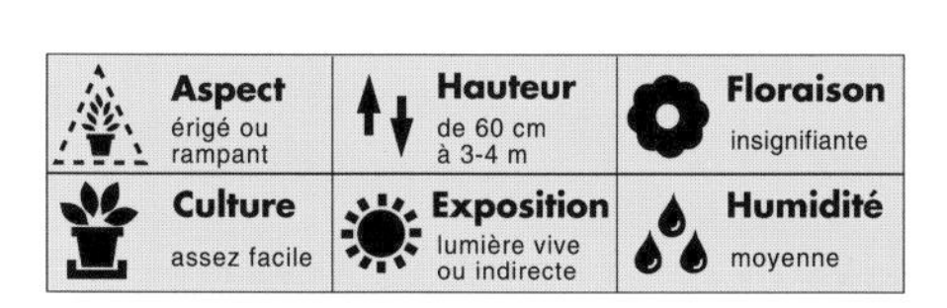

Aspect érigé ou rampant	**Hauteur** de 60 cm à 3-4 m	**Floraison** insignifiante
Culture assez facile	**Exposition** lumière vive ou indirecte	**Humidité** moyenne

Ficus elastica Un grand classique des plantes d'appartement, dont la vogue n'est pas près de finir.

En latin, *ficus* signifie « figue ». Mais le figuier n'est qu'une des quelque huit cents ou neuf cents espèces de ce genre qui comprend quelques-unes des plantes vertes les plus universellement répandues, en particulier le classique caoutchouc *(Ficus elastica),* indémodable car facile à vivre. Et même si on s'en lasse, les Ficus offrent tant de diversité qu'il est possible de composer tout un jardin d'intérieur en s'en tenant aux seuls représentants de ce genre éclectique. Il y a des ficus miniatures et des ficus géants, qui atteignent aisément 3 m de hauteur; les uns ont de petites feuilles qui frémissent au moindre souffle d'air, les autres de grandes feuilles charnues et rigides que l'on dirait cirées. Certains, enfin, sont rampants...

TECHNIQUES DE CULTURE

Printemps et été. Rempoter au printemps, et seulement si les racines ont envahi tout l'espace disponible, car les ficus se plaisent un peu à l'étroit. Un mélange à base de terreau conviendra

Pour bouturer un figuier pleureur, prélever des segments terminaux d'environ 15 cm de longueur.

Ôter les feuilles inférieures et laisser sécher pendant une nuit entière.

Planter les boutures dans un mélange à parts égales de sable et de terreau.

aux espèces à grandes feuilles, tandis que les ficus rampants préféreront un compost à base de tourbe. À l'exception de *Ficus pumila,* qui se plaît à mi-ombre, ces plantes aiment la lumière et apprécient même quelques heures de soleil par jour pour les variétés panachées (en évitant les rayons trop ardents de la mi-journée).

Presque tous originaires de la forêt tropicale, les ficus ont besoin d'un air humide. De fréquentes vaporisations à l'eau douce nettoieront leur feuillage tout en maintenant un taux suffisant d'humidité atmosphérique. Toutefois, ils doivent pour la plupart être arrosés avec modération (là encore, exception pour *Ficus pumila,* qui ne prospère que dans un compost bien imbibé d'eau).

Un bâton couvert de mousse constitue un support adéquat pour les ficus rampants.

Enfoncer d'abord solidement le tuteur, puis installer la plante (ici, *Ficus pumila*).

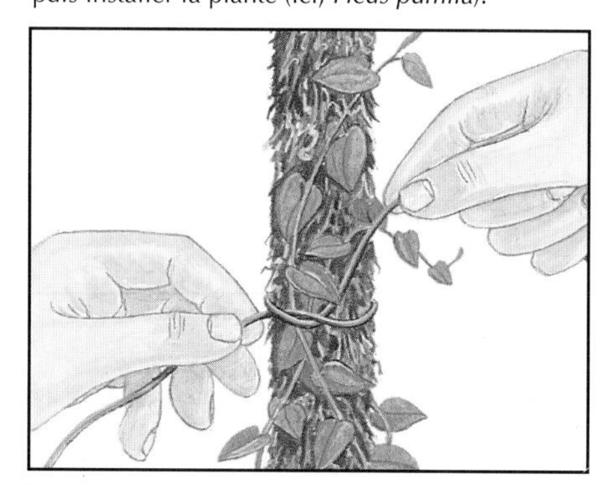

Attacher les rameaux au support, sans serrer, avec des liens en fil de fer plastifié.

Ficus benghalensis Originaire de l'Assam, le banian est l'espèce la plus robuste. Dans ses forêts natales, c'est un arbre majestueux, émettant de spectaculaires racines aériennes qui descendent des branches maîtresses jusqu'au sol, chose impossible dans un pot. Moins connu que le caoutchouc, ce ficus luxuriant est aussi facile à cultiver à l'intérieur, où il atteint facilement une hauteur de 2,50 m en une dizaine d'années. Ses feuilles vert sombre, ovales et pointues, aux fortes nervures saillantes et aux bords ondulés, sont à la fois coriaces et légèrement duveteuses.

Ficus benjamina Le figuier pleureur (cidessus) est un gracieux petit arbre dépassant rarement 2 m de hauteur, aux branches fines et souples, légèrement retombantes, et aux petites feuilles elliptiques ondulées d'un vert vif qui devient progressivement plus foncé avec les années. Son écorce tend à se craqueler par plaques, offrant ainsi des repaires aux divers insectes et parasites, qu'il est ensuite difficile de déloger. Un traitement préventif avec un insecticide systémique et un contrôle régulier sont donc à conseiller.

Ficus buxifolia Ce n'est que depuis peu que les pépiniéristes proposent cette espèce, qui tire son nom de ses petites feuilles triangulaires rappelant celles du buis. Cet arbuste doit son élégance à ses tiges fines et souples, couvertes d'une belle écorce de teinte cuivrée.

Ficus deltoidea On désigne encore souvent cette espèce originaire de Malaisie sous son ancien nom de *F. diversifolia.* Sa nouvelle appellation vient de la forme triangulaire (comme le *delta* de l'alphabet grec) de ses

feuilles épaisses, dont la partie la plus étroite est attachée au pétiole (ci-dessus). Des mouchetures jaunes marquent la face supérieure, tandis que le revers est tacheté de gris. À noter que c'est le seul ficus qui produise des fruits (de petites baies jaune-brun) en étant cultivé à l'intérieur.

Ficus elastica Faut-il encore présenter le caoutchouc ? Il s'adapte partout, pourvu qu'on lui évite les courants d'air et qu'on ne le noie pas sous l'eau. Néanmoins, ses feuilles charnues, quoique assez coriaces, peuvent se casser si on les heurte, et de la moindre meurtrissure s'écoule un latex abondant. Pour éviter les cicatrices indélébiles et peu esthétiques, il faut aussitôt « cautériser » la blessure en la saupoudrant de poudre de charbon de bois. Si l'on est rebuté par son aspect trop vertical (une tige unique sur laquelle s'insèrent les feuilles coriaces et vernissées à court pétiole), on peut le forcer à se ramifier en établissant une ligature au tiers inférieur de la tige, ce qui provoque l'apparition de nouveaux yeux (points de croissance) au-dessous de ce garrot. Parmi les différentes variétés, 'Decora' se signale par ses feuilles naissantes enroulées et étroitement gainées par une membrane rouge. 'Decora Variegata' est apprécié pour ses feuilles aux dessins bicolores, vert sombre et crème. Citons encore la variété 'Tricolor', tachetée de rose et d'ivoire sur fond vert, ou encore 'Black Prince', aux larges feuilles d'un vert si sombre qu'il paraît noir.

Ficus lyrata Le figuier-lyre (ci-dessus, à droite) est peut-être l'espèce la plus décorative avec ses grandes feuilles ondulées (40 cm de longueur) en forme de violon. Brillantes et d'un vert intense, elles ont des nervures bien apparentes. C'est une plante un peu plus fragile que les espèces précédentes, qui a besoin de beaucoup d'humidité et qui peut s'étioler si on la place trop près d'une source de chaleur.

Ficus pumila On l'appelle encore *Ficus repens*. C'est le figuier nain (en haut, à gauche), une espèce rampante et très ramifiée, qui s'accroche à tous les supports en émettant des racines aériennes. Il existe une variété panachée, 'Variegata', qui demande davantage de lumière, faute de quoi elle redevient uniformément verte. Même si on la cultive dans de bonnes conditions, on voit réapparaître des parties entièrement vertes.

Ficus sagittata Un autre ficus rampant à feuilles coriaces, oblongues et lancéolées dont il existe également une variété panachée vert argenté et ivoire.

Maladies et parasites

Ce figuier nain *(Ficus pumila)* a manqué d'eau.

Ce caoutchouc *(Ficus elastica)* aux feuilles molles a, au contraire, été trop arrosé.

Le manque d'eau peut certes être catastrophique, surtout pendant une longue période : les feuilles jaunissent sur les bords, se parcheminent et enfin se dessèchent irrémédiablement. Mais les problèmes dus à l'excès d'arrosage sont bien plus fréquents, surtout si on laisse le pot en permanence dans une soucoupe pleine d'eau : les feuilles perdent tout tonus, elles s'amollissent et se flétrissent, véritablement asphyxiées, et, finalement, elles tombent (d'abord celles de la base, un indice flagrant de surarrosage).

Dans l'atmosphère trop sèche d'une pièce chauffée, les ficus risquent d'être envahis par les araignées rouges. Pulvériser un insecticide en insistant sur la face inférieure des feuilles, où ces minuscules insectes tendent leurs toiles, et veiller à entretenir une humidité suffisante, ce qui est le meilleur moyen d'éviter une nouvelle invasion.

Contre les cochenilles (brunes ou farineuses) et les pucerons, la prévention la plus efficace consiste à traiter tous les deux mois le compost avec un insecticide systémique.

Moins exigeants en ce qui concerne la température, ils s'accommodent des conditions ordinaires de la plupart des appartements (*F. pumila* aime la fraîcheur et supporte sans dommage 5 °C). Pendant toute la période de croissance, nourrir tous les quinze jours avec un fertilisant liquide dilué dans l'eau d'arrosage.

Il est important de nettoyer régulièrement les feuilles pour les débarrasser de la poussière qui obstrue leurs pores. Procéder délicatement avec une éponge humide, sauf pour le banian *(F. benghalensis)*, dont les feuilles duveteuses sont trop fragiles et pour lequel on se contentera de brumisations. N'employer les produits lustrants qu'avec circonspection, et jamais plus d'une fois par mois.

Automne et hiver. Pendant cette période de repos végétatif, réduire les arrosages en veillant simplement à ne pas laisser le compost se dessécher en profondeur et cesser de donner de l'engrais. En revanche, continuer les vaporisations pour combattre les effets nocifs de l'air desséché par le chauffage central. En règle générale, les températures ne doivent pas être inférieures à 13 °C.

MULTIPLICATION

Les boutures ne réussissent bien qu'avec les espèces à petites feuilles (prélever des segments terminaux d'une quinzaine de centimètres de longueur et les planter dans un mélange de tourbe et de sable en enfermant le pot dans un sachet en plastique). Elles sont déconseillées avec les ficus à feuilles épaisses comme le caoutchouc ou le figuier-lyre *(F. lyrata)*, en raison du latex qui s'écoule abondamment des entailles. Dans ce cas, on peut avoir recours aux marcottes.

Fittonia

Famille : **Acanthacées**
Nom usuel : **fittonia**

Aspect	**Hauteur**	**Floraison**
rampant	de 30 à 50 cm	insignifiante
Culture	**Exposition**	**Humidité**
convient au terrarium	mi-ombre	modérée

Fittonia verschaffeltii Tout son attrait vient du délicat réseau de ses nervures.

À l'état naturel, les fittonias, petites plantes basses et rampantes originaires d'Amérique du Sud, vivent à l'étage inférieur de la forêt pluviale, dans une atmosphère moite où ne filtre qu'à peine la lumière du soleil. C'est pourquoi les deux espèces cultivées chez nous se plaisent à mi-ombre et ont besoin d'une chaleur et d'une humidité constantes. En appartement, il leur faudra des soins attentifs, mais on les cultivera très facilement en bouteille ou dans un terrarium.

Espèces

Fittonia argyroneura Littéralement « à nervures argentées ». Son charme, en effet, réside dans ce réseau de nervures qui dessine une fine dentelle sur le vert des feuilles. La variété 'Nana', miniature, (ci-dessus) est particulièrement appréciée.

Fittonia verschaffeltii Parfaite pour couvrir le sol avec son feuillage compact, d'un beau vert bronze clair sur lequel se détachent les nervures carminées.

TECHNIQUES DE CULTURE

Printemps et été. Rempoter en mars-avril dans des contenants larges et bas (les racines sont peu développées), où l'on groupera trois ou quatre plants. Il faut à ces plantes un compost plutôt acide et conservant bien l'humidité, par exemple un mélange de terreau de feuilles et de tourbe, avec une part de sable pour améliorer le drainage.

Le soleil est l'ennemi des fittonias : les tenir à l'abri de ses rayons et leur éviter même la pleine lumière, qui parchemine leurs feuilles délicates. Veiller à assurer une température minimale de 18 °C (attention aux petits matins frisquets du printemps lorsque le chauffage est éteint). Au-dessus de 25 °C, il faudra impérativement maintenir un taux très élevé d'humidité atmosphérique par des vaporisations quotidiennes d'eau douce. Placer le pot sur un lit de cailloux mouillés ou le placer dans un récipient plus large garni de tourbe humide.

Arroser très fréquemment (au moins trois fois par semaine, voire quotidiennement par temps chaud et sec), mais par petites doses et sans laisser d'eau dans la soucoupe : la motte ne doit jamais être saturée, car racines et tiges pourrissent facilement (des feuilles inférieures qui jaunissent sont souvent l'indice d'un arrosage trop abondant). Nourrir tous les quinze jours avec un engrais liquide dilué dans l'eau d'arrosage, en n'employant que la moitié de la dose indiquée.

N'employer en aucun cas de produits lustrants, qui brûleraient les feuilles : les vaporisations suffiront à les dépoussiérer.

Il arrive que les fittonias fleurissent. Leurs minuscules fleurs blanches, à peine visibles sous le feuillage, n'on aucun intérêt décoratif. Mieux vaut les enlever à mesure, car leur développement se ferait au détriment de la beauté du feuillage.

Automne et hiver. Là encore, la température ne doit pas descendre au-dessous de 18 °C. Attention à l'air desséché par le chauffage central : l'humidificateur électrique peut être la meilleure solution. Continuer à arroser régulièrement, mais à doses restreintes.

MULTIPLICATION

On peut prélever toute l'année des boutures de jeunes pousses qui s'enracineront facilement si on les tient à la chaleur et à l'humidité, à l'abri de la lumière directe, c'est-à-dire à peu près dans les conditions requises pour les plantes adultes.

Maladies et parasites

Inspecter régulièrement le sommet de la plante, car les pucerons y établissent volontiers leurs colonies, et sucent la sève des jeunes feuilles tendres. Des pulvérisations répétées d'insecticide à base de pyrèthre, efficace et peu toxique, suffiront en principe à les éliminer.

Fuchsia

Famille : **Onagracées**

Nom usuel : **fuchsia**

On a longtemps considéré les fuchsias comme des plantes de serre, sans doute à cause de la délicatesse de leurs gracieuses fleurs en clochettes pendant au bout de pédoncules aussi fins que des fils. Puis on a découvert au siècle dernier qu'ils supportaient finalement très bien les hivers de nos pays tempérés.

Dédié à Bernard Fuchs, botaniste allemand du XVIe siècle, le genre comprend une cinquantaine d'espèces originaires d'Amérique tropicale et d'Amérique australe, auxquelles il faut ajouter plusieurs espèces néo-zélandaises.

Comme les roses ou les tulipes, les fuchsias ont leurs amateurs passionnés, à l'affût des nouvelles variétés créées par les pépiniéristes (on en dénombrait récemment plus de deux mille). Sous les climats doux, les espèces les plus rustiques se plantent en pleine terre, mais certains des fuchsias se cultivent très bien en pot et peuvent même s'acclimater à l'intérieur.

TECHNIQUES DE CULTURE

Printemps et été. Rempoter en mars dans un mélange à base de terreau, après avoir rabattu les nouvelles pousses aux tiers de leur longueur pour conserver à la plante une forme régulière. Placer le pot en pleine lumière, en le protégeant toutefois des ardeurs du soleil de midi, et à une température de 15-16 °C (18 °C au maximum si l'humidité est élevée).

Arroser (modérément) dès que la surface du compost commence à sécher. Par temps sec, vaporiser tous les deux ou trois jours avec de l'eau non calcaire. Le fuchsia est gourmand : dès la formation des premiers bourgeons floraux et jusqu'à la fin de la floraison, nourrir chaque semaine avec un engrais liquide.

Automne et hiver. Laisser reposer le fuchsia au frais (de 7 à 10 °C) , sans vaporiser et en laissant sécher la terre presque complètement entre deux arrosages. Ni engrais ni vaporisations

MULTIPLICATION

Très facile par boutures de pousses terminales prélevées au moment de la taille. Planter dans un mélange de tourbe et de sable légèrement humidifié et tenir à l'étouffée à 18 °C. Après enracinement, pincer les bourgeons terminaux pour stimuler la ramification.

Maladies et parasites

L'apparition de plaques blanchâtres d'aspect laineux à l'aisselle des feuilles révèle la présence des cochenilles farineuses. Pulvériser un insecticide à base de malathion dilué, puis éliminer les parasites visibles et les cocons laineux à la pince à épiler ou avec un Coton-Tige trempé dans l'alcool dénaturé. Répéter l'opération tous les quinze jours. Pour prévenir toute invasion (en particulier celle des pucerons verts), traiter au printemps avec un insecticide systémique.

Fuchsia fulgens Les longues fleurs tubuleuses du fuchsia brillant s'épanouissent de mai à octobre.

Multiplication par boutures : prélever des boutures terminales de 8 à 10 cm.

Planter les boutures après avoir ôté les feuilles inférieures et couvrir le pot avec un sachet en plastique transparent.

Espèces

Fuchsia fulgens Originaire du Mexique, le fuchsia brillant est un bel arbuste de 1 m à 1,60 m de hauteur, aux racines tubéreuses et aux tiges charnues de couleur rouge. D'un vert plus ou moins soutenu, ses feuilles cordiformes et dentées ont des reflets violacés. L'espèce doit son nom latin à la teinte vermillon intense, nuancée de corail, de ses longues fleurs tubuleuses qui pendent en bouquets drus à l'extrémité des rameaux. C'est le plus connu des fuchsias, et on le cultive aussi bien en pleine terre que sur les balcons ou à l'intérieur.

Fuchsia magellanica Connue également sous le nom de *Fuchsia macrostemma,* cette espèce sud-américaine, dont l'aire de diffusion s'étend du Pérou à la Terre de Feu, est l'une des plus rustiques et a engendré de superbes variétés. Avec ses branches arquées et ses abondantes fleurs rouges et violettes, 'Gracilis' convient bien pour les haies; 'Alba' se reconnaît à ses feuilles brillantes et ses fleurs rose pâle; la séduction de 'Versicolor' est double : ses fleurs bicolores où le crème se marie à l'écarlate, et son feuillage gris-vert panaché de blanc, de jaune et de rose.

Fuchsia procumbens Plus rare, cette espèce rampante originaire de Nouvelle-Zélande, à fleurs tricolores associant l'orange, le pourpre et le vert (ci-dessus), est parfaite pour les corbeilles suspendues.

Fuchsias hybrides Vigoureux et résistants, ils sont pour la plupart issus du croisement de *F. fulgens* et de *F. magellanica.* Citons notamment 'Winston Churchill' (en haut, à droite), aux grandes fleurs doubles violettes et rose vif, 'Cascade' (ci-contre), aux fleurs de deux nuances de rose, ou encore 'Théroigne de Méricourt', à corolle blanche et calice écarlate.

Hedera

Famille : **Araliacées**

Nom usuel : **lierre**

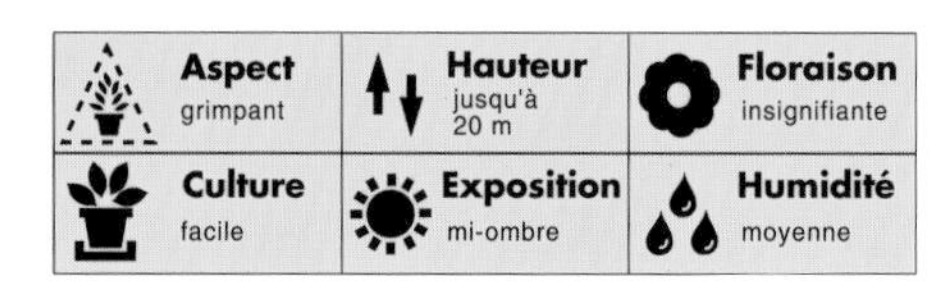

Aspect grimpant	**Hauteur** jusqu'à 20 m	**Floraison** insignifiante
Culture facile	**Exposition** mi-ombre	**Humidité** moyenne

Hedera helix L'une des très nombreuses et si séduisantes variétés panachées.

Le lierre a un fort beau blason. Connu depuis l'aube de l'humanité, il était honoré par les anciens Grecs, qui l'avaient consacré au dieu Bacchus. La longévité de cette plante grimpante est légendaire, puisque l'on affirme qu'elle peut vivre plus de deux cents ans. Et n'oublions pas ses vertus médicinales : antispamodique, expectorant, dépuratif, le lierre est efficace contre les rhumatismes, les œdèmes, l'hypertension... et même la cellulite, si l'on en croit la cosmétologie moderne.

Cette plante ligneuse et toujours verte, qui s'attache partout grâce à ses racines adventives qui se transforment en crampons (et qui lui permettent de se fixer aussi solidement sur les murs que sur l'écorce des arbres), prospère aussi bien dans les lieux sombres et humides, sur les sols frais, qu'en plein soleil et sur les pierrailles sèches. N'oublions pas cependant que c'est un parasite qui vit aux dépens des arbres qu'il embrasse si étroitement qu'il peut finir par les étouffer, qui détériore les murs et qui chasse toute autre végétation du sol qu'il a envahi.

Ses feuilles coriaces et alternes, à la surface luisante vert sombre, plus ou moins légèrement veinée de blanc, comportent de trois à cinq lobes sur les rameaux stériles (tandis qu'elles sont ovales et entières sur les rameaux florifères). Les petites fleurs jaune-vert, assez insignifiantes et réunies en ombelles, apparaissent en été et font le bonheur des abeilles. À la fin de l'été ou au début de l'automne, elles donnent naissance à de minuscules baies noires de la grosseur d'un petit pois, amères et toxiques. Il faut signaler enfin que le lierre commun *(Hedera helix)* est l'une des très rares plantes de nos forêts et de nos campagnes qui se soient acclimatées comme plante d'appartement.

TECHNIQUES DE CULTURE

Printemps et été. Le lierre se rempote en général au printemps, dans un bon compost à base de terreau frais, mais les jeunes plants à croissance rapide peuvent avoir besoin de plusieurs rempotages par an.

Placer le pot dans un endroit bien éclairé (surtout pour les variétés panachées, qui ont besoin de lumière pour garder leurs couleurs), mais il faut savoir que le lierre s'accommodera malgré tout de l'ombre. Si les températures dépassent 16-18 °C, il faudra maintenir une bonne humidité ambiante par de fréquentes vaporisations d'eau douce, qui dépoussiéreront également le feuillage.

Arroser au maximum deux fois par semaines et modérément, car le lierre craint tout excès d'eau. Nourrir tous les quinze jours avec un bon engrais liquide. Tailler pour maintenir un port buissonnant ou bien pour ramener à de justes proportions les tiges des espèces cultivées en corbeilles suspendues. Veiller à fournir tuteurs et palissage de taille suffisante aux lierres grimpants. Les lierres ne fleurissent jamais à l'intérieur.

Automne et hiver. Le lierre est très tolérant en ce qui concerne les températures : c'est une espèce idéale pour les maisons de campagne mal chauffées puisqu'il supporte sans problème 7 °C.

Ne jamais arroser plus d'une fois par semaine (il suffit bien souvent de donner un peu d'eau tous les dix jours).

MULTIPLICATION

Par marcottes ou bien par boutures. Prélever au printemps des segments de tige de 8 ou 10 cm et les planter dans un mélange de terreau et de sable, qui sera tenu à l'étouffée et à 15-16 °C. Les rejets se développent facilement dans l'eau.

Espèces

Hedera colchica Une plante vigoureuse à croissance rapide, qui vient de l'Iran et qui grimpe jusqu'à des hauteurs impressionnantes. Ses feuilles cordées sont les plus grandes qui se rencontrent à l'intérieur du genre (25 cm de longueur sur 15-20 cm de largeur). Parmi les diverses variétés, 'Aurea' se différencie par ses feuilles un peu plus petites, saupoudrées de petites taches jaunes et blanc crème. 'Dentata' (ci-dessous, à droite) présente des panachures jaunes.

Hedera helix C'est le lierre des bois, ou lierre commun, omniprésent dans nos paysages, dans les forêts, les bosquets, le moindre boqueteau, les jardins publics, sans parler des murs, qu'il recouvre généreusement, à sa manière plutôt envahissante. Typiquement européenne, cette espèce qui peut atteindre 30 m de hauteur — si ses rameaux flexibles trouvent un support adéquat — a donné naissance à la majorité des variétés ornementales.

La variété 'Chicago', l'une des plus connues, sans doute en raison de son étonnante robustesse, est aussi populaire comme plante grimpante que comme variété rampante, et peut tomber en cascade. La variété 'Chicago Variegata' y joint la séduction d'un feuillage bicolore, avec une bordure jaune crème. La variété 'Glacier' (en bas, à droite), non moins appréciée, se nuance joliment de gris argent, toujours avec des marges couleur crème. Comme son nom l'indique, 'Sagittæfolia', panachée de vert pâle et de jaune, a des feuilles en forme de pointe de flèche. C'est une variété rampante très appréciée. Beaucoup plus spectaculaire, la variété 'Goldheart' (en bas, à gauche) a des feuilles aux motifs fortement contrastés, jaune crème et vert bouteille. Plus discrète, la variété 'Little Diamond' (Ci-dessous, à gauche) a des feuilles en forme de losange d'une subtile teinte vert olive avec des panachures couleur crème.

Espèces

Hedera canariensis Originaire des îles Canaries, de Madère et d'Afrique du Nord, cette liane vigoureuse est moins rustique que *H. helix*, mais s'acclimate fort bien en appartement. Ses feuilles ovales ou triangulaires, aux lobes peu accentués, peuvent atteindre 15 cm de longueur. La variété 'Gloire de Marengo', appelée 'Variegata' dans les pays anglo-saxons, a des feuilles panachées de gris argent et largement ourlées de crème (ci-dessous et ci-contre). La variété 'Ghost Tree' doit son nom à son feuillage qui tremble au moindre souffle d'air.

Guide d'achat

Les lierres d'appartement se ramifient d'eux-mêmes si on veille à pincer les pousses terminales. Non taillés, ils se développent tout en longueur et de façon anarchique. Au moment de l'achat, sélectionner toujours des plantes à port très buissonnant, qui présentent de nombreuses pousses.

Ne choisir une variété panachée que si on peut lui offrir assez de lumière, faute de quoi ses feuilles deviendront peu à peu uniformément vertes (tout excès d'engrais tendra également à leur faire perdre leurs couleurs).

Pour réaliser une marcotte, choisir une tige vigoureuse et l'inciser juste au-dessous du point d'insertion d'une feuille.

Courber la tige jusqu'à un petit pot rempli de compost frais et l'y enfoncer de manière à ce que la partie incisée soit enterrée.

Dès que le segment enterré s'est enraciné, sectionner la tige pour séparer la nouvelle plantule de la plante mère.

Maladies et parasites

Plantes assez faciles à cultiver en appartement, les lierres sont cependant sensibles aux attaques des insectes et des parasites. Dans les atmosphères chaudes et sèches, ils sont fréquemment envahis par les araignées rouges : des filaments blanchâtres tapissent la face inférieure des feuilles, qui jaunissent et s'enroulent. Des pulvérisations répétées avec un insecticide à base de derris ou de malathion (attention, ce dernier produit est extrêmement toxique) donneront de bons résultats. Pour prévenir toute nouvelle infestation, placer la plante plus au frais et vaporiser quotidiennement le feuillage à l'eau douce.

Des mouchetures ou des marbrures blanchâtres sur les jeunes feuilles sont en général dues aux thrips. On éliminera ces minuscules insectes suceurs en pulvérisant un produit à base de pyrèthre ou bien en traitant avec un insecticide systémique.

Des feuilles décolorées, parsemées de petites plaques écailleuses révèlent la présence des cochenilles brunes. Nettoyer avec un tampon de coton imbibé d'alcool dénaturé, puis pulvériser un insecticide à base de pyrèthre, également efficace contre les pucerons verts qui déforment les feuilles et les rendent gluantes. Ne jamais laisser proliférer ces insectes, qui provoquent l'apparition de plaques de fumagine (moisissure noire et poudreuse, semblable à de la suie).

Hedychium

Famille : **Zingibéracées**

Nom usuel : **hédychium**

Aspect port dressé	**Hauteur** de 1 à 2 m	**Floraison** en été
Culture craint froid et sécheresse	**Exposition** plein soleil	**Humidité** abondante

Hedychium gardnerianum Apprécié pour le charme exotique de ses volumineux épis floraux.

Avec leurs tiges hautes et rigides comme celles des roseaux et leurs grandes feuilles lancéolées qui couvrent rapidement massifs et plates-bandes, ces belles plantes exotiques à souche rhizomateuse ressemblent un peu aux cannas, et elles ont sensiblement les mêmes exigences.

On en connaît une quarantaine d'espèces, originaires du sud de l'Asie (avec une aire de diffusion qui s'étend jusqu'aux Philippines et même jusqu'à Madagascar), qui diffèrent essentiellement par la forme de leurs feuilles, plus ou moins larges, et par la couleur de leurs fleurs parfumées, réunies en volumineux épis terminaux de forme conique.

Aimant la chaleur et l'humidité — ils se plaisent au bord des pièces d'eau et supportent d'avoir les pieds immergés —, les hédychiums ne sont rustiques que sur la Côte d'Azur (zone de l'oranger). Sous les climats moins doux, il faudra tenir leurs rhizomes à l'abri du froid pendant l'hiver ou bien les cultiver en grandes potées fleuries sur les terrasses et les balcons bien ensoleillés.

TECHNIQUES DE CULTURE

Printemps et été. Attendre le mois de mai, lorsque tout risque de gelée matinale sera écarté, pour mettre les rhizomes en terre dans un sol fertile et léger, enrichi en matières organiques (fumier bien décomposé), en choisissant l'exposition la plus ensoleillée. Si on les cultive en pot (choisir un récipient assez grand), les planter dans un mélange de terre de jardin, de terre de bruyère, de terreau de fumier et de sable.

Les arrosages doivent être très fréquents et de plus en plus copieux à mesure que les plantes se développent. Par grande chaleur, vaporiser à l'eau douce tous les matins. Les hédychiums sont des plantes particulièrement gourmandes, et il leur faudra un substantiel apport d'engrais (une fois par semaine).

Automne et hiver. Après la floraison, tiges et feuilles ne tardent pas à se flétrir. Les couper alors au ras de terre. Si les hivers sont relativement cléments, on se contentera de protéger le sol par une litière de paille ou de feuilles mortes. Sinon, on prélèvera les rhizomes et on les entreposera dans un endroit sec et bien aéré jusqu'au printemps.

MULTIPLICATION

Par division des rhizomes au printemps, en serre chaude ou sous châssis. On peut aussi procéder par semis, mais les plantes sont longues à se développer.

Espèces

Hedychium coronarium Originaire du nord de l'Inde, cette espèce à fleurs blanches et suavement parfumées a donné son nom au genre : du grec *hedys* (« doux, sucré ») et *chion* (« neige »). Apparaissant à l'aisselle d'une étroite bractée grisâtre et émergeant d'un calice étroit, fendu sur un côté, les corolles tubuleuses, longues de plus de 8 cm, se terminent par des segments linéaires étroits et par un grand labelle orbiculaire à deux lobes. La floraison a lieu de fin juin à août.

Hedychium gardnerianum Ses corolles odorantes s'épanouissent de juillet à septembre. De chacune des corolles jaune citron à base orangée sort une longue étamine de couleur écarlate.

Hedychium flavum Cette espèce a des feuilles plus étroites et pointues. Très parfumées, ses fleurs d'un jaune d'or éclatant sont réunies en épis d'une quinzaine de centimètres de longueur.

Hemerocallis

Famille : **Liliacées**

Noms usuels : **hémérocalle, lis d'un jour**

Hemerocallis fulva Ses splendides fleurs orangées ressemblent à celles des lis.

On les appelle parfois lis d'un jour, car leurs fleurs somptueuses, qui présentent toutes les nuances du jaune clair au rouge orangé, en passant par le brun fauve, sont aussi belles que celles des lis, mais ne durent pas plus de vingt-quatre heures (elles sont fort heureusement aussitôt remplacées par d'autres). « Beauté d'un jour », telle est également la signification littérale du nom du genre, du grec *hemeros* (« jour ») et *kallos* (« beauté »).

On connaît quelque vingt espèces d'hémérocalles, originaires des zones tempérées d'Europe et d'Asie, sans parler des nombreux hybrides et cultivars aux teintes sophistiquées proposés par les horticulteurs. Ces plantes herbacées vivaces ont des racines rhizomateuses charnues et fasciculées, qui donnent naissance à une épaisse touffe de feuilles en lanières élégamment arquées. De cette touffe jaillissent des hampes florales rigides et nues, qui portent à leur extrémité plusieurs grandes fleurs en trompette, qui rappellent beaucoup, en effet, celles des lis avec leurs périanthes s'évasant en six divercules réguliers et leurs six longues étamines à filets libres.

Les hémérocalles reviennent à l'honneur dans nos jardins, et ce n'est que justice, car elles s'adaptent à tous les sols, argileux, calcaires ou acides, et à tous les climats : il suffit de moduler les arrosages en fonction des conditions atmosphériques, et elles supportent sans trop d'inconvénient les périodes de sécheresse.

Aussi appréciées pour garnir des massifs, border des pièces d'eau ou des allées que comme plantes à bouquets, elles peuvent aussi se cultiver en caisse sur les terrasses (il faut alors arroser abondamment en été), seules ou associées à d'autres plantes à feuillage ornemental.

TECHNIQUES DE CULTURE

En pleine terre. Planter les hémérocalles d'octobre à avril, dans une bonne terre de jardin plutôt fraîche et moyennement perméable, à mi-ombre ou au soleil léger (exposition au sud-est ou au sud-ouest). Un apport de fumier bien décomposé au moment de la plantation leur permettra d'atteindre plus vite leur plein développement. Les arrosages seront moyens ou abondants selon le climat.

Ces plantes demandent ensuite peu de soins et peuvent rester en place pendant quatre ou cinq ans. Il est donc inutile de déterrer les rhizomes à l'automne : on se contentera de rabattre à ras de terre les tiges desséchées après la floraison et de protéger le sol par une litière de feuilles mortes ou de paille si les hivers sont rigoureux. Une poignée d'engrais complet ajoutée chaque année à chaque pied favorisera la reprise au printemps.

Culture en pot. Rempoter au printemps (à la fin du mois de mars ou au début du mois d'avril) dans un compost moyennement fertile auquel on ajoutera une bonne part de tourbe pour mieux conserver l'humidité. Il est inutile de trop se préoccuper du drainage, car les hémérocalles, contrairement à la majorité des plantes en pot, ne souffrent pas de la stagnation de l'eau au niveau des racines.

Placer le bac ou la jardinière dans un endroit ensoleillé et abrité du vent (qui pourrait rompre en été les tiges alourdies par les fleurs), et arroser régulièrement pendant toute la période de croissance (le compost ne doit jamais sécher). À la fin de la floraison, couper les hampes à la base. Laisser ensuite la plante à la lumière, dans un endroit où elle sera à l'abri des fortes gelées, en arrosant beaucoup plus modérément.

MULTIPLICATION

Par division des touffes au printemps ou à l'automne : cette opération rajeunira les plantes au bout de quelques années et leur permettra de conserver une floraison abondante. On peut aussi semer les hémérocalles au printemps, en pépinière, pour les mettre en place l'année suivante.

Espèces

Hemerocallis aurantiaca Originaire du Japon, cette hémérocalle a des fleurs abricot, marbrées de rose pourpré. L'espèce type tend à disparaître des jardins au profit de la variété 'Major', dont les énormes fleurs orangées présentent diverses nuances d'orangé, mais sans marbrures.

Hemerocallis flava On l'appelle quelquefois lis jaune. Cette espèce très rustique, à la fois asiatique et européenne, se reconnaît à ses feuilles particulièrement abondantes, étroites et aiguës à leur extrémité, et à ses fleurs jaunes odorantes, d'environ 7 cm de longueur (elles exhalent un délicat parfum de fleur d'oranger).

Hemerocallis fulva Indigène en Europe, cette espèce à grandes fleurs largement épanouies mais inodores, d'un orangé fauve (une dizaine de centimètres de diamètre), peut dépasser 1 m de hauteur. Parmi les variétés les plus connues, citons 'Kwanso', aux fleurs doubles nuancées d'orange et de chamois, 'Maculata', dont les énormes fleurs saumon sont soulignées d'une large tache orange vif, et 'Rosea' aux fleurs rouge corail.

Croisée avec d'autres variétés, l'hémérocalle fauve a donné naissance à de spectaculaires hybrides et cultivars : 'Stafford' (en haut, à gauche), dont les fleurs d'un pourpre intense ont un cœur jaune orangé; 'Hyperion', à fleurs jaune clair; 'Pink Damask' (ci-dessus, à gauche), aux fleurs d'un rose lumineux à cœur jaune; 'Golden Orchid', aux magnifiques fleurs d'un orange presque doré; 'Buzz Bomb' (en haut, à droite), dont les corolles cramoisies, soulignées d'une strie orangée, ont une consistance veloutée.

Hemerocallis thunbergii Cette vigoureuse espèce japonaise à larges fleurs jaune orangé (ci-dessus) est à l'origine de nombreux cultivars américains, comme 'Bess Vestal', à fleurs d'un rouge cerise très vif, ou 'Morocco Red', aux corolles d'une chaude couleur acajou.

Hibiscus

Famille : **Malvacées**

Nom usuel : **hibiscus**

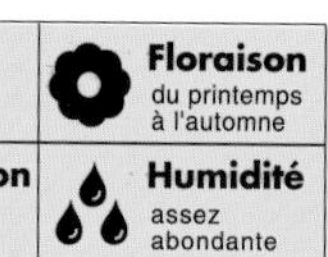

Aspect herbacé ou arbustif	**Hauteur** de 40 cm à 1,50 m	**Floraison** du printemps à l'automne
Culture assez difficile	**Exposition** lumière tamisée	**Humidité** assez abondante

Hibiscus rosa sinensis Cette belle plante d'intérieur peut fleurir presque toute l'année.

Le genre *Hibiscus* comprend quelque trois cents plantes arbustives ou herbacées originaires des zones tropicales et subtropicales d'Afrique et d'Extrême-Orient, dont certaines ont été introduites depuis plus de deux siècles dans nos jardins et nos serres, appréciées tant pour leur luxuriant feuillage vert sombre que pour leurs abondantes fleurs aux couleurs vives.

Des espèces herbacées — annuelles, bisannuelles ou vivaces — agrémentent massifs et plates-bandes, tandis que deux hibiscus arbustifs, *H. rosa sinensis* et *H. schizopetalus*, connaissent beaucoup de succès comme plantes d'intérieur.

Espèces

Hibiscus rosa sinensis On l'appelle rose de Chine. Dans son milieu naturel, cet arbuste à feuilles persistantes ovales et luisantes, légèrement dentées, peut atteindre 5 m de hauteur, mais il garde des proportions plus modestes si on le cultive en pot. On l'apprécie pour ses magnifiques fleurs en forme de coupe, dont les corolles sont formées de cinq pétales cramoisis au centre desquels les étamines sont réunies en tube. Il existe aussi des variétés à fleurs doubles (dans ce cas, les étamines sont disposées en bouquet), de couleurs variées.

Hibiscus schizopetalus Cette espèce originaire du Kenya a des rameaux très minces et des feuilles d'un vert plus clair. Ses fleurs rouge rubis ont des pétales frangés.

Hibiscus trionum Cet hibiscus herbacé de 40 à 75 cm de hauteur, qui nous vient d'Afrique centrale, est cultivé au jardin, où il fleurit tout l'été (ci-contre). Il est souvent nécessaire de tuteurer ses tiges minces, qui ploient sous le poids des fleurs.

TECHNIQUES DE CULTURE

Printemps et été. Chaque printemps, effectuer une taille énergique pour conserver une forme compacte, et rempoter dans un compost riche et léger, plutôt acide, par exemple un mélange de terreau, de terre de bruyère et de tourbe, allégé d'un peu de sable pour améliorer le drainage. Choisir un pot assez grand (trop à l'étroit, les hibiscus ont du mal à fleurir) et l'installer en pleine lumière, mais sans l'exposer directement aux rayons du soleil (devant une fenêtre donnant au nord ou à l'est). Surveiller attentivement la température, qui doit rester comprise entre 18 et 21 °C. Tout écart brusque est en effet préjudiciable à la floraison, qui se poursuivra sans discontinuer du printemps à la fin de l'automne si les conditions sont favorables.

Arroser deux ou trois fois par semaine, voire davantage par temps chaud et sec, mais toujours par petites doses pour éviter la saturation du compost (les racines pourrissent facilement). Poser le pot sur un lit de cailloux mouillés et vaporiser quotidiennement le feuillage. Nourrir tous les quinze jours avec un engrais liquide. Prendre garde aussi à la pollution atmosphérique (les hibiscus y sont très sensibles).

Automne et hiver. Pendant la brève période de repos hivernal, arroser seulement une fois par semaine et ne vaporiser que tous les deux ou trois jours. Les températures ne doivent pas dépasser 13 °C.

MULTIPLICATION

Par boutures de jeunes pousses au printemps (après la taille), dans un mélange de tourbe et de sable tenu à 18 °C, ou bien par marcottes si la plante a atteint son plein développement.

Hippeastrum

Famille : **Amaryllidacées**

Nom usuel : **amaryllis**

On désigne communément sous le nom d'amaryllis un assez grand nombre d'espèces appartenant en réalité à une dizaine de genres différents, quoique voisins (*Hippeastrum, Brunsvigia, Nerine, Vallota,* etc.). Originaires des zones montagneuses de l'Amérique tropicale, les *Hippeastrum* se distinguent donc des véritables amaryllis qui viennent de l'Afrique du Sud.

Avec un minimum de soins, ces plantes à bulbes produiront de magnifiques fleurs en trompette qui pourront se succéder du tout début du printemps à la fin de l'été si on échelonne convenablement la plantation des bulbes (certains sont même conditionnés pour fleurir dès le mois de janvier, voire à Noël). Les plantes achetées en pot sont fréquemment traitées pour ne produire qu'une seule floraison précoce, aussi est-il préférable de se procurer des bulbes non traités, qui pourront fleurir pendant quatre ou cinq ans.

TECHNIQUES DE CULTURE

Printemps et été. Faire tremper les bulbes vingt-quatre heures dans l'eau tiède avant de les planter dans un compost riche et léger, à base de terreau de feuilles, de tourbe et de sable, en ne les enterrant qu'aux deux tiers (disposer une épaisse couche de tessons au fond du pot pour faciliter le drainage). Humidifier la terre sans mouiller les bulbes et laisser une dizaine de jours sans arroser, en plaçant le pot dans un endroit très bien éclairé, mais à l'abri des rayons du soleil. La chaleur (pas plus de 24 °C) favorisera la croissance, mais les fleurs, une fois épanouies, tiendront plus longtemps si la température ne dépasse pas 16-18 °C.

Si le bulbe est sain, les hampes florales doivent se développer avant les feuilles. Arroser alors régulièrement (deux ou trois fois par semaine), d'abord modérément, puis plus copieusement pendant la floraison. Si l'atmosphère est trop sèche, vaporiser un peu d'eau douce sur les bourgeons et les feuilles (jamais sur les fleurs).

Hippeastrum vittatum Alourdies par les énormes fleurs, ses tiges doivent être tuteurées.

Dès l'apparition des premiers boutons floraux, nourrir tous les quinze jours avec un fertilisant liquide dilué dans l'eau d'arrosage (utiliser la dose normale).

Automne et hiver. Exposer le pot à la lumière vive, et même au soleil, pour activer le flétrissement des feuilles — ne pas interrompre l'administration d'engrais avant leur complet dessèchement (pour aider le bulbe à constituer ses réserves nutritives). Diminuer progressivement les arrosages, puis cesser de donner de l'eau à la fin de l'automne pour forcer la plante à entrer en phase de repos. Il lui faudra alors de la fraîcheur (environ 10 °C).

MULTIPLICATION

Vers la fin de la période de repos, dépoter la plante pour détacher les bulbilles qui se sont formées autour du bulbe principal. Les planter séparément dans des pots de 8-10 cm de diamètre et les traiter comme des plantes adultes, en les rempotant ensuite chaque printemps jusqu'à ce qu'elles soient en âge de fleurir (au bout de trois ou quatre ans).

Bien soignés, les bulbes des hippeastrums pourront redonner des fleurs chaque année. Renouveler complètement leur compost tous les trois ans, en prenant garde de ne pas endommager la masse fragile des racines.

Espèces

Hippeastrum equestre Originaire de l'Amérique centrale et des Antilles, cette espèce à bulbe rond de couleur rougeâtre produit des hampes légèrement arquées, qui portent de deux à quatre grandes fleurs blanc rosé striées de carmin et teintées de vert à la base (ci-contre).

Hippeastrum rutilum Une espèce aux tiges épaisses et aux longues fleurs rouge vif, soulignées de légères panachures vertes, qui nous vient du sud du Brésil.

Hippeastrum vittatum En France, on l'appelle amaryllis de Rouen. Originaire des montagnes péruviennes, cette espèce a des feuilles rubanées vert foncé, rougeâtres à la base, à nervure centrale vert clair. Hautes de 50 cm, ses tiges portent de quatre à six fleurs parfumées à long tube, aux pétales blancs striés de bandes pourpres. La variété 'Red Lion' se signale par ses énormes fleurs d'un rouge satiné, tandis que 'White Lady'a des fleurs blanches nuancées de vert tendre.

Hyacinthus

Famille : **Liliacées**

Nom usuel : **jacinthe**

Les jacinthes sont des plantes bulbeuses appréciées depuis toujours par les jardiniers pour leurs fleurs délicieusement parfumées. Dans une large gamme de coloris pastel, elles s'épanouissent au printemps. On trouve également dans le commerce des bulbes spécialement préparés pour le forçage, qui fleurissent alors au cœur de l'hiver.

TECHNIQUES DE CULTURE

Printemps et été. Les bulbes non préparés pour le forçage s'épanouissent dans le jardin au printemps. C'est l'époque normale de floraison des jacinthes sauvages. Pour obtenir des fleurs en hiver, il faut utiliser des bulbes ayant subi un traitement particulier. Ces deux types d'oignons peuvent être plantés en pot. Mais, dans la maison, ils ne fleuriront qu'une seule fois, et il faudra en racheter chaque année. Ne pas les jeter cependant quand ils seront fanés : plantés en pleine terre, à 15 cm de profondeur, ils refleuriront au bout d'un ou deux ans.

Automne et hiver. À l'intérieur et pour obtenir une floraison à Noël, c'est en septembre environ qu'on plante les bulbes préparés. Pour avoir des fleurs au printemps, on peut planter d'octobre à janvier des bulbes ordinaires. Une coupe conviendra parfaitement, même si elle ne comporte pas de trous de drainage. Dans ce dernier cas, il suffira de faire attention, lors des arrosages, à ne pas saturer d'eau le substrat. On étend une couche de terre au fond de la coupe, puis on y installe les bulbes assez près les uns des autres. Ils peuvent presque se toucher. Combler ensuite de substrat les interstices restés vides. Seules doivent dépasser de la surface les pointes des oignons.

L'ensemble est placé dans un coin frais, obscur et humide, où on le recouvre d'une couche de tourbe de 15 cm d'épaisseur. Pour ce faire, on a le choix entre enfouir la plantation dans la tourbe à l'extérieur ou la placer dans une caisse emplie elle aussi de tourbe, et placée dans une pièce froide de la maison.

Quand les pointes des feuilles émergent de la tourbe, on transporte la coupe dans un coin lumineux, à 10 °C environ. La température augmentera progressivement jusqu'à 18 °C environ.

On peut encore faire fleurir des oignons de jacinthe en les installant sur le col de vases spéciaux, en verre ou en plastique, remplis d'eau. Le niveau de l'eau, dans le vase, ne devra jamais atteindre la base du bulbe. L'idéal est un espace de 1 cm environ. Des bulbes élevés dans ces conditions, sans nourriture, fleurissent rarement une seconde fois.

Espèces

Hyacinthus orientalis Originaire d'Europe orientale et d'Asie occidentale, cette espèce a été largement utilisée par les pépiniéristes pour créer de nombreuses variétés connues sous le nom de jacinthes de Hollande. Les inflorescences en épis, longues de 10 à 15 cm, sont portées par des tiges courtes. 'City of Haarlem' produit des fleurs jaune-crème, 'Delft Blue' des fleurs bleu clair, 'Jan Bos' des fleurs rose vif.

Hyacinthus romanus (syn. *Bellevalia romana, Hyacinthus orientalis* 'Albulus'). Chez cette espèce, il existe des hybrides comparables aux jacinthes de Hollande, de couleur blanche, rose ou bleue.

Hyacinthus orientalis Les fleurs des jacinthes de Hollande, très lourdes, doivent être maintenues.

Hydrangea

Famille : **Saxifragacées**

Noms usuels : **hortensia, hydrangea**

Hydrangea Les hortensias sont des arbustes décoratifs aux fleurs spectaculaires.

Ce sont près de quatre-vingts espèces qui composent le genre *Hydrangea*. Ce sont des arbustes très beaux, originaires d'Asie et d'Amérique centrale et méridionale. C'est sous le nom commun d'hortensias qu'ils sont devenus populaires. Il est difficile de les conserver en pot d'une année à l'autre et, d'ordinaire, après la floraison, on les replante au jardin ou on les jette. Avec des soins attentifs, cependant, ils peuvent fleurir pendant plusieurs années.

TECHNIQUES DE CULTURE

Printemps et été. Pour obtenir de bons résultats, il faut maintenir la plante dans une atmosphère fraîche, surtout pendant la floraison, qui peut s'interrompre brutalement si la température s'élève au-dessus de 21 °C. Si l'on peut leur offrir une température de 15 °C de moyenne, les fleurs persisteront pendant six semaines, voire plus. Les hortensias demandent une forte luminosité, mais redoutent le soleil.

Il est capital de maintenir le substrat toujours frais, sans jamais le laisser sécher. Du printemps à l'automne, on arrose abondamment. Pendant la période de floraison, on ajoute un engrais liquide à l'eau une fois par semaine environ. Pour prolonger encore la floraison et favoriser l'apparition de nouveaux boutons, on vaporise de l'eau sur les feuilles.

Automne et hiver. Vers la fin octobre, quand l'hortensia commence à perdre ses feuilles, on taille toutes ses branches en ne laissant qu'une paire de bourgeons sur chacune. Après la floraison, on procède au rempotage en se servant si possible d'un mélange non calcaire.

La couleur des fleurs varie en fonction de la nature, acide ou alcaline du sol : les formes à fleurs roses tourneront au bleu si on les cultive en terre acide, alors qu'à l'inverse les plantes ordinairement bleues deviendront roses en terre calcaire. Seules les fleurs blanches conservent leur couleur.

Pendant la période de repos hivernal, on gardera la plante dans un lieu frais.

MULTIPLICATION

En août-septembre, après la floraison, on prélève des boutures de 10 à 15 cm sur l'extrémité des rameaux non florifères. On enduit leur base d'hormones d'enracinement avant de les planter dans un mélange à parts égales de tourbe et de sable grossier. Une fois les boutures enracinées, on les repique en pots individuels de 8 cm de diamètre. Après quelque temps, on emploiera des contenants plus grands. Pour produire une belle floraison au printemps suivant, les plantules demandent des arrosages réguliers, de l'ombre et une température comprise entre 15 et 18 °C.

Maladies et parasites

Si les feuilles tendent à se tacher de brun sur les bords et tombent, c'est l'indice d'arrosages insuffisants. Le sol doit rester constamment humide. S'il est trop sec, la plante entière se fane. Il faut alors faire tremper le pot dans un seau d'eau pendant quelques heures pour qu'elle renaisse.

Il est sage de traiter préventivement contre l'attaque de parasites éventuels à l'aide d'un insecticide polyvalent.

Espèces

Hydrangea macrophylla (syn. *Hydrangea ortensis, Hydrangea opuloides*) C'est l'espèce le plus couramment cultivée comme plante d'intérieur. Cet arbuste florifère, aux feuilles caduques, produit de nombreuses variétés. Leur port compact, arrondi, met en valeur les fleurs, dont la gamme de coloris s'étend du rose au bleu et au blanc. Ces dernières s'épanouissent dès la fin du printemps à la mi-été. Les variétés sont partagées en deux groupes : le groupe « Hortensias », aux grands corymbes globuleux, larges de 15 à 20 cm, composés de fleurettes stériles aux grandes bractées colorées, et le groupe « Lace Caps » (bonnets de dentelle), aux corymbes plats composés de minuscules fleurs fertiles entourées de fleurs stériles à bractées (ci-contre).

Hypoestes

Famille : **Acanthacées**

Nom usuel : **hypoestes**

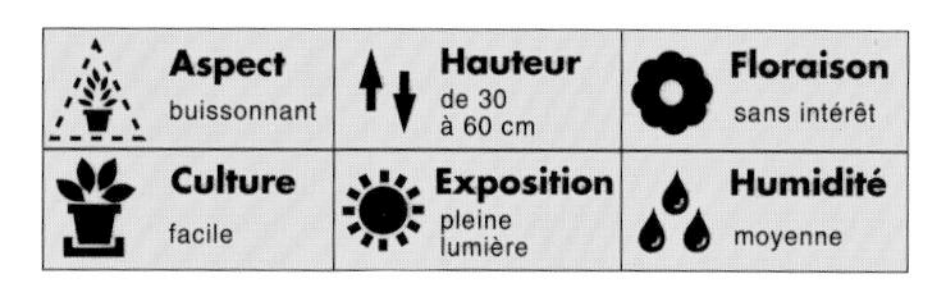

Aspect	Hauteur	Floraison
buissonnant	de 30 à 60 cm	sans intérêt
Culture	**Exposition**	**Humidité**
facile	pleine lumière	moyenne

Hypoestes sanguinolenta De culture facile, l'hypoestes est une plante gracieuse.

Les diverses espèces du genre *Hypoestes* se présentent comme de petits buissons cultivés avant tout pour la valeur décorative de leur feuillage tacheté. Parmi les espèces adaptées à la culture d'intérieur figure en place d'honneur *Hypoestes sanguinolenta*, originaire de Madagascar.

TECHNIQUES DE CULTURE

Printemps et été. Rempoter chaque année au début du printemps, dans un mélange bien riche, à base de terreau. Si les racines ont envahi toute la motte et forment un tissu dense, donner un pot de taille supérieure.

La température idéale en été se situe aux alentours de 21 °C. Elle peut être nettement plus élevée sans dommage pour la plante si l'on augmente les arrosages en conséquence. Toutes les trois semaines, on apporte un engrais liquide dilué. Il est sage de placer le pot dans une coupelle emplie de graviers gardés humides et de vaporiser de l'eau quotidiennement sur les feuilles.

Les hypoestes sont gourmands de lumière, mais n'apprécient guère le plein soleil pour autant. Les fleurs apparaissent, de-ci de-là, durant l'été. Comme elles n'ont rien de très décoratif, mieux vaut les retirer et laisser le feuillage profiter de toute la sève.

Automne et hiver. Les hypoestes n'aiment guère le froid, et il faut avant tout les protéger des courants d'air. On veillera à ne pas laisser la température s'abaisser au-dessous de 15 °C ainsi qu'à maintenir le terreau bien humide. Les plantes apprécieront un bassinage périodique du feuillage.

MULTIPLICATION

Sur les rameaux, on prélève au printemps des boutures de tête de 8 cm de longueur et on les repique dans un substrat composé de terreau additionné d'une poignée de sable grossier. Placer le pot dans une miniserre et maintenir à mi-ombre à une température constante de 21 à 24 °C. Le milieu est gardé humide.

Maladies et parasites

Si la coloration du feuillage s'affaiblit, c'est que la plante manque de lumière. Le flétrissement des feuilles est une conséquence d'un coup de froid, ou encore d'un excès ou d'un manque d'arrosage.

Les cochenilles seront détruites en nettoyant à l'aide d'un tampon imbibé d'alcool.

Espèces

Hypoestes aristata (syn. *Hypoestes antennifera*) Cette espèce à port érigé est originaire du Natal, en Afrique du Sud. Il s'agit d'un arbuste de forme arrondie qui, à l'intérieur, peut atteindre 1 m de haut environ. Ses feuilles ovales apparaissent tout au long des tiges. D'agréables fleurs mauves apparaissent en été (ci-contre).

Hypoestes sanguinolenta (syn. *Hypoestes phillostachya, Hypoestes rotundifolia*) Ce petit buisson à pousse lente ne dépasse guère 60 cm de haut à l'intérieur. Ses feuilles vert foncé, molles, sont tachetées de rose. La variété 'Pink Splas' présente des taches rose pâle, plus nombreuses et plus larges.

Hypoestes tæniata Semblable à *Hypoestes aristata*, cette espèce s'en distingue par ses fleurs rose foncé et ses feuilles vert foncé uni.

Impatiens

Famille : **Balsaminacées**

Nom usuel : **impatiente**

Les *Impatiens* sont des plantes charmantes et fort appréciées pour de nombreuses raisons : elles sont faciles à cultiver, elles poussent vite, résistent très bien aux maladies et nous récompensent de nos soins par une abondante floraison colorée, et présente durant tout l'été.

Les espèces les plus cultivées d'ordinaire sont des hybrides dérivant d'*Impatiens walleriana*, originaire d'Afrique orientale tropicale.

TECHNIQUES DE CULTURE

Printemps et été. Les impatientes fleurissent plus généreusement quand leurs racines sont un peu à l'étroit. Si on doit les rempoter, on agit au printemps.

On utilise un mélange terreux à base de terreau rêche ou de tourbe. Les impatientes demandent une atmosphère bien aérée et supportent le soleil direct s'il n'est pas trop ardent. On peut les tailler à tout moment au cours de l'été.

La température idéale est de 18 °C, mais ces plantes peuvent supporter bien au-delà. Les arrosages seront réglés pour maintenir la terre toujours humide, sans toutefois laisser les pots tremper trop longtemps dans l'eau de la soucoupe. On ne bassine la plante que quand il fait très chaud. Le mieux est de placer les pots sur des soucoupes emplies de gravier mouillé. Chaque semaine, de mai à septembre, on ajoute un engrais liquide à l'eau d'arrosage.

Automne et hiver. Dans la mesure du possible, on maintiendra une température proche de 18 °C. De la sorte, les plantes conserveront leur belle tenue et continueront à fleurir, même au cœur de l'hiver. À cette température, on réduira arrosages, engrais et bassinages mais pas trop. À une température plus basse, en revanche, diminuer sérieusement l'arrosage jusqu'à laisser sécher le terreau entre deux apports d'eau, et supprimer les engrais.

MULTIPLICATION

Les impatientes se multiplient par bouturage avec une facilité enfantine. À tout moment entre avril et octobre, on peut prélever des boutures de 10 cm de longueur sur les rameaux latéraux. Retirer les feuilles de la base et plonger les tiges dans un verre d'eau. Les racines apparaissent en quelques jours. Planter alors les boutures en pots individuels emplis d'un mélange à base de bonne terre ou de tourbe enrichie, tenue humide. Pendant une ou deux semaines, les conserver à l'abri d'une trop forte lumière, jusqu'au développement des racines. Pendant les premiers stades du développement, on pincera les tiges pour favoriser leur ramification.

On peut fort bien multiplier les impatientes par semis. Semer alors au tout début du printemps dans une terrine emplie de mélange pour semis. Recouvrir les graines d'une fine couche de terreau et maintenir au chaud et à l'obscurité.

Impatiens À feuilles unies ou panachées, les impatientes resteront compactes avec une taille régulière des branches.

Impatiens walleriana (syn. *Impatiens holstii*) Cette plante peut mesurer 45 cm de hauteur. Les feuilles sont vertes ou bronze, et les tiges charnues, légèrement striées de rose, sont bosselées et atteignent 4 cm de diamètre. La variété 'Variegata' produit des fleurs écarlates et des feuilles vertes à bordure blanche. Parmi les hybrides, relevons notamment : 'Arabesque' (en haut, à gauche), qui produit des feuilles vert bronzé et des fleurs suffusées de rose; 'Supernova' (en haut, à droite), aux gracieuses fleurs rose ombré de rouge; 'Rose Star' (ci-dessus, à gauche) aux fleurs rouges striées de blanc.

Impatiens petersiana Cette impatiente produit une touffe ramifiée aux feuilles acajou et aux fleurs rouges (ci-dessus).

Impatiens repens Cette espèce rampante est parfaite pour les paniers suspendus. Ses fleurs sont jaune soutenu (ci-dessus).

Impatiens hawkeri Originaire de Nouvelle-Guinée, cette plante de 40 à 50 cm de hauteur produit des tiges pourpres aux feuilles vertes avec une nervure centrale rouge. Les fleurs, de coloris variable, possèdent le plus souvent un cœur blanc.

Impatiens hookeriana Cette espèce, originaire du Sri Lanka, est une plante à tiges charnues, haute de près de 60 cm. Elle porte de grandes fleurs allant du blanc au rose et au rouge (en haut).

Maladies et parasites

Si l'on a respecté les conditions de culture fondamentales et si on leur donne l'atmosphère appropriée, les impatientes sont des plantes très résistantes aux maladies et aux parasites. Si la température hivernale s'abaisse trop, ou si on laisse les plantes à la merci de courants d'air froid, les feuilles flétrissent, jaunissent et meurent.

Les maladies cryptogamiques se développent sur les feuilles si l'humidité est trop importante, la lumière insuffisante ou s'il fait trop froid. On lutte contre ces maladies en appliquant un fongicide sur la plante. Mieux encore, on peut agir préventivement en épandant un fongicide sur le terreau.

Un air trop sec favorise les attaques d'araignées rouges. Dès que l'on note la présence de fines toiles brunâtres et que les feuilles se recroquevillent, il faut vaporiser un acaricide sur la plante. Les pucerons verts s'attaquent aux pousses jeunes qui apparaissent à la pointe des tiges. On les combat en appliquant des insecticides à base de pyrèthre.

Si, en déplaçant la plante, on provoque l'envol d'un nuage de mouches blanches, il faut également appliquer un insecticide. En traitant la plante régulièrement avec un insecticide systémique, il est possible de prévenir la plupart des attaques d'insectes.

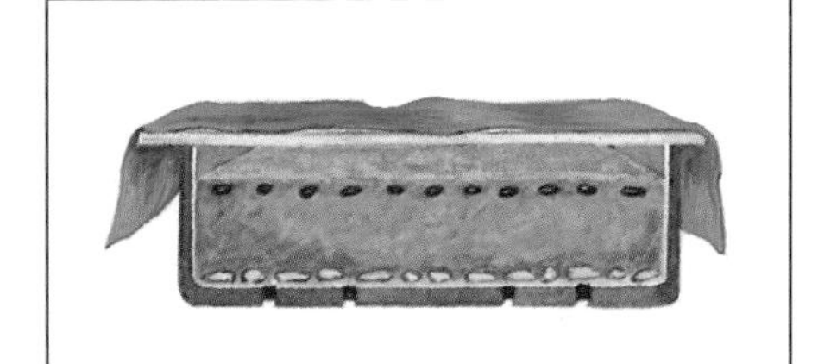

Épandre un peu de terreau sur les graines, puis recouvrir d'une toile opaque.

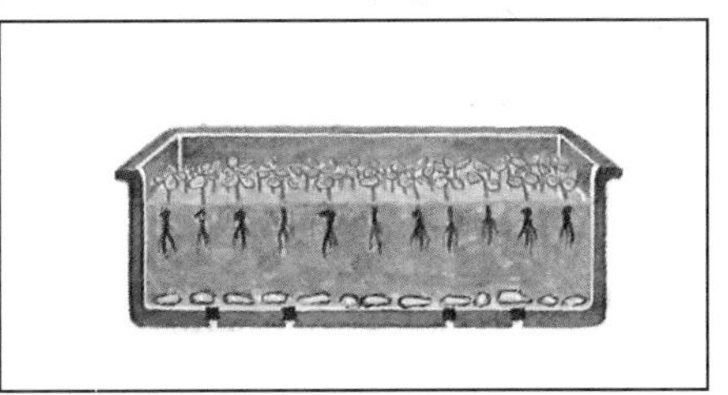

Quand les graines ont germé, retirer la couverture pour aérer les plantules.

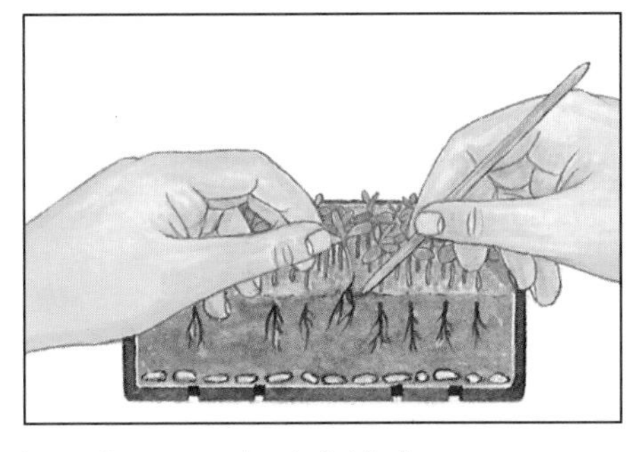

Les repiquer en godets individuels dès qu'elles sont manipulables.

Ipomoea

Famille : **Convolvulacées**

Noms usuels : **volubilis, ipomée**

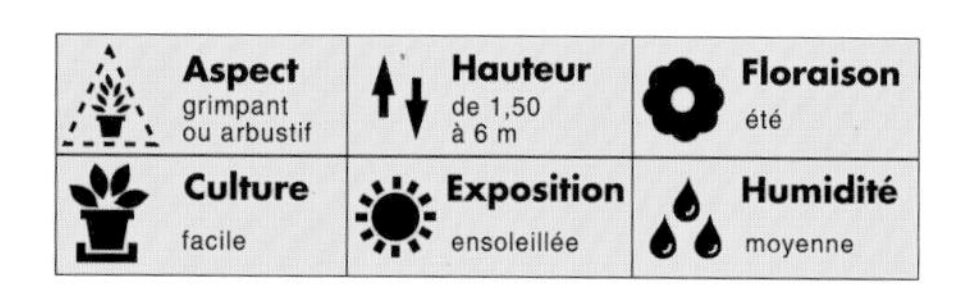

Aspect grimpant ou arbustif	**Hauteur** de 1,50 à 6 m	**Floraison** été
Culture facile	**Exposition** ensoleillée	**Humidité** moyenne

Ipomoea learii Ses magnifiques fleurs font merveille dans la véranda durant tout l'été.

Les belles plantes grimpantes à fleurs appartenant au genre *Ipomoea* sont des herbacées très proches, en fait, du liseron. Il en existe bien cinq cents espèces annuelles ou vivaces, dont quelques-unes conviennent à la culture d'intérieur.

TECHNIQUES DE CULTURE

Printemps et été. On obtient les espèces annuelles chaque saison à partir de semis. Pour ce qui est des espèces rampantes, on en profite pour retailler les tiges principales, ce qui relancera leur végétation, à moins, bien sûr, qu'on ne souhaite pas les cultiver comme plantes retombantes.

Toutes les ipomées sont gourmandes de lumière. On les arrose très régulièrement pour maintenir le sol toujours frais. Pour favoriser leur floraison, on ajoute un engrais à l'eau d'arrosage toutes les deux ou trois semaines entre avril et septembre. Pendant l'été, vaporiser chaque jour de l'eau sur les plantes, en évitant de mouiller les fleurs épanouies. Pour encourager l'apparition de nouveaux boutons à fleurs, retirer les fleurs fanées au fur et à mesure.

Automne et hiver. Après la floraison, tailler les espèces vivaces à 7-10 cm du niveau du sol. Les espèces succulentes, qui possèdent à leur base un tubercule renflé, se mettent spontanément en repos. Ne donner d'eau que pour éviter le dessèchement de la terre. La température ne devra pas s'abaisser au-dessous de 13 °C.

MULTIPLICATION

On peut semer espèces annuelles ou vivaces, au choix, au début du printemps. Les espèces rampantes se ressentent des transplantations. C'est pourquoi on les sème dans le pot où elles se développeront. Pour obtenir une belle plante grimpante touffue, on place deux graines par pot, que l'on écartera à 7 cm dès la germination. Les espèces arbustives sont semées en godets emplis d'un mélange pour semis. Recouvrir les graines d'une fine couche de mélange terreux et conserver à une température de 18 à 21 °C. Protéger caissettes et godets d'un ensoleillement trop vif et maintenir le substrat humide. Quand les plantules des espèces arbustives ont acquis assez de force pour être transplantées, on repique en pots individuels.

Espèces

Ipomoea holubii Cette espèce arbustive naine provient d'Afrique du Sud. Haute de près de 25 cm, elle développe une structure charnue, rappelant un bulbe. Les feuilles arquées apparaissent sur des tiges filiformes, qui produisent en été de grandes fleurs pourpres.

Ipomoea nil (syn. *Pharbitis nil*) Ses tiges tomenteuses portent des feuilles cordiformes et des fleurs en entonnoir épanouies en été. Elles passent du bleu à l'orange ou au rouge pourpré.

Ipomoea purpurea (syn. *Convolvulus major*) Cette plante annuelle demi-rustique vient d'Amérique tropicale. Ses feuilles cordiformes accompagnent de grandes fleurs pourpres, épanouies en été.

Ipomoea tricolor (syn. *Ipomoea rubro-cærulea*) Mexicaine, cette espèce grimpante, vivace, donne de meilleurs résultats cultivée comme annuelle. Ses grandes fleurs en entonnoirs revêtent des coloris variables (ci-contre).

Ipomoea learii Vivace, cette espèce produit des tiges de 5 à 6 m dans l'été, à partir d'une souche charnue. C'est une excellente plante de véranda, couverte de fleurs bleues durant tout l'été.

Iresine

Famille : **Amaranthacées**

Nom usuel : **irésine**

Originaires d'Amérique tropicale, ces petites plantes buissonnantes sont appréciées pour la belle teinte rouge sombre de leurs tiges charnues et de leurs feuilles ovales persistantes, sur lesquelles se détache le réseau rose vif des nervures.

Cette coloration pourprée met idéalement en valeur toute la gamme des feuillages verts, aussi utilise-t-on très souvent les irésines dans des compositions groupées ou en mosaïculture. À la belle saison, on peut en effet les installer temporairement dans les corbeilles et les plates-bandes (elles font de très belles bordures), mais ces plantes qui exigent chaleur et lumière sont surtout cultivées comme plantes d'intérieur.

TECHNIQUES DE CULTURE

Printemps et été. L'irésine se contente en général d'un pot de 12 à 15 cm de diamètre : il suffit donc de la rempoter tous les deux ans, dans un compost à base de terreau, additionné d'un peu de sable pour faciliter le drainage. Il lui faut avant tout la pleine lumière — idéalement de deux à trois heures de soleil par jour —, faute de quoi son feuillage perdra sa riche coloration pourprée. Cette plante ne craint nullement les chaleurs estivales et supportera sans dommage des températures de 25-30 °C si on prévient la déshydratation par des vaporisations d'eau douce, préalablement tiédie.

Arroser très fréquemment mais sans jamais forcer les doses : le compost ne doit ni sécher ni être saturé. Nourrir tous les quinze ou vingt jours avec un engrais liquide dilué dans l'eau d'arrosage. Maintenir un port buissonnant par la taille et en pinçant l'extrémité des pousses.

Automne et hiver. Réduire les arrosages, mais donner toujours le maximum de lumière et de soleil à la plante pour empêcher ses feuilles de pâlir. Maintenir la température à 18 °C (15 °C la nuit).

MULTIPLICATION

Très facile par boutures, au printemps : faire prendre racine dans l'eau, puis repiquer trois ou quatre de ces nouveaux plants dans un pot de 8 cm de diamètre rempli de terreau frais. On peut aussi planter directement les boutures dans un mélange de tourbe et de sable, tenu à l'étouffée, à 21-24 °C.

Maladies et parasites

Les irésines sont peu vulnérables aux maladies et aux parasites, mais peuvent toutefois être envahies par les pucerons verts, qui s'établissent en colonies sur les tiges. On les éliminera facilement en pulvérisant un insecticide à base de pyrèthre.

Si les feuilles perdent leur éclatante teinte rouge pour devenir banalement vertes, il faut en accuser le manque de lumière. Placer la plante dans un endroit mieux éclairé et elle retrouvera la vivacité de ses couleurs.

Iresine herbstii Il lui faut de la lumière pour que son feuillage garde sa belle couleur pourprée.

Espèces

Iresine herbstii L'espèce la plus connue et la plus recherchée comme plante d'intérieur dépasse rarement 50 cm de hauteur. Le dessin des nervures se détache nettement en rouge clair sur les feuilles cordiformes d'un pourpre intense, longues d'environ 7,5 cm (pour 5 cm de largeur). Les fleurs sont plutôt insignifiantes (du reste, cette plante fleurit très rarement à l'intérieur). La variété 'Aureo-reticulata' se distingue par ses feuilles d'un vert vif marquées de nervures jaunes.

Iresine lindenii De taille légèrement supérieure (60 cm), cette irésine se différencie encore de la précédente par son feuillage plus dense, de la même couleur cramoisie que ses tiges charnues.

Jacaranda

Famille : **Bignoniacées**

Nom usuel : **jacaranda**

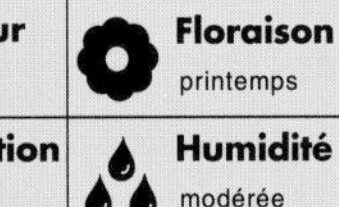

Aspect petit arbre ou arbuste	**Hauteur** de 90 cm à 1,25 m	**Floraison** printemps
Culture assez facile	**Exposition** pleine lumière	**Humidité** modérée

Le nom évoque quelque oiseau exotique, et l'on n'est pas étonné d'apprendre que les jacarandas nous viennent d'Amérique tropicale. On en connaît une cinquantaine d'espèces, dont certaines fournissent un bois recherché en ébénisterie et improprement appelé palissandre. Une seule est cultivée chez nous : *Jacaranda ovalifolia.* Cet élégant petit arbre n'est rustique que sur la Côte d'Azur et dans les jardins les mieux abrités du Midi, où il atteint 4 ou 5 m de hauteur. Partout ailleurs, c'est un arbuste ornemental de serre froide ou d'appartement qui ne dépasse guère 1,50 m de hauteur et qui est apprécié en toute saison pour ses grandes feuilles élégamment découpées.

À l'extérieur, les jacarandas s'ornent à la fin du printemps de fleurs pourpres ou violacées, qui, une fois tombées, couvrent le sol d'un tapis coloré, mais ils fleurissent rarement à l'intérieur avant d'avoir atteint six ou sept ans, âge auquel ils deviennent moins décoratifs car ils perdent leurs feuilles inférieures.

TECHNIQUES DE CULTURE

Printemps et été. Pendant deux ou trois ans, rempoter chaque printemps, dans un mélange à parts égales de terre de jardin, de terreau et de terre de bruyère, puis se contenter de renouveler le compost en surface. C'est aussi le moment de rabattre les rameaux trop longs.

La température normale d'une pièce convient au jacaranda, mais il lui faut la pleine lumière (idéalement, trois ou quatre heures de soleil par jour). Sortir le pot à l'extérieur dès qu'il fait beau. Arroser modérément, en laissant chaque fois sécher sur 1 cm. Nourrir tous les quinze jours avec un engrais liquide.

Automne et hiver. Arrosages parcimonieux et température d'environ 16 °C (jamais moins de 8 °C). Donner toujours le maximum de lumière.

MULTIPLICATION

Principalement par semis (laisser auparavant les graines tremper vingt-quatre heures dans l'eau tiède pour les ramollir). Semer à la fin de l'hiver, dans un mélange de tourbe et de sable tenu à la lumière indirecte, en arrosant à peine. Repiquer quand les plantes atteignent 15 cm.

Espèces

Jacaranda ovalifolia Une espèce originaire du Brésil, appelée encore *J. acutifolia* ou *J. mimosæfolia* (son feuillage rappelle un peu celui du mimosa). Longues de 40 à 50 cm, ses feuilles comportent de vingt-cinq à trente paires de folioles ovales et pointues, d'un vert lumineux. Elles tombent parfois en hiver, mais sont aussitôt remplacées. Disposées en grappes terminales, les fleurs tubuleuses ont une corolle formée de cinq sépales soudés.

Jacaranda ovalifolia Ses feuilles finement découpées évoquent les frondes des fougères.

Jacobinia

Famille : **Acanthacées**

Nom usuel : **jacobinia**

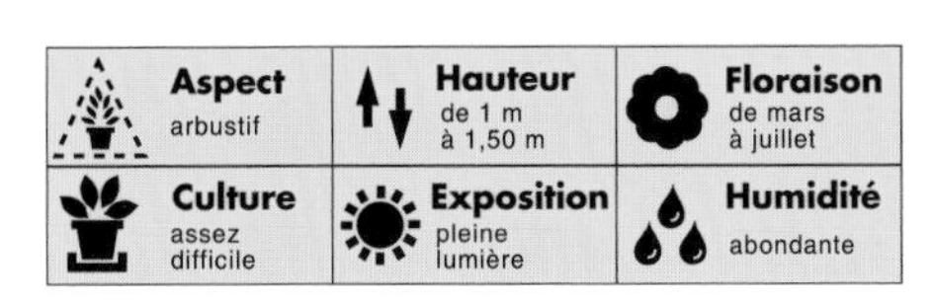

Jacobinia carnea Une plante exotique aux superbes inflorescences roses.

On connaît plus de cinquante espèces de jacobinias, plantes herbacées, arbustes ou plus rarement arbrisseaux originaires des régions les plus chaudes de l'Amérique centrale et de l'Amérique du Sud, que certains botanistes classent dans le genre *Justicia*. Ces luxuriantes plantes exotiques furent très recherchées par les collectionneurs, puis on les oublia quelque peu aux bénéfice d'espèces plus faciles à cultiver en appartement, mais elles connaissent aujourd'hui un regain de faveur en raison de la magnificence de leurs fleurs réunies en gros épis coniques.

TECHNIQUES DE CULTURE

Printemps et été. Rempoter les jacobinias à la fin de l'hiver, dans un compost riche et léger (un mélange de tourbe, de terreau de feuilles et de fumier bien décomposé leur conviendra parfaitement). Garnir le fond du pot de tessons pour assurer un bon drainage. En mars, il faut tailler ces plantes à la croissance exubérante pour leur conserver une forme compacte et pour obtenir une floraison plus abondante (raccourcir toutes les pousses de l'année précédente de 8 à 10 cm).

Placer le pot dans l'endroit le mieux éclairé de la maison, car le jacobinia a besoin de plusieurs heures de soleil chaque jour, en lui assurant un minimum de 18 °C. Dès que la température extérieure le permettra, sortir la plante pour une cure d'air frais (dans une ambiance trop confinée, elle s'étiole au-dessus de 23 °C). À l'intérieur, maintenir un taux élevé d'humidité atmosphérique en posant le pot sur un lit de graviers mouillés et en bassinant quotidiennement le feuillage à l'eau douce. Arroser tous les deux jours, plutôt copieusement, mais en veillant à ce que l'eau s'égoutte bien sans stagner. Nourrir tous les quinze jours avec un fertilisant liquide dilué dans l'eau d'arrosage (à moins que l'on n'ait mélangé au compost un engrais à diffusion lente).

Automne et hiver. Tous les deux ou trois ans, après la fin de la floraison, rabattre toutes les tiges à ras de terre pour revigorer la plante. Si la lumière n'est pas suffisante à la mauvaise saison, il faudra la conserver en serre ou en jardin d'hiver (à une température minimale de 15 °C). Arroser seulement une fois par semaine.

MULTIPLICATION

Au printemps, prélever des boutures de pousses terminales de 8 à 10 cm de longueur. Plonger l'extrémité sectionnée dans une poudre radiculaire aux hormones et planter dans un mélange de tourbe et de sable grossier, bien humidifié. Enfermer le pot dans un sachet en plastique transparent ou le placer dans une caissette de multiplication et tenir à 21-24 °C. Compter deux ou trois semaines pour l'enracinement, puis découvrir. Rempoter quand la plante atteint 10 cm.

Espèces

Jacobinia carnea Originaire du Brésil, ce vigoureux petit arbuste à feuilles vert sombre, pointues et ondulées, atteint rapidement de 1 m à 1,20 m de hauteur. D'une délicate couleur rose saumon, les fleurs tubuleuses à deux lèvres, réunies en épis coniques de 10 à 15 cm de hauteur, apparaissent de juillet à septembre.

Jacobinia pauciflora De taille moins importante (60 cm de hauteur), cette plante buissonnante a des feuilles plus claires et se couvre à l'automne de petites grappes de fleurs tubuleuses et retombantes jaune d'or à la base écarlate (ci-contre).

Jasminun

Famille : **Oléacées**

Nom usuel : **jasmin**

Aspect	Hauteur	Floraison
grimpant	de 1 à 2 m	en hiver
Culture	**Exposition**	**Humidité**
préfère la fraîcheur	lumière diffuse	assez abondante

Introduite en Europe à la fin du siècle dernier, la plus célèbre des plantes à fleurs parfumées est idéale pour agrémenter l'appartement pendant les mois d'hiver, mais il est préférable de lui faire passer l'été au jardin.

TECHNIQUES DE CULTURE

Printemps et été. Rempoter au printemps, après la floraison, dans du terreau frais ou dans un mélange à base de tourbe et de sable — opération toujours délicate pour une plante grimpante puisqu'il faut transplanter en même temps son support. C'est aussi le moment de tailler le jasmin : raccourcir toutes les tiges de 10 à 25 cm selon leur longueur. Chaque mois, et jusqu'en octobre, pincer les bourgeons terminaux pour favoriser la ramification (on aura ainsi une floraison plus abondante).

Au jardin, le jasmin supportera bien le soleil, mais il faut éviter de l'exposer directement à ses rayons à l'intérieur. Si l'atmosphère est bien aérée, la température pourra monter jusqu'à 25 °C. Arroser assez abondamment (tous les deux jours environ) et nourrir tous les quinze jours avec un engrais liquide.

Automne et hiver. Rentrer la plante avant la floraison et ne pas oublier qu'il lui faut alors de la fraîcheur (pas plus de 15 °C). Arroser seulement tous les cinq jours.

MULTIPLICATION

Au printemps, par boutures terminales ou par boutures à talons prélevées sur des tiges latérales. Saupoudrer la section d'une poudre aux hormones pour favoriser l'enracinement et planter dans un mélange de tourbe et de sable.

Jasminum polyanthum Des fleurs exquisement parfumées qui s'épanouissent en hiver.

Multiplier au printemps, par boutures, les espèces à floraison hivernale. Prélever des segments de 10 à 15 cm à l'extrémité des tiges, en sectionnant juste sous un nœud.

Enlever les feuilles les plus basses (aucune d'elles ne doit être en contact avec la terre) et saupoudrer la section d'une poudre à base d'hormones pour favoriser l'enracinement.

Maladies et parasites

On voit parfois une nuée de petits insectes blanchâtres voleter au-dessus de la terre chaque fois que l'on touche la plante : il s'agit d'une invasion de mouches blanches. On s'en débarrassera en pulvérisant un insecticide à base de pyrèthre. Répéter l'opération chaque semaine, jusqu'à disparition totale des parasites. Même traitement contre les pucerons verts (ils déforment les feuilles et les enduisent d'un liquide poisseux), qui sont plus dangereux car ils peuvent propager diverses maladies. Si les minuscules araignées rouges tendent leurs toiles sous les feuilles (vaporiser un insecticide), c'est probablement que l'atmosphère est trop chaude et trop sèche.

Espèces

Jasminum mesnyi (ou ***Jasminum primulinum***) Ce petit arbuste, dont les tiges sarmenteuses ont une section quadrangulaire, atteint 2 m de hauteur. Ses fleurs jaunes, qui apparaissent au printemps (en bas, à droite), ne sont pas parfumées.

Jasminum polyanthum Originaire de Chine, cette plante grimpante à floraison hivernale est la plus cultivée en appartement. Un support en cerceau met en valeur ses grappes de fleurs à long tube, à l'intérieur d'un blanc pur et blanc rosé à l'extérieur (ci-contre).

Jasminum rex Une espèce relativement rare, qui nous vient de Thaïlande. Ses grandes fleurs blanches et parfumées, de 5 cm de diamètre, s'épanouissent en hiver (ci-dessous).

Kalanchoe

Famille : **Crassulacées**

Nom usuel : **kalanchoé**

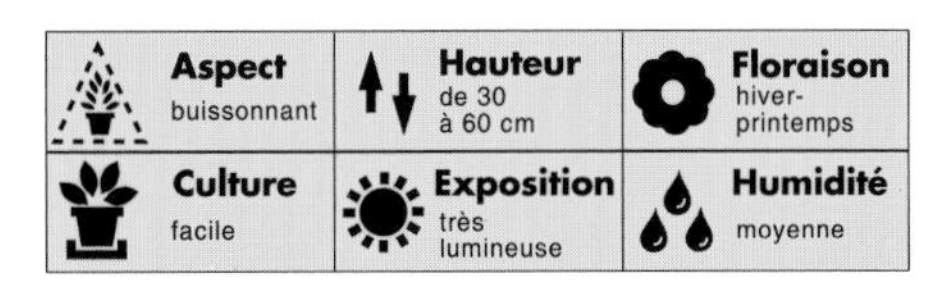

Aspect buissonnant	**Hauteur** de 30 à 60 cm	**Floraison** hiver-printemps
Culture facile	**Exposition** très lumineuse	**Humidité** moyenne

Dans ce groupe de plantes succulentes, on en trouve quelques-unes adaptées à la culture d'intérieur, sélectionnées pour leur feuillage ou pour leurs fleurs diversement colorées en rouge, jaune orange ou rose. Ce sont des plantes simples à cultiver et, bien qu'elles fleurissent au printemps, les horticulteurs les soumettent à la culture forcée pour obtenir des plantes fleuries aux environs de Noël.

Kalanchoé Ces plantes produisent des fleurs de longue durée, diversement colorées.

TECHNIQUES DE CULTURE

Printemps et été. Les kalanchoés s'épanouissent de la fin de l'hiver à la fin du printemps. Une fois fanées, les tiges florales sont rabattues au-dessus de la première paire de feuilles. Après quoi on procède au rempotage.

Arroser au printemps et en été, en laissant le terreau ressuyer entre deux arrosages. Une fois par mois, ajouter à l'eau un engrais liquide dilué. La meilleure exposition est la pleine lumière, à l'abri du soleil et à température ambiante.

Automne et hiver. On réduit les apports d'eau pour laisser la terre à peine humide. Laisser celle-ci sécher avant d'arroser de nouveau. Les apports d'engrais ont lieu tous les quinze jours à l'aide d'un engrais liquide dilué dans l'eau d'arrosage. La température ne doit pas descendre au-dessous de 10 °C.

MULTIPLICATION

On multiplie les kalanchoés de semis en épandant les graines, entre février et avril, sur un mélange pour cactées additionné de sable fin. Maintenir le semis à une température de 21 °C, dans un lieu lumineux mais non ensoleillé, en gardant le substrat à peine humide. Dès que les plantules sont un peu développées, on les repique individuellement dans des pots emplis d'un mélange pour cactées.

Les kalanchoés se prêtent à la multiplication par bouturage : prélever, à l'extrémité des tiges, des pousses de 8 ou 10 cm de longueur et les laisser au sec un jour ou deux. Tremper ensuite la coupe dans une poudre d'hormones spécialisée avant de planter la bouture dans un mélange pour cactées additionné de sable grossier. Maintenir la plantation à 21 °C et dans un lieu clair jusqu'à l'enracinement et traiter les boutures comme des plantes adultes.

Quelques espèces de kalanchoés développent de minuscules rejets sur le bord de leurs feuilles. On les détache délicatement avant de les disposer sur un mélange léger où ils s'enracinent et donnent rapidement de nouvelles plantes.

Maladies et parasites

Un excès d'eau entraîne une pourriture des feuilles et des racines. Ces plantes supportent beaucoup mieux la sécheresse totale.

Les cochenilles farineuses s'attaquent parfois à ces plantes. On les reconnaît à la présence d'amas cotonneux blanchâtres le long des tiges et des feuilles. On s'en débarrasse à l'aide d'un pinceau fin trempé dans l'alcool ou en traitant avec un insecticide. Ne jamais utiliser de produits acides.

Le pincement des pousses terminales permet de garder des plantes compactes et touffues, et favorise l'apparition des fleurs.

Dès qu'elles sont fanées, retirer les tiges florales en les coupant au-dessus de la première paire de feuilles.

Espèces

Kalanchoe beharensis (ci-dessous) Cette plante peut atteindre 60 cm de hauteur mais, par le biais du pincement des pousses terminales chaque printemps, on la maintient beaucoup plus courte. Elle produit d'amples feuilles de forme triangulaire, profondément lobées et au bord ondulé. Leur longueur varie de 10 à 20 cm. Le feutrage gris et or qui les recouvre leur confère un aspect velouté. Cette espèce produit des fleurs jaunes réunies en grappe, qui apparaissent rarement en culture.

Kalanchoe blossfeldiana Ce kalanchoé atteint 30 cm environ de hauteur et porte un feuillage vert foncé, de 8 cm de longueur environ, au bord dentelé et parfois teinté de rouge. Les fleurs apparaissent au printemps (ou en hiver sur les plantes forcées) ; elles sont réunies en gros bouquets terminaux.

Kalanchoe daigremontiana (ci-dessous, à droite). Cette plante à port érigé atteint de 90 cm à 1,20 m de hauteur. Les feuilles charnues, triangulaires, portent sur leurs bords de minuscules plantules. Des fleurs pourpre fumé apparaissent au printemps.

Kalanchoe tomentosa (en bas, à gauche). Haut de 45 cm environ, ce kalanchoé possède des feuilles et des tiges charnues couvertes d'un fin duvet argenté qui leur donne un aspect feutré. Les fleurs n'ont guère d'intérêt.

Kalanchoe marmorata (en bas) Cette plante porte des feuilles charnues décoratives, de couleur vert clair qui deviennent pourpre grisé et se marquent de taches brunes sur les deux faces. C'est une espèce dense, touffue, qui atteint 40 cm de hauteur. Au printemps, elle produit des fleurs blanches apparaissant rarement en culture.

Kalanchoe pumila Cette plante convient à la culture en panier suspendu, avec ses tiges minces et retombantes, garnies de grappes de fleurs récurvées. Les feuilles charnues, grises, sont longues de 2,5 cm et couvertes d'une pellicule blanche et cireuse. Les fleurs, violet rosé, réunies en corymbes, s'épanouissent de la fin de l'hiver au printemps.

Lampranthus

Famille : **Aizoacées**

Nom usuel : **lampranthus**

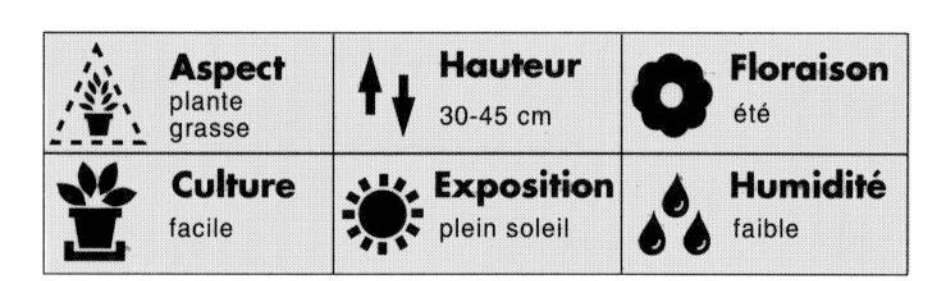

Aspect plante grasse	**Hauteur** 30-45 cm	**Floraison** été
Culture facile	**Exposition** plein soleil	**Humidité** faible

Lampranthus Pour fleurir longuement, ces plantes réclament beaucoup de soleil.

En Afrique du Sud, certaines régions peuvent rester des années sans recevoir d'eau. Et soudain, les voilà transformées, à la suite d'une pluie, par la floraison de *lampranthus* et autres plantes succulentes qui créent alors un tapis multicolore des plus brillants.

TECHNIQUES DE CULTURE

Printemps et été. On rempote les plantes fin mars dans un mélange terreux pour cactées ou dans un substrat composé d'une partie de terre argileuse, de trois parties de sable et d'une de tourbe. Utiliser des récipients de plus en plus grands au fur et à mesure du développement des plantes, pour atteindre une taille de 13 à 18 cm. Au-delà, on se contentera de retirer chaque année la couche superficielle du substrat pour la changer. C'est à cette époque que l'on retaillera les tiges de la plante pour lui conserver sa forme.

La floraison a lieu en été. La température idéale est de 15-18 °C mais peut aller jusqu'à 21 °C. La meilleure exposition est un lieu lumineux, ensoleillé et bien aéré. On arrose peu de mars à septembre. Avant tout nouvel arrosage, attendre que la surface du sol dessèche. Toutes les deux ou trois semaines, apporter un peu d'engrais liquide dans l'eau d'arrosage.

Automne et hiver. La température ne doit pas descendre au-dessous de 10 °C, On donne aux plantes le plus de lumière possible. D'octobre à fin mars, conserver le substrat quasiment au sec.

MULTIPLICATION

La multiplication des lampranthus par bouturage est enfantine. Entre mars et mai, détacher des pousses latérales de 8 à 10 cm de longueur. Laisser sécher un jour ou deux, tremper la base dans des hormones d'enracinement en poudre et planter dans un mélange terreux pour cactées additionné de sable grossier. La plantation est tenue à peine humide, protégée de la pleine lumière, à une température de 18 °C environ. Lorsque les nouvelles pousses apparaissent, repiquer délicatement chaque pousse dans un godet de 8 à 10 cm de diamètre, empli d'un mélange pour cactées et plantes grasses.

Espèces

Lampranthus aurantiacus Ce sous-arbrisseau succulent atteint 45 cm de hauteur. Moins ramifié que la plupart des autres espèces, il forme un buisson lâche de feuilles glauques. De brillantes fleurs orange, de 5 cm de diamètre environ, se succèdent du milieu de l'été à l'automne.

Lampranthus conspicuus Cette plante dense, rampante, haute de 30 cm, porte des feuilles luisantes de couleur vert vif. Elle produit d'éclatantes fleurs rose pourpré du début à la fin de l'été.

Lampranthus falcatus Cette plante à développement lent porte des feuilles lisses, épaisses. En été, elle produit une abondance de grandes fleurs roses.

Lampranthus haworthii (ci-dessus). Plutôt buissonnante, cette espèce est couverte de fleurs violet clair.

Maladies et parasites

Ces plantes poussent très facilement pourvu qu'on ne leur donne pas trop d'eau. Le seul parasite qui s'y attaque parfois est la cochenille farineuse, qui produit des taches laineuses blanches à l'attache des feuilles. Utiliser un insecticide spécifique.

Lapageria

Famille : **Liliacées**

Nom usuel : **lapagéria**

D'ordinaire cultivé en serre, le lapagéria peut constituer une superbe plante de véranda ou d'intérieur grâce à son feuillage persistant et à ses grandes fleurs épanouies de la fin du printemps à l'été.

Fleur nationale du Chili, c'est une plante grimpante de grande taille, aux feuilles vertes écloses sur les tiges sinueuses. Si l'on dispose de place, on peut la conduire jusqu'à 3 m de hauteur le long d'un treillage. Pour obtenir un sujet plus petit, se contenter de tuteurs.

TECHNIQUES DE CULTURE

Printemps et été. Les lapagérias n'apprécient guère le calcaire. On veillera donc à utiliser un mélange terreux acide, à base de tourbe. On rempotera en mars, en changeant de taille de pot si nécessaire, jusqu'à concurrence de 25 cm de diamètre. Puis on remplacera la couche de terre superficielle par un substrat neuf.

La température estivale sera de 15 ou 18 °C. L'exposition la meilleure est la mi-ombre, dans un coin bien aéré. On arrosera durant toute la saison de pousse pour garder le substrat humide, sans que l'eau stagne dans la soucoupe du pot. L'eau, comme le substrat, ne devra pas contenir de calcaire. Mieux vaudra donc utiliser de l'eau bouillie, à laquelle on ajoutera quelques gouttes de vinaigre. Toutes les trois semaines, d'avril à septembre, on ajoutera un engrais liquide à cette eau.

Un bassinage régulier, au printemps, encouragera la végétation et permettra de prolonger la floraison. On évitera cependant de mouiller les fleurs écloses.

Automne et hiver. En hiver, maintenir une température régulière de 10 °C. La plante apprécie une exposition ombragée, bien aérée, mais éloignée des courants d'air froid. Arroser modérément pour maintenir le terreau juste frais.

Maladies et parasites

L'excès d'eau provoque un jaunissement du feuillage, qui s'affaiblit. L'exposition au plein soleil provoque des brûlures sur les feuilles.

Le puceron vert est fréquent sur cette plante. On le trouve à l'extrémité des pousses, dont il entrave la croissance. On s'en débarrasse avec des pulvérisations à base de pyrèthre.

La cochenille farineuse fait parfois son apparition. On la reconnaît aux taches blanches qu'elle produit. Le thrips, minuscule insecte noir, sévit également. On le combat à l'aide d'insecticides spécifiques ou bien avec un produit systémique à appliquer sur le sol à trois reprises : en avril, juin et septembre.

MULTIPLICATION

La plante demande trois ans avant d'être apte à fleurir. On la sème en mars ou avril dans un terreau acide bien mélangé à la proportion de 3 pour 1 à du sable fin. Maintenir constamment humide, sans excès. Laisser le semis à une température de 18 °C environ durant quatre semaines, jusqu'à la levée complète. Quand les plantules atteignent 5 cm de hauteur, on les repique en pots individuels.

Espèces

Lapageria rosea C'est la seule espèce du genre. C'est un arbuste grimpant, persistant, aux feuilles vertes, réparties le long des lianes. Les fleurs campanulées, de couleur rose vif, s'épanouissent à la fin du printemps et durant tout l'été. La variété 'Albiflora' (ci-dessus) porte des feuilles argentées et des fleurs blanc-crème.

Lapageria Cette plante somptueuse est dédiée à Joséphine, née Tascher de la Pagerie.

Laurus

Famille : **Lauracées**

Nom usuel : **laurier**

Souvent utilisé dans les cours et sur les terrasses, le laurier n'est que rarement cultivé comme plante d'intérieur, bien que, traité avec soin, il puisse également prospérer dans la maison. C'est un arbuste persistant à l'habit vert sombre, dont on utilise les feuilles aromatiques comme condiment, à la cuisine. Dans son milieu naturel, il peut atteindre de 5 à 6 m de hauteur. Cultivé en pot, on peut le maintenir par la taille à 1 ou 2 m. Ce faisant, on peut également lui donner les formes les plus variées : en ovale, en pyramide, en boule, pour qu'il soit compact et touffu.

Il est plutôt facile à cultiver en pot pour peu qu'on lui accorde une position lumineuse, au soleil, bien aérée et protégée des vents glacés, en veillant aux arrosages. Dans ces conditions, l'arbuste persiste durant de nombreuses années.

TECHNIQUES DE CULTURE

Printemps et été. Bien qu'il pousse lentement, le laurier développe d'importantes racines : il faut donc le rempoter tous les deux ans au printemps, dans un mélange riche. Augmenter régulièrement le volume du pot jusqu'à avoir un contenant de 25 à 30 cm de diamètre. La température ambiante convient bien au laurier. L'éclairement doit être intense, mais il faut éviter le plein soleil.

D'avril à octobre, arroser modérément, en ajoutant un engrais liquide à l'eau tous les quinze jours environ. Bassiner régulièrement le feuillage, surtout s'il fait très chaud. Entre mai et juin, tailler légèrement le buisson, et le bassiner copieusement pour rafraîchir le feuillage.

Automne et hiver. Le laurier supporte bien l'hiver s'il est protégé du gel. Le placer dans un endroit lumineux, voire en plein soleil. Pendant les mois les plus froids, l'arrosage doit être restreint, et supprimé au-dessous de — 7 °C.

Laurus Jeune sujet de laurier guidé en forme d'arbre.

Maladies et parasites

Le laurier connaît peu de problèmes. Le plus grave est éventuellement causé par un excès d'eau pendant l'hiver. Maintenir la plante à l'abri des fortes gelées, qui provoquent le brunissement des feuilles et fait même mourir les pousses les plus tendres.

Le jaunissement et la chute des feuilles, en été, et en particulier sur les branches les plus basses, sont l'indice d'un manque d'eau. Apporter un engrais tous les quinze jours, surtout si l'on prélève beaucoup de feuilles pour la cuisine.

Les cochenilles brunes se manifestent sous forme de pustules arrondies situées au revers des feuilles. Leurs attaques sont épisodiques. On les combat à l'aide d'un chiffon imprégné d'alcool ou en traitant la plante à l'aide d'un insecticide spécifique.

MULTIPLICATION

De la fin juillet à septembre, prélever des boutures de branches de 10 à 12 cm. Plonger la coupe dans une hormone d'enracinement en poudre, puis planter dans un mélange de sable et de tourbe, dans un coin ombragé et à une température moyenne de 15 °C.

Éviter de déplacer ou de repiquer les boutures jusqu'à leur enracinement.

Espèces

Laurus nobilis C'est la seule espèce cultivée. C'est un arbuste ou un petit arbre persistant aux feuilles nombreuses, vert foncé, ovales et pointues, aux bords ondulés. Des fleurs jaunes insignifiantes apparaissent en avril sur les sujets femelles, donnant naissance à des baies pourpres. En liberté, la plante atteint de 3 à 6 m. En pot, elle conserve, grâce à la taille, une hauteur de 1 à 2 m. Il existe quelques variétés très décoratives telles que : *Laurus nobilis* 'Aurea'. Ses feuilles ont la forme et le goût de l'espèce type, mais se colorent d'un ravissant jaune d'or. *Laurus nobilis* 'Angustifolia' produit des feuilles étroites et un peu plus longues.

Guide d'achat

Bien qu'il soit très populaire, le laurier n'en demeure pas moins une plante assez coûteuse. Il est préférable d'en acquérir un pied de 25 à 30 cm de haut, aux rameaux touffus et bien feuillés, et de l'élever soi-même. Si on cherche à lui donner une forme d'arbre, retenir un sujet dont le tronc est déjà bien formé.

Lithops

Famille : **Aizoacées**

Nom usuel : **plante-caillou**

Aspect plante grasse	**Hauteur** de 2,5 à 4,5 cm	**Floraison** fin été
Culture facile	**Exposition** ensoleillée	**Humidité** réduite

Voici des plantes qui combleront les amateurs d'insolite, car on peut se demander si elles appartiennent au règne végétal ou au règne minéral (ce que suggère du reste leur nom générique, qui signifie littéralement « pierres vivantes »). Elles ressemblent en effet à s'y méprendre à des galets, avec leurs feuilles semi-circulaires soudées deux par deux, aussi épaisses que larges, dont la surface est souvent délicatement marbrée ou veinée comme la pierre. Mais le doute se dissipe en été lorsque s'ouvre au milieu de chaque paire de feuilles une fissure d'où jaillit une splendide fleur au coloris éclatant, semblable à une marguerite.

TECHNIQUES DE CULTURE

Printemps et été. Rempoter tous les trois ans environ, dans un mélange de terreau et de sable, en garnissant le fond du pot d'une couche de tessons ou de galets afin d'améliorer le drainage. Les lithops ayant une racine pivotante, il leur faut un pot classique et non une terrine plate.

La température normale d'une pièce (jusqu'à 27 °C) convient aux lithops, mais il leur faudra la pleine lumière, et si possible quelques heures de soleil par jour, pour qu'ils consentent à fleurir.

Au début de l'été, commencer à arroser, d'abord une fois tous les quinze jours, puis une fois par semaine, voire plus souvent par forte chaleur. Nourrir tous les mois avec un engrais liquide (sauf l'année du rempotage, le compost étant alors suffisamment fertile).

Automne et hiver. Après la floraison, les feuilles commencent à se flétrir et à se recroqueviller : la plante n'est pas pour autant en train de mourir, il s'agit d'un phénomène normal. Dès cette période, il faut priver les plantes d'eau, condition indispensable pour que de nouvelles feuilles se forment et remplacent les anciennes. On ne reprendra les arrosages qu'au début de l'été suivant. Les lithops supportent assez bien le froid, mais il n'est cependant pas conseillé de les tenir au-dessous de 4 °C.

MULTIPLICATION

Par division des touffes au début de l'été ou encore par semis, mais, dans ce cas, il faut savoir que les jeunes plants ne fleuriront pas avant plusieurs années.

Maladies et parasites

Un arrêt de la croissance peut laisser soupçonner la présence de cochenilles au niveau du système radiculaire. Dépoter la plante avec précaution et examiner les racines : si l'on y voit des plaques blanchâtres, d'aspect laineux, les laver à l'eau tiédie, puis les plonger dans une solution insecticide. Laisser sécher avant de rempoter dans un pot ébouillanté et dans du compost frais et stérile. Ne pas arroser avant une quinzaine de jours.

Lithops alpina Cette plante insolite à l'aspect de minéral s'agrémente en été de fleurs jaune d'or qui ressemblent à des marguerites.

Espèces

Lithops alpina Cette espèce a des feuilles d'environ 2,5 cm d'épaisseur, d'un gris verdâtre tacheté de vert sombre. Comme celles de tous les lithops, elles sont attachées à une courte tige souterraine, prolongée par une racine pivotante assez longue. Les fleurs d'un jaune éclatant apparaissent dès le mois de juin.

Lithops aucampiæ Non moins représentative de ce genre originaire d'Afrique du Sud, cette espèce à grandes fleurs jaune vif se différencie de la précédente par ses feuilles plus volumineuses (environ 4 cm d'épaisseur pour une largeur équivalente), d'un gris violacé avec des marbrures brun-vert (en haut, à gauche).

Lithops bella Sur ses feuilles grisâtres se détachent nettement des veinures vert sombre, comme dessinées au pochoir. Ses fleurs blanches à cœur jaune ressemblent de façon étonnante aux capitules des marguerites (ci-dessus, à gauche).

Lithops lesliei La couleur des feuilles varie du brun verdâtre au gris-rose, avec des mouchetures brunes ou rougeâtres sur la face supérieure. Vers la fin de l'été apparaissent des fleurs jaune d'or, délicatement nuancées de rose sur le revers des pétales (en haut, à droite).

Lithops optica Ses feuilles accolées sont séparées par une large entaille. Floraison tardive, en novembre. La variété 'Rubra' (ci-dessus, à droite) est la plus connue.

Mammillaria

Famille : **Cactacées**

Nom usuel : **mamillaire**

Mammillaria zeilmanniana Sa beauté ne tient pas seulement à ses fleurs d'un rouge violacé, mais également à ses épines blanches, longues et flexibles.

Originaires des régions les plus torrides du sud des États-Unis et du Mexique, (leur aire de diffusion s'étend de la Californie au Venezuela, en englobant les Antilles), les mamillaires, avec près de quatre cents espèces, représentent le plus important groupe de Cactacées.

De taille modeste, ces cactus du désert ont une forme globuleuse ou cylindrique et produisent pour la plupart des rejets. Mais là n'est pas leur principale caractéristique : au lieu d'être divisée longitudinalement par des côtes, leur tige est couverte de petits tubercules renflés (ou mamelons, d'où le nom donné au genre), disposés en spirales. Chacun de ces tubercules porte une aréole garnie d'un bouquet d'épines plus ou moins longues, rigides ou, au contraire, soyeuses et flexibles. Les fleurs sont produites par des aréoles secondaires, situées entre les tubercules, et sont disposées en couronne au sommet de la plante.

Cette floraison, ravissante mais éphémère (deux semaines tout au plus), est l'un des attraits des mamillaires, qu'il faut choisir avec discernement. Les unes, en effet, sont très faciles à cultiver, même pour le novice qui n'a jamais approché un cactus, tandis que les autres exigent une science et une expérience consommées.

TECHNIQUES DE CULTURE

Printemps et été. Rempoter les mamillaires au printemps, dans un compost spécial pour Cactées (une part de sable grossier pour deux parts de terreau). Utiliser de préférence une terrine large et plate, qui laissera aux rejets suffisamment de place pour se développer, plutôt qu'un pot classique. Placer la plante en pleine lumière, sinon elle ne fleurira pas. La température idéale se situe autour de 18-20 °C, mais les mamillaires supporteront sans dommage 30 °C, et même un peu plus, à condition que la pièce soit bien aérée. À la saison chaude, un séjour à l'extérieur, dans un emplacement ensoleillé, ne peut que leur être bénéfique.

Arroser d'abord parcimonieusement, puis augmenter légèrement les doses à mesure que la croissance reprend et que la température ambiante s'élève, en n'oubliant jamais, néanmoins, qu'un arrosage excessif peut être fatal aux cactus et qu'il faut toujours laisser sécher le compost avant de redonner de l'eau. Nourrir tous les vingt ou trente jours avec un engrais riche en potasse.

Automne et hiver. Après la floraison, il faut préparer la plante à son repos hivernal. Dès le début de l'automne, n'arroser qu'une fois par mois, puis cesser tout arrosage pendant l'hiver, à moins que la température ne soit supérieure à 15 °C, auquel cas il faudrait donner un peu d'eau. Le mieux, cependant, est de la tenir au sec et au frais, dans un endroit lumineux et à l'abri des courants d'air froids en veillant à ce que la température ne descende jamais au-dessous de 5 °C.

MULTIPLICATION

La grande majorité des espèces produisent des rejetons, lesquels portent également des fleurs, lorsqu'elles atteignent deux ou trois ans d'âge. La méthode de multiplication la plus facile et la plus rapide consiste à prélever ces rejetons, en dehors de la période de floraison, en les coupant à la base (l'endroit le plus étroit) avec un couteau bien aiguisé.

Plonger la partie sectionnée dans une poudre radiculaire à base d'hormones, additionnée d'un produit fongicide qui préviendra tout risque de pourriture, et laisser sécher quelques jours avant de planter dans un compost frais. Placer à la lumière et ne pas arroser pendant les deux semaines qui suivent l'empotage.

Espèces

Mammillaria hahniana D'un vert glauque, les tiges globuleuses de la mamillaire de Hahn disparaissent sous une masse de soies blanches, longues et drues, qui forment comme une chevelure blanche. Les fleurs cramoisies sont de courte durée, mais elles se succèdent pendant plusieurs mois. Les rejetons, très nombreux, n'apparaissent qu'au bout de plusieurs années.

Mammillaria prolifera Une espèce à fleurs jaune crème, remarquable par sa croissance ultra-rapide (les tiges produisent des rejets dès qu'elles atteignent 2,5 cm de diamètre) et par ses tubercules mous et charnus.

Mammillaria rhodantha Cette mamillaire à petites fleurs violacées a des tiges plus ou moins cylindriques, qui peuvent s'élever jusqu'à 20 cm, et des épines roses ou brunes, plus dures que celles de la plupart des autres espèces (ci-dessous).

Mammillaria spinosissima Une espèce de belles dimensions (jusqu'à 30 cm de hauteur), aux fleurs blanches ou carminées. Selon les variétés, les épines sont de couleur blanche ou brun-rose (à gauche).

Pour récolter les graines des mamillaires, il est nécessaire d'assurer auparavant la pollinisation en se servant d'un fin pinceau.

Après la floraison apparaissent de petits fruits rougeâtres, que l'on détachera soigneusement dès qu'ils seront arrivés à maturité.

Presser délicatement ces fruits au-dessus d'un papier buvard pour faire sortir la pulpe. Laisser sécher avant de recueillir les graines.

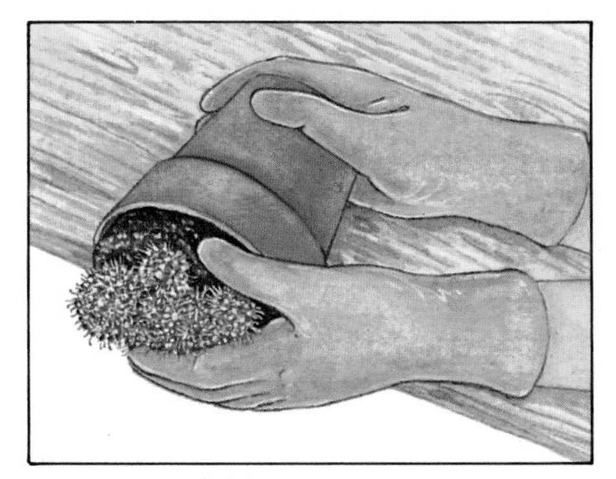

Rempotage et division. Les espèces qui produisent des rejets en abondance doivent être divisées régulièrement. Dépoter avec précaution, en utilisant des gants de jardinage épais.

Séparer les rejets les mieux développés et les rempoter séparément, en pressant bien la terre.

Maladies et parasites

Tout excès d'eau, surtout en hiver, provoque la pourriture des tissus végétaux, qui noircissent et s'amollissent. Il faut aussi veiller, lors des arrosages, à ne pas répandre d'eau sur la tige, car les taches d'humidité dégénèrent facilement en taches de pourriture, qu'il faut exciser rapidement avant qu'elles ne s'étendent (on saupoudrera ensuite la plaie de soufre pour favoriser la cicatrisation). Mais si elle se produit à la base, cette pourriture est sans remède et entraîne la mort de la plante.

Un ralentissement de la croissance peut signifier que les cochenilles ont envahi le système radiculaire. Il faut alors dépoter la plante. Si l'on constate la présence de plaques blanchâtres et d'aspect laineux sur les racines, les laver avec un insecticide très dilué et rempoter dans un compost stérile.

Guide d'achat

Il faut savoir que les variétés à fleurs rouges ont en général une croissance plus lente que les espèces à fleurs jaunes ou blanc crème (mais *M. zeilmanniana* fait exception à la règle). Vérifier que les mamillaires sont solidement plantées dans leur pot (dans le cas contraire, cela peut signifier que leurs racines sont endommagées) et qu'elles ne présentent aucune tache de pourriture.

Espèces

Mammillaria bocasana Facile à cultiver, la mamillaire de Bocas, séduisante par son abondante floraison estivale, est à conseiller aux débutants. Cette espèce forme des touffes compactes de tiges globuleuses de 5 à 7 cm de diamètre, couvertes d'un épais duvet argenté. La variété 'Splendens' a des fleurs brun-orangé à gorge jaune (en bas).

Mammillaria zeilmanniana D'un beau vert sombre, ses tiges ovoïdes, qui tendent à devenir cylindriques chez les sujets plus âgés, sont couvertes de longues épines blanc argenté. De mars à juillet, cette mamillaire se couvre à profusion de fleurs d'environ 2 cm de diamètre, le plus souvent roses ou violacées, mais la variété 'Alba' se signale par ses fleurs blanches.

Maranta

Famille : **Marantacées**

Noms usuels : **maranta, plante qui prie, plante dormeuse**

Souvent confondus avec les calathéas, qui appartiennent à un genre très voisin, les marantas sont appréciés pour la beauté de leurs feuilles ornées de dessins variés, que l'on dirait peintes à la main. Si l'on ajoute qu'ils font partie des rares plantes ornementales à feuillage panaché qui se plaisent à mi-ombre, et donc dans des pièces peu lumineuses, on comprendra qu'ils soient très recherchés.

Les marantas, dont une seule espèce est cultivée à l'intérieur, présentent une autre caractéristique : étalées et repliées vers l'extérieur pendant le jour, leurs feuilles se dressent à la tombée de la nuit, ce qui leur a valu le surnom de plantes dormeuses ou de plantes qui prient.

Maranta Ces belles plantes au feuillage très décoratif préfèrent l'ombre à la pleine lumière.

TECHNIQUES DE CULTURE

Printemps et été. Les marantas ont une croissance rapide, aussi faut-il, au moins les premières années, les rempoter chaque printemps dans un compost léger et nutritif (par exemple, un mélange à parts égales de terreau et de terre de bruyère), qui ne sera pas trop tassé pour rester bien poreux. Comme leur système radiculaire se développe plus en surface qu'en profondeur, un pot bas ou une terrine leur conviendront parfaitement.

Une température de 18-20 °C est idéale. Au-dessus, poser le pot sur un lit de graviers que l'on tiendra mouillé en permanence pour maintenir un taux suffisant d'humidité atmosphérique, et vaporiser tous les jours de l'eau de pluie sur les feuilles (l'eau calcaire laisse des taches).

Les marantas craignent la lumière trop vive et se plaisent mieux dans une ombre légère. Éviter en tout cas de les exposer aux rayons du soleil, qui leur seraient nocifs. Arroser abondamment pendant la période de croissance (le compost doit rester très humide) et nourrir tous les quinze jours avec un engrais liquide.

Automne et hiver. Pendant cette phase de repos, réduire les arrosages, et laisser chaque fois le mélange sécher sur quelques centimètres avant de redonner de l'eau. La température ne doit jamais descendre au-dessous de 13 °C.

MULTIPLICATION

Très facile par division des touffes au printemps. On peut aussi prélever au mois d'août des boutures de 8 à 10 cm, munies de deux ou trois feuilles. Planter dans un mélange de tourbe et de sable, et garder à l'étouffée et à l'ombre jusqu'à enracinement (de quatre à six semaines).

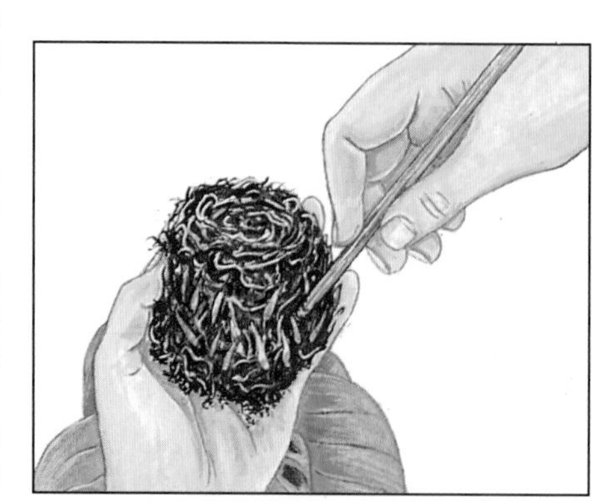

Diviser les touffes au printemps, en ayant soin de dégager et de démêler les racines charnues afin de ne pas les endommager.

Séparer alors la masse des tiges et des racines en deux parties que l'on empotera séparément dans un compost fertile.

Maladies et parasites

Les araignées rouges et les cochenilles farineuses sont les principaux ennemis des marantas. Les premières tissent leurs minuscules toiles sous les feuilles, qui se fanent sans raison apparente. Enlever ces filaments blanchâtres avec une éponge avant de pulvériser un insecticide à base de malathion dilué. Répéter l'opération tous les quinze jours jusqu'à élimination totale des parasites, et, pour prévenir toute nouvelle infestation, maintenir une humidité suffisante et poser le pot dans une soucoupe pleine de graviers mouillés (les araignées rouges prolifèrent surtout dans les ambiances chaudes et sèches).

C'est à l'aisselle des feuilles qu'il faut chercher les cochenilles, sous la forme de plaques blanches d'aspect laineux qui adhèrent fortement aux tiges. Le mieux est d'en retirer un maximum à la pince à épiler ou en grattant délicatement avec un Coton-Tige imprégné d'alcool dénaturé. Pulvériser ensuite du malathion dilué et renouveler le traitement deux ou trois fois, à quinze jours d'intervalle.

Des feuilles atones, qui perdent leurs couleurs, sont le symptôme d'une obscurité excessive ou bien d'une carence en éléments nutritifs. Un apport d'engrais y remédiera.

Espèces

Maranta leuconeura C'est pratiquement le seul maranta cultivé à l'intérieur, sur la quinzaine d'espèces, originaires de l'Amérique tropicale, que compte ce genre, qui doit son nom à un célèbre botaniste vénitien du XVIe siècle, Bartolomeo Maranti. Cette plante verte a de belles feuilles ovales de 10 à 13 cm de longueur sur environ 7 cm de largeur, portées par des pétioles engainés. Leur face supérieure, à l'aspect satiné, s'orne de taches qui sont disposées symétriquement de chaque côté de la nervure centrale et qui font penser aux ocelles du plumage d'un oiseau. Le revers se nuance souvent de pourpre.

La variété 'Kerchoveana' (ci-dessous) a des feuilles d'un vert clair à reflets argentés, avec deux rangées de taches veloutées vert sombre. Les feuilles de la variété 'Erythrophylla' (en bas) offrent un dessin caractéristique : d'un vert olive soutenu, elles portent deux rangées de taches vert clair le long de la nervure centrale, d'où partent des nervures latérales rouge vif. La variété 'Massangeana' a un dessin et des bordures similaires, d'une jolie nuance argentée sur un fond vert vif.

Mimosa

Famille : **Légumineuses**

Nom usuel : **sensitive**

Aspect	Hauteur	Floraison
arbustif	de 45 à 50 cm	estivale
Culture	**Exposition**	**Humidité**
en ambiance non polluée	lumière vive	assez abondante

Le genre *Mimosa*, qui regroupe quelque cinq cents plantes herbacées ou arbustives originaires d'Amérique tropicale et des Antilles, prête quelque peu à confusion, car les arbustes aux odorantes fleurs jaunes que nous appelons communément mimosas appartiennent en réalité au genre *Acacia*. *Mimosa pudica*, la seule espèce cultivée en appartement, n'a en commun avec le mimosa des fleuristes que ses inflorescences globuleuses et son feuillage très finement découpé, mais c'est une autre caractéristique qui lui a valu son appellation de sensitive : dès qu'on les effleure, ses feuilles se replient sur elles-mêmes (les pétioles s'affaissent et les folioles se recouvrent) et ne reprennent leur position initiale qu'au bout d'une trentaine de minutes. Aussi fascinante que soit cette réaction de défense, il faut éviter de la provoquer trop souvent, car la plante peut en souffrir.

TECHNIQUES DE CULTURE

Printemps et été. Les sensitives auront un feuillage plus épais et une floraison plus abondante si leur système radiculaire est tenu un peu à l'étroit. On ne les rempotera donc que lorsque leurs racines occuperont tout l'espace disponible et sortiront par l'orifice de drainage. Les installer dans un mélange de terre de jardin, de tourbe et de terre de bruyère, et placer le pot en pleine lumière (il faut aux plantes trois ou quatre heures de soleil par jour si l'on veut qu'elles fleurissent).

La température normale d'une pièce leur convient, mais il faut assurer une bonne aération lorsque le thermomètre monte au-dessus de 21 °C. Mieux vaut les préserver en toute saison des fumées et des émanations toxiques, car ces plantes sont très sensibles à la pollution. Bien mouiller le compost lors de chaque arrosage, et laisser sécher sur 2 cm avant de redonner de l'eau. Nourrir tous les quinze jours avec un engrais liquide.

Automne et hiver. Tenir les sensitives dans l'endroit le plus ensoleillé de la maison, à l'abri des courants d'air froid, et veiller à ce que la température ne descende jamais au-dessous de 13 °C.

MULTIPLICATION

Par semis, en mars-avril, à la surface d'un mélange de tourbe et de sable à peine humide. Tenir à 18-21 °C et exposer à une bonne lumière tamisée. Les graines lèvent en deux ou trois semaines.

Mimosa pudica Au moindre effleurement, ses feuilles se replient sur elles-mêmes.

Maladies et parasites

Contre les pucerons, qui prolifèrent souvent sur les pinnules, pulvériser un produit à base de pyrèthre. Des mouchetures blanches sur le feuillage révèlent la présence des thrips, que l'on éliminera par des pulvérisations répétées de malathion dilué (attention! ce produit efficace est très toxique, contrairement au pyrèthre). Arroser le compost avec une solution insecticide pour éliminer les larves qui pourraient s'y trouver.

Espèces

Mimosa pudica Cette espèce arbustive est la seule à être cultivée en appartement. C'est une plante très ramifiée, avec des tiges ligneuses à la base et herbacées au sommet, couvertes de fins poils blancs. Elles sont garnies d'épines, de même que les longs pétioles des feuilles bipennées vert tendre, dont les folioles sont divisées en très fines pinnules rappelant un peu les frondes des fougères. Regroupées en bouquets axillaires, les fleurs globuleuses d'une délicate couleur rose tirant sur le lilas ressemblent à des petites houppes duveteuses de 0,5 à 1,5 cm de diamètre. La floraison a lieu en été.

Monstera

Famille : **Aracées**

Noms usuels : **monstéra délicieux, faux-philodendron**

Avec ses énormes feuilles d'un beau vert satiné aux profondes échancrures asymétriques, le monstéra, ou faux-philodendron (appelé encore arbre à pain du Mexique ou cériman), est sans doute l'une des plantes d'intérieur les plus populaires. Et l'on a beau annoncer épisodiquement qu'il est passé de mode, il rencontre toujours le même succès.

Succès d'ailleurs bien compréhensible : robuste, facile à cultiver, très accommodante quant aux températures et à la lumière, cette très spectaculaire plante verte comble en outre les vœux des impatients par sa croissance ultra-rapide. Elle est aussi d'une remarquable longévité. On ne peut lui faire qu'un seul reproche : avec l'âge, elle tend à perdre ses feuilles inférieures, ce qui lui donne un air tristement dégarni, mais on peut y remédier assez facilement en pratiquant des petites incisions au-dessus des cicatrices laissées par les pétioles des feuilles disparues, ce qui provoquera la formation d'un nouveau bourgeon foliaire.

TECHNIQUES DE CULTURE

Printemps et été. Les monstéras se rempotent chaque année en février-mars, dans un mélange de terreau et de terre de bruyère bien drainé (disposer au fond un lit de tessons ou de galets), jusqu'à ce qu'ils soient installés dans un pot de 50 cm de diamètre, après quoi on se contentera de renouveler le compost en surface sur 5 ou 7 cm d'épaisseur.

Les monstéras se développeront mieux si on leur fournit un support couvert de mousse, qu'il convient donc d'installer ou de remplacer au moment du rempotage. Ils tolèrent l'ombre, mais préfèrent une bonne lumière indirecte (mieux vaut tamiser les rayons du soleil). La température normale d'une pièce (de 16 à 20 °C) leur convient, et ils supportent bien les fortes chaleurs à condition que l'humidité atmosphérique soit suffisante : vaporiser le feuillage deux ou trois fois par semaine avec de l'eau non calcaire.

Toutefois, les arrosages trop copieux sont néfastes. Attendre que le compost ait complètement séché en surface avant de redonner de l'eau (on conseille en général un arrosage par semaine). Il ne faut pas non plus, sous prétexte que le monstéra a une croissance exubérante, le suralimenter : un apport d'engrais liquide tous les vingt ou trente jours est largement suffisant. Dépoussiérer les feuilles chaque semaine avec une éponge humide.

Automne et hiver. De novembre à mars, les arrosages seront plus parcimonieux, et l'on cessera de donner de l'engrais. Il faudra cependant se méfier du dessèchement de l'air dû au chauffage central : vaporiser presque quotidiennement et, à défaut d'humidificateur électrique, disposer autour de la plante des récipients pleins d'eau qui sera renouvelée à mesure qu'elle s'évapore. En cette saison, on peut exposer le monstéra au soleil.

Monstera deliciosa L'une des plantes d'intérieur les plus connues et les plus robustes.

MULTIPLICATION

Au printemps, par boutures de pousses terminales comportant une feuille ou encore par marcottes aériennes, que l'on entourera de tourbe à l'intérieur d'un manchon en plastique.

Maladies et parasites

Dans une atmosphère sèche et confinée, il faut toujours craindre les méfaits des araignées rouges : enlever avec une éponge humide les toiles tendues sous les feuilles, puis pulvériser un insecticide. Il faut aussi vérifier fréquemment que le monstéra n'est pas envahi par les cochenilles farineuses, dont on enlèvera les cocons blanchâtres avec un coton imbibé d'alcool dénaturé.

Guide d'achat

N'acheter que des exemplaires dont les feuilles sont en parfait état : il faut savoir distinguer les découpures normales, aux bords bien lisses, des déchirures. Les jeunes feuilles doivent être d'un beau vert tendre. Des feuilles aux pointes brunies indiquent que la plante a souffert de la sécheresse.

Espèces

Monstera deliciosa Dans son milieu naturel, cette vigoureuse plante grimpante originaire du Guatemala et du sud du Mexique a une taille impressionnante et émet de grosses racines aériennes qui s'accrochent aux arbres voisins. En appartement, le monstéra ne dépassera pas 4 m. Ses feuilles cordiformes et coriaces, à la surface brillante, sont entières lorsqu'elles sont jeunes (elles ressemblent à celles du philodendron, d'où le surnom de faux-philodendron donné à cette espèce), mais, avec l'âge, elles présentent de profondes échancrures irrégulières qui vont parfois jusqu'à la nervure centrale, et même des perforations rondes ou ovales. Dans des conditions favorables, elles peuvent atteindre jusqu'à 75 cm de longueur. Les inflorescences, formées d'une spathe blanc crème entourant un spadice charnu qui se transforme en un fruit renfermant une pulpe comestible ayant le goût de l'ananas, apparaissent très rarement sur les sujets cultivés en pot.

La variété 'Borsigiana' (à gauche) est de taille plus modeste, tandis que 'Variegata' (ci-dessus) a des feuilles d'un beau vert argenté mouchetées de crème.

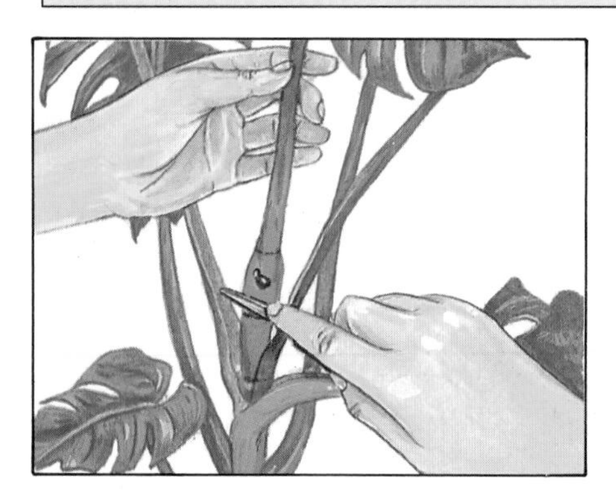

Multiplication par boutures. Avec un couteau bien aiguisé, prélever une pousse terminale comportant une feuille et une petite racine aérienne, en sectionnant juste sous un nœud.

On peut faire prendre racine dans l'eau, en ajoutant au liquide quelques fragments de charbon de bois et en couvrant hermétiquement le récipient avec un film en plastique transparent.

Au bout de quelques semaines, on voit apparaître des racines. On peut alors empoter la bouture, en enfermant le pot dans un sac en plastique transparent pendant quelques jours.

Narcissus

Famille : **Amaryllidacées**

Noms usuels : **narcisse, jonquille**

Narcissus poeticus Le narcisse des poètes, représenté ici par la variété 'Actaea', est très élégant.

L'étymologie du genre *Narcissus* est controversée. Les uns y voient une référence mythologique : les narcisses, qui poussent souvent au bord de l'eau, se courbent comme pour s'y mirer, à l'instar de Narcisse, amoureux de son image. Pour les autres, ce nom dériverait du mot grec *narkê* (« engourdissement »), car le bétail qui broute des narcisses tombe dans une sorte de léthargie.

La classification ne prête pas moins à contestation : certains botanistes dénombrent une trentaine d'espèces, d'autres plus de cent (sans parler des innombrables variétés obtenues par croisement). La facilité avec laquelle les narcisses s'hybrident prête il est vrai à confusion. Quoi qu'il en soit, les narcisses sont des plantes à bulbe tuniqué (recouvert d'une membrane brune) et à feuilles linéaires, lisses ou striées. Rattachées au sommet des hampes flexibles par un pédoncule gainé de bractées membraneuses, les fleurs se composent d'un périanthe tubuleux qui s'épanouit en six segments réguliers, ou tépales (éléments dont on ne sait si ce sont des sépales ou des pétales). Au centre de cette corolle s'ouvre une coronule, couronne centrale renfermant les étamines, qui peut être une simple collerette, s'évaser en coupe ou présenter l'aspect d'un long entonnoir (on l'appelle alors trompette).

Remarquablement rustiques, les narcisses peuvent rester en place plusieurs années, et refleurissent chaque printemps (certains ont une floraison automnale). Ils s'accommodent de tous les sols et ne demandent pratiquement aucun soin. Parfait en bordures, pour garnir talus, clairières et rocailles ou pour former de belles nappes colorées sur les pelouses, ils peuvent aussi se cultiver en pot. On trouve des bulbes spécialement traités pour fleurir au moment de Noël.

TECHNIQUE DE CULTURE

Mettre les narcisses en place dès la fin septembre (à l'exception des espèces à floraison automnale, qui se plantent au printemps) en les enterrant assez profondément : un bulbe de 5 cm devra par exemple être recouvert d'environ 10 cm de terre. Une plantation précoce favorise en effet la formation des bulbilles et permet aux touffes de s'étoffer (pour obtenir une touffe de belles dimensions, on plantera de dix à trente bulbes en les espaçant d'une dizaine de centimètres).

S'ils se plaisent mieux dans les terres argileuses et assez fraîches, les narcisses tolèrent à peu près tous les types de sol, mais l'apport de fumier est déconseillé. Le soleil et l'ombre leur conviennent également. Si le printemps est très sec, arroser une fois par semaine, sinon la floraison risquerait d'être un peu chétive.

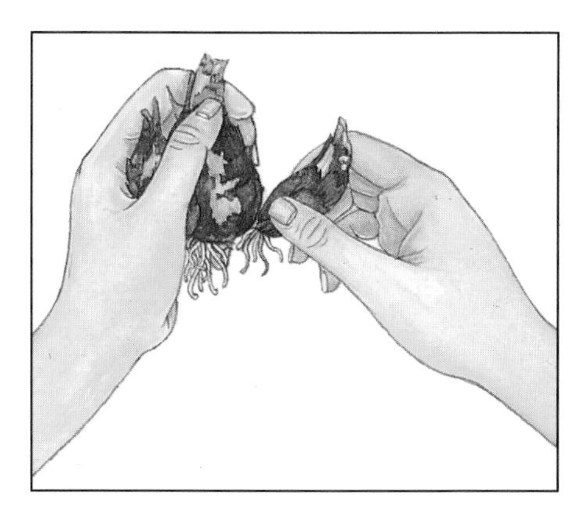

Multiplication du narcisse : après avoir déterré le bulbe, séparer les caïeux qui, plantés séparément, donneront naissance à un nouveau pied.

Maladies et parasites

Ces belles plantes à fleurs ont plusieurs ennemis bien connus parmi les insectes, en particulier un diptère surnommé mouche du narcisse et un petit coléoptère, le galéruque, dont les larves se développent dans le bulbe. On peut s'en débarrasser avec des insecticides spécifiques tandis qu'il est beaucoup plus difficile de lutter contre les maladies cryptogamiques comme la fusariose, qui provoque l'apparition de taches brunes sur le bulbe et qui fait jaunir les feuilles, ou comme la pourriture blanche, qui s'attaque à la base des feuilles et au bulbe. Si ce dernier est endommagé, il faut le détruire.

Espèces

Narcissus bulbocodium Indigène dans l'ouest du bassin méditerranéen (Midi de la France, Espagne, Portugal et Maroc), cette espèce fait partie du groupe des narcisses-trompettes, dont la coronule est plus longue que les autres éléments du périanthe, et elle a donné naissance à de nombreuses races locales. Moins rustique que la majorité des autres espèces, elle a besoin d'une protection pour supporter les hivers d'Île-de-France, mais elle est très recherchée dans le Midi pour tapisser les rocailles en raison de sa faible hauteur (de 5 à 10 cm). Son bulbe, de la grosseur d'une noisette, donne naissance à des feuilles étroites et à une ou plusieurs hampes uniflores. D'un jaune plus ou moins intense, les fleurs s'épanouissent fin avril (en bas). La variété 'Vulgaris Citrinum' se distingue par ses fleurs jaune citron, tandis que celles de 'Nivalis' sont jaune orangé.

Narcissus poeticus Originaire d'Europe méridionale (avec une aire de diffusion qui s'étend de la Grèce à l'Espagne), le narcisse des poètes, haut de 30 à 40 cm, est encore appelé jeannette. Il est particulièrement élégant avec ses corolles d'un blanc pur au centre desquelles la coronule forme une courte collerette jaune, très évasée et ourlée de rouge. Cette espèce a donné naissance à de nombreux hybrides. La variété 'Ornatus', très robuste, fleurit dès le mois de février.

Narcissus tazetta Le narcisse à bouquets, ou narcisse de Constantinople, a un gros bulbe de 12 à 15 cm de diamètre. Ses hampes florales, qui peuvent atteindre 50 cm de hauteur, portent de deux à douze fleurs dont la couleur varie du blanc immaculé au jaune d'or. Elles peuvent être unicolores ou bicolores, comme celles de la variété 'Italicus' (en haut), aux tépales ivoire et à la coronule jaune d'or.

Dès que les dernières fleurs sont fanées, couper les hampes florales, mais laisser les tiges se dessécher sur place afin que les bulbes puissent reconstituer leurs réserves nutritives et donner de nouveau une belle floraison l'année suivante.

MULTIPLICATION

Lorsque les narcisses fleurissent moins abondamment, il devient nécessaire de rajeunir les touffes en les divisant. On déterrera donc les bulbes en juillet-août afin de séparer les caïeux. Après les avoir essuyés très soigneusement (pour éviter tout risque de pourrissement ultérieur), on les conservera au frais et au sec (dans une cave bien saine ou dans un grenier), de préférence sur des clayettes pour garantir une bonne aération, jusqu'au moment de les remettre en terre.

On peut également reproduire les narcisses par semis, sous châssis, à la fin de l'été ou au début de l'automne, dans une terre légère à forte teneur en sable. Repiquer dès que les plantules atteignent 3 cm de hauteur. Cette méthode exige toutefois de la patience, car les plants ainsi obtenus ne fleuriront pas avant plusieurs années (il faudra attendre de trois à six ans, selon qu'il s'agit de narcisses nains ou d'espèces de grande taille).

Guide d'achat

N'acheter que des bulbes bien fermes, à la surface lisse, et écarter tous ceux qui sont entamés par des parasites ou qui présentent des taches suspectes : il peut s'agir de maladies cryptogamiques contre lesquelles il n'existe guère de remède.

Les espèces de grande taille (40-50 cm) sont idéales comme plantes à bouquets (couper les tiges florales dès que les boutons commencent à changer de couleur et les laisser s'ouvrir dans l'eau), tandis que les narcisses nains (10-20 cm), parfaits pour les rocailles, sont à conseiller pour la culture en pot ou en jardinière.

Espèces

Narcissus cyclamineus Le narcisse-cyclamen est une espèce naine (15-20 cm) qui pousse spontanément dans de nombreuses régions de France ainsi qu'au Portugal. Ses fleurs pendantes rappellent un peu, par leur forme, celles du cyclamen, d'où son nom latin (en haut, à droite). Les tépales, fortement récurvés, ont la même longueur (4 cm environ) que la coronule tubuleuse.

Narcissus jonquilla Originaire d'Espagne, du Portugal et d'Afrique du Nord, la petite jonquille pousse spontanément en France. Ses feuilles linéaires vert sombre sont légèrement charnues et ressemblent un peu à des joncs. Ses fleurs jaunes (ci-dessus, à droite) ont un parfum pénétrant, voisin de celui des fleurs d'oranger.

Narcissus odorus C'est la vraie jonquille, avec ses feuilles en gouttière et ses odorantes fleurs jaune d'or à coronule courte.

Narcissus serotinus Cette espèce typiquement méditerranéenne se distingue par sa floraison automnale. Portées par des hampes d'une quinzaine de centimètres, ses fleurs délicatement parfumées et d'un blanc verdâtre (ci-dessus, à gauche) apparaissent avant les feuilles.

Narcissus triandrus Cette espèce originaire d'Espagne et du Portugal est reconnaissable à ses feuilles très étroites et à ses tiges grêles, ainsi qu'à ses pétales complètement renversés par rapport à la coronule très développée. La variété 'Alba' (en haut, à gauche) a de grandes fleurs blanc crème et des feuilles d'un délicat gris vert.

Neoregelia

Famille : **Broméliacées**
Nom usuel : **néorégélia**

Neoregelia carolinæ On l'apprécie pour sa spectaculaire rosette au cœur écarlate.

Originaires des forêts tropicales brésiliennes chaudes et humides, ces belles Broméliacées, qui présentent la classique disposition en rosette, furent introduites en Europe au milieu du siècle dernier, et elles connurent aussitôt un vif succès comme plantes d'intérieur. Le genre *Neoregelia* est de création récente et regroupe une quarantaine d'espèces auparavant réparties dans les genres *Neoregelia* (ainsi baptisé en l'honneur du botaniste russe E. A. von Regel) et *Nidularium*.

Leur principal attrait réside non pas dans leurs fleurs, passablement discrètes, mais dans la chaude nuance rouge que prennent les feuilles du centre de la rosette au moment de la floraison.

TECHNIQUES DE CULTURE

Printemps et été. Les néorégélias, qui ont des racines très courtes, pourraient rester dans le même pot plusieurs années. Ils se rempotent en principe au début de l'été, mais, étant donné le grand étalement de la rosette, qui risque de déséquilibrer un pot trop petit, il est préférable de les rempoter chaque année au mois de mai. Il leur faut un compost léger et riche en matières organiques, à base de tourbe, d'écorce de pin broyée et de sphaigne hachée (on peut également mélanger trois parts d'un mélange spécial pour cactées et une part de tourbe).

Sans soleil, ou du moins sans lumière vive, le néorégélia ne prendra pas ces belles couleurs qui le rendent si séduisant. Placer la plante dans un endroit très lumineux mais où elle sera protégée en été des rayons ardents de la mi-journée (on peut l'installer, en revanche, devant une fenêtre donnant à l'ouest). La température normale d'une pièce lui convient, avec un maximum de 21-22 °C. Au-dessus, elle risque de se déshydrater. Il faudra de toute manière maintenir un degré suffisant d'humidité atmosphérique et vaporiser les feuilles une fois par semaine avec une eau douce (le calcaire les agresse et les tache de vilaines auréoles blanchâtres).

Arroser une fois par semaine en faisant couler l'eau près du pied, et veiller surtout à ce que le creux de la rosette soit toujours rempli d'eau douce, renouvelée chaque semaine (c'est de là que cette plante épiphyte tire sa nourriture, tout autant que du compost). Nourrir tous les quinze jours avec de l'engrais liquide qui sera dilué dans l'eau versée à l'intérieur de la rosette, en n'employant que le tiers de la dose indiquée.

Automne et hiver. Pendant cette période de repos hivernal, le néorégélia pourra sans inconvénient rester un peu plus au sec, et on ne l'arrosera que toutes les deux semaines. Il n'est pas très difficile, dans un appartement chauffé, de lui assurer un minimum de 15 °C, mais il faudra veiller à le tenir à distance des sources de chaleur (radiateurs à gaz ou électriques, par exemple) qui rôtiraient ses feuilles. En cette saison où le soleil est plus pâle, on peut laisser le néorégélia devant une fenêtre exposée plein sud.

MULTIPLICATION

On peut obtenir de nouvelles plantes à partir des rejetons qui se développent autour du pied après la floraison, mais il ne faut pas les détacher avant qu'ils aient atteint la moitié de la taille de la plante mère. Les planter dans un mélange non terreux, à forte teneur en sable, qui sera tenu à l'étouffée dans une atmosphère chaude et humide. Rempoter au bout de trois ou quatre mois et traiter comme une plante adulte.

Maladies et parasites

Si l'on remarque de petites protubérances écailleuses sous les feuilles, c'est que la plante est envahie par les cochenilles brunes. Les éliminer avec un tampon d'ouate imbibé d'alcool dénaturé ou bien employer un insecticide systémique. On sous-estime souvent le danger représenté par les minuscules araignées rouges, qui ne se contentent pas de tendre leurs toiles au revers des feuilles mais qui sucent la sève et provoquent leur jaunissement et leur flétrissement. On ne parviendra à les éliminer qu'avec des pulvérisations répétées d'un insecticide à base de malathion dilué (extrêmement toxique, surtout à l'intérieur) ou de derris.

Le creux de la rosette doit toujours être rempli d'eau, même pendant la floraison, et il faut renouveler cette eau régulièrement.

Pour rajeunir la plante et stimuler sa croissance, rabattre au mois de mai ou juin toutes les feuilles des années précédentes à 5 cm.

La croissance des rejetons sera plus rapide si on enferme hermétiquement le pot dans un sachet en plastique transparent.

Espèces

Neoregelia carolinæ Cette espèce forme une volumineuse rosette composée de feuilles ensiformes d'un vert brillant, disposées symétriquement. En été, lorsque la plante est sur le point de fleurir, la partie centrale de cette rosette se teinte de rouge et de pourpre, et elle conserve ces chaudes et brillantes nuances pendant plusieurs mois. Les feuilles s'écartent pour laisser sortir une inflorescence compacte et globuleuse, composée de petites fleurs bleues ou mauves entourées de bractées rouge vif. La variété 'Tricolor' (ci-contre) est de loin la plus connue avec ses feuilles radiales striées de crème et de rose, et on a vu récemment apparaître la variété 'Tricolor Perfecta', plus séduisante encore avec ses couleurs plus vives.

Neoregelia concentrica Très caractéristique avec sa rosette aplatie, il est formé de feuilles larges et rigides, bordées de courtes épines noires, dont le vert tendre se nuance de rose pourpré. Au moment de la floraison, toute la partie centrale prend une délicate teinte lilas, en harmonie avec l'inflorescence rose violacé (ci-contre).

Neoregelia macahensis Originaire de la sierra de Macahé, au Brésil, cette espèce, dont la vogue est toute récente, est très décorative avec sa rosette compacte, constituée d'une quinzaine de larges feuilles d'un vert uni et satiné, ourlées de minuscules épines.

Neoregelia spectabilis Une espèce spectaculaire, dont les feuilles coriaces d'un vert profond à reflets métalliques ont une pointe rouge vif, nettement dessinée, qui fait penser à un ongle verni. Longues d'une quarantaine de centimètres, elles ont un revers uniformément pourpré. En été, lorsque le centre de la rosette s'est coloré d'un carmin sombre, apparaît un épi de petites fleurs bleues aux bractées roses.

Nephrolepis

Famille : **Polypodiacées**
Nom usuel : **nephrolepis**

Pour ceux qui aiment les fougères, mais qui sont encore des jardiniers novices, on ne saurait trop conseiller les nephrolepis, plantes vertes très élégantes qui méritent d'être mises en vedette avec leurs belles frondes arquées pouvant dépasser 1 m de longueur, et relativement peu exigeantes si on choisit les variétés les plus résistantes. Il existe plusieurs cultivars spectaculaires, aux folioles très divisées (tripinnées et même quadripinnées), qui sont aussi, malheureusement, les plus fragiles, car ce feuillage mousseux est si dense que la pourriture s'y propage facilement.

Le genre comprend quelque trente-cinq espèces de fougères, toutes originaires des pays tropicaux. Leurs frondes jaillissent d'un rhizome souterrain dont la partie supérieure, apparente, forme une sorte de tige courte. De cette tige partent des stolons qui rampent à la surface de la terre et s'y enracinent, donnant naissance à de nouvelles plantules.

TECHNIQUES DE CULTURE

Printemps et été. Les nephrolepis se rempotent chaque printemps, en prenant garde de ne pas abîmer leurs racines délicates et sans trop tasser le compost, qui doit être à la fois riche et léger (un mélange de terre de bruyère, de tourbe et de terreau de feuilles). L'installer de préférence dans un pot en plastique, qui conservera mieux l'humidité qu'un pot en terre.

Ces fougères apprécient une bonne lumière diffuse et tolèrent l'ombre, mais il faut les protéger des rayons du soleil d'été et leur éviter les températures supérieures à 21 °C. Il faut aussi veiller à la pureté de l'atmosphère, car les fumées et autres émanations polluantes peuvent faire dépérir les nephrolepis.

La plante a besoin d'une humidité constante, mais supporte très mal l'eau calcaire : il faut donc utiliser de l'eau de pluie (si elle n'est pas trop polluée) ou, à défaut, de l'eau distillée. Vaporiser fréquemment le feuillage (surtout si on cultive le nephrolepis en corbeille suspendue). Les pulvérisations suffiront à nettoyer le feuillage : ne jamais employer de produits lustrants, qui feraient noircir les frondes. Arroser tous les deux jours en été. Pour empêcher le compost de sécher, immerger complètement le pot dans un seau d'eau tiède une fois par semaine, puis l'égoutter à fond avant de le replacer sur sa soucoupe.

De mai à octobre, nourrir tous les dix jours environ avec un engrais liquide dilué dans l'eau d'arrosage, en diminuant légèrement la dose indiquée : en effet, une trop forte concentration brûlerait les racines.

Automne et hiver. C'est la période la plus critique pour les nephrolepis, qui ne risquent guère de souffrir du froid (il faudrait pour cela une température inférieure à 13 °C), mais qui peuvent s'étioler dans l'air desséché par le chauffage central, malgré arrosages et pulvérisations. Pour réhydrater la plante, poser le pot sur un lit de cailloux mouillés ou le placer dans un cache-pot plus large, en l'entourant jusqu'à l'ourlet supérieur d'un manchon de tourbe humide.

MULTIPLICATION

Les cultivars les plus intéressants sont pour la plupart stériles et ne produisent que des spores sans pouvoir germinatif, aussi ne peuvent-ils être reproduits par semis, méthode d'ailleurs fort lente.

Il est beaucoup plus simple et plus rapide de diviser les touffes ou de prélever sur les stolons des plantules déjà bien enracinées, qu'il suffira de replanter séparément et de traiter comme une plante adulte. Cette opération peut s'effectuer à n'importe quelle période de l'année. Il arrive qu'apparaisse sur un sujet obtenu de cette façon une fronde présentant les caractères de l'espèce type et non ceux de la variété d'origine. Il faut l'éliminer et, dans ce cas, la couper aussitôt.

Guide d'achat

Avant d'acheter un jeune nephrolepis en pot, examiner toujours le centre de la plante, car c'est là que se forment les nouvelles frondes. Elles doivent être d'un beau vert brillant jusqu'à leur extrémité : des pointes brunies et recroquevillées signifient que la fougère a souffert de la sécheresse ou d'un excès de chaleur. Écarter toute plante présentant des frondes tordues ou déformées.

Nephrolepis exaltata Une fougère très séduisante avec ses frondes élégamment arquées.

Espèces

Nephrolepis cordifolia Cette espèce très vigoureuse a des frondes vert clair érigées et légèrement arquées au sommet, d'une soixantaine de centimètres de longueur; assez larges à la base (10 cm environ), elles s'effilent à leur extrémité. D'un vert un peu plus sombre, avec des pointes déchiquetées qui leur donnent un aspect gracieusement ébouriffé, chez la variété 'Plumosa', les frondes sont étroites et de consistance plus coriace chez la variété 'Undulata'.

Nephrolepis exaltata Très populaire comme plante d'intérieur et particulièrement bien adapté aux corbeilles suspendues, ce nephrolepis qui pousse spontanément dans la plupart des régions tropicales a de longues frondes arquées (de 60 cm à 1,20 m, et parfois même plus), garnies de pinnules à partir de la base.

On cultive surtout les variétés, entre autres la fougère de Boston *(N. exaltata* 'Bostoniensis'), appréciée depuis le siècle dernier pour sa croissance rapide et ses frondes élégantes (ci-dessus, à gauche). Mais les cultivars les plus répandus sont presque tous issus de la variété américaine 'Piersonii elegantissima'; la variété 'Rooseveltii plumosa' (ci-dessus, à droite) a des frondes larges et très découpées, à l'aspect plumeux. Citons encore 'Smithii', dont les pinnules sont si découpées qu'elles forment une masse mousseuse, mais qui est plus fragile que l'espèce type.

Maladies et parasites

Comme toutes les fougères, les nephrolepis sont très sensibles à la pollution (fumées et gaz d'échappement peuvent leur être fatals). Si les frondes sont envahies par les cochenilles brunes, qui se fixent sous les pinnules (il ne faut pas les confondre avec les enveloppes des spores), éviter d'employer un insecticide chimique trop agressif, qui risquerait de tuer la plante en même temps que les parasites : mieux vaut s'armer de patience et éliminer les petites protubérances écailleuses avec un tampon imbibé d'alcool dénaturé.

Proscrire également les lustrants, qui brûleraient les frondes, et n'employer que de l'eau douce pour les pulvérisations.

Pour préserver les fougères du dessèchement, placer le pot dans un contenant d'un diamètre supérieur (mais de même hauteur), rempli de tourbe régulièrement humidifiée, de manière qu'il soit enterré jusqu'à l'ourlet supérieur.

Une fronde qui brunit et se recroqueville doit être immédiatement coupée à ras de terre pour éviter tout risque de pourriture ou de maladie. Si elles se fanent ainsi en grand nombre, c'est le signe que la plante est assoiffée.

Nerium

Famille : **Apocynacées**

Nom usuel : **laurier-rose**

Aspect arbustif	**Hauteur** de 60 cm à 3 m	**Floraison** tout l'été
Culture craint le froid	**Exposition** très ensoleillée	**Humidité** assez abondante

Typiques des régions méditerranéennes, ces beaux arbustes restent en fleur presque toute l'année si les températures minimales ne descendent pas au-dessous de 4 °C. Sous des climats moins doux, les lauriers-roses devront hiverner en serre ou bien dans une véranda bien ensoleillée, et ils ne fleuriront qu'en été. Cultivés en bac, ils orneront patios et terrasses à la belle saison. Encore faut-il savoir que leurs fleurs au parfum pénétrant sont extrêmement vénéneuses, de même que leurs feuilles.

TECHNIQUES DE CULTURE

Printemps et été. Les lauriers-roses, qui n'aiment pas être trop à l'étroit, se rempotent au printemps dans du terreau moyennement fertile ou dans un mélange de terre de jardin et de terreau de feuilles. Lorsqu'ils sont installés dans un pot ou dans un bac dont on juge la taille suffisante, on ne les dépotera que tous les deux ou trois ans et on coupera leurs racines périphériques avant de les rempoter dans du compost bien frais. En pleine terre, ils se plaisent dans une terre de jardin bien fraîche, mais s'accommodent aussi des sols secs et caillouteux.

Il leur faut un maximum de lumière pour qu'ils consentent à fleurir. Toutefois, ils ne toléreront des températures supérieures à 16 °C que dans une pièce très bien ventilée. Si ce n'est pas le cas, il vaut mieux pouvoir les placer à l'extérieur, où ils se plairont au soleil.

Si les lauriers-roses supportent bien la sécheresse au jardin, à l'intérieur il faut les arroser tous les jours en été, avec de l'eau non calcaire préalablement tiédie, et vaporiser fréquemment fleurs et feuilles à l'eau douce (jamais aux heures les plus chaudes). Nourrir chaque semaine avec un engrais liquide.

Nerium oleander Magnifiques et suavement parfumées, ses fleurs sont toutefois très toxiques.

Automne et hiver. Après la floraison, rabattre les tiges des deux tiers pour obtenir un port buissonnant. Arroser tous les dix jours et tenir à 5 °C minimum.

MULTIPLICATION

Par boutures de pousses terminales au printemps. Prélever des segments d'environ 8 cm et les mettre à enraciner dans l'eau, en tenant à 16-18 °C. Empoter individuellement lorsque les racines atteignent 2,5 cm (enfermer les pots dans un sachet en plastique transparent pendant quelques jours pour favoriser la reprise).

Espèces

Nerium odorum Également connue sous le nom de *Nerium indicum,* cette espèce originaire du Moyen-Orient, de Chine et du Japon se distingue de *Nerium oleander* par ses feuilles plus longues et plus étroites. Celles du haut sont dressées, tandis que celles qui garnissent les rameaux inférieurs sont étalées.

Nerium oleander C'est le laurier-rose, encore appelé oléandre, qui pousse spontanément dans les régions méditerranéennes, où il peut atteindre 4 m de hauteur, mais qui ne dépasse pas 2 m si on le cultive en pot. Ses feuilles lancéolées, opposées ou verticillées, sont d'un beau vert grisé mat. Dès le début de l'été, cet arbuste se couvre de fleurs odorantes regroupées en bouquets terminaux dont les couleurs vont du blanc au rouge intense, en passant par toutes les nuances de rose et de crème.

Les variétés à fleurs doubles sont particulièrement appréciées, de même que 'Variegata' (ci-dessous), au feuillage strié de jaune pâle.

Maladies et parasites

Le laurier-rose a pour principal ennemi le froid, qui roussit ses feuilles, fait pourrir ses jeunes bourgeons et empêche l'éclosion des boutons floraux. Mais il est aussi la proie des ravageurs, au nombre desquels les pucerons, qui se développent en colonies sur ses fleurs. Les cochenilles, brunes ou farineuses, envahissent ce bel arbuste : les premières forment des petites protubérances écailleuses sous les feuilles et sur les tiges, tandis que les secondes fixent à l'aisselle des feuilles leurs petits cocons blanchâtres à l'aspect laineux. On les enlèvera dans les deux cas avec un tampon d'ouate imbibé d'alcool dénaturé et on pulvérisera un insecticide systémique afin de prévenir une nouvelle infestation. Un traitement à base d'huiles blanches (oléoparathion) donne également de bons résulats.

ATTENTION

Toutes les parties du laurier-rose sont extrêmement toxiques, et son homonymie partielle avec le laurier-sauce peut prêter dangereusement à confusion. Le tenir impérativement hors de portée des enfants et des animaux domestiques. Se laver les mains chaque fois qu'on le touche et porter des gants de jardinage épais lors de la taille.

Nertera

Famille : **Rubiacées**

Nom usuel : **nertéra**

Aspect tapissant	**Hauteur** de 5 à 8 cm	**Floraison** insignifiante
Culture facile	**Exposition** lumière vive	**Humidité** assez abondante

Nertera depressa Une plante tapissante aux baies décoratives, semblables à des perles rouge feu.

C'est presque une plante miniature, mais elle n'a pas sa pareille pour tapisser une vasque ou une rocaille d'une profusion de minuscules feuilles en forme de cœur. Et, à l'automne, ce coussin d'un vert velouté se couvre de petites baies rouge orangé qui sont comme autant de perles et qui durent une bonne partie de l'hiver. Ce sont ces fruits couleur de feu — et non les fleurs, verdâtres et insignifiantes — qui constituent le principal intérêt décoratif du nertéra, qui est d'ailleurs souvent traité comme une plante annuelle. Mais rien n'oblige à s'en défaire après la disparition des baies, et la même touffe, convenablement soignée, pourra fructifier plusieurs années de suite.

Le nertéra craint cependant le froid, et il ne pourra être conservé en pleine terre que dans les jardins les mieux abrités du Midi et du Sud-Ouest, où il formera une jolie tache de couleur. Au nord de la Loire, mieux vaut le cultiver en serre ou bien le réserver pour l'intérieur.

TECHNIQUES DE CULTURE

Printemps et été. Les nertéras, qui ont une croissance lente et des racines très courtes, prospèrent mieux dans des terrines ou des récipients plats que dans des pots classiques, et ils n'ont pratiquement jamais besoin d'être rempotés. Les mettre en place au printemps, dans un mélange de terreau et de tourbe auquel on ajoutera du sable grossier ou de la perlite pour favoriser le drainage. Répartir les touffes régulièrement, de sorte qu'elles couvrent toute la surface.

Les nertéras ont besoin de beaucoup de lumière, et ils se plaisent dans une atmosphère fraîche et humide (15-16 °C), mais néanmoins bien ventilée. Des conditions qui ne sont pas toujours faciles à réunir à l'intérieur, aussi est-il conseillé de les sortir par beau temps. Arroser fréquemment, de manière à garder le compost toujours humide. Donner de l'engrais à très petites doses, et une fois par mois au maximum, sinon les feuilles se développeraient au détriment des fleurs et des fruits.

Automne et hiver. En hiver, laisser le mélange sécher sur au moins 1,5 cm entre deux arrosages. L'humidité doit être d'autant plus modérée que les températures sont plus basses, car les feuilles délicates du nertéra pourrissent facilement.

MULTIPLICATION

Très facile par division des touffes au printemps (en mars-avril) ou après la chute des baies. Bien humidifier le compost pour favoriser la reprise.

Espèces

Nertera balfouriana Particulièrement abondantes, ses petites feuilles opposées forment un épais coussin vert. Ses baies d'un rouge vermillon intense sont légèrement piriformes (ci-contre).

Nertera depressa Cette espèce originaire d'Amérique australe et de Nouvelle-Zélande a des tiges rampantes qui s'enracinent à chaque nœud. Les feuilles charnues, cordiformes et sessiles, de 4 à 5 mm de diamètre, sont d'un beau vert velouté. À la fin du printemps, des petites fleurs d'un jaune verdâtre apparaissent à l'aisselle des feuilles, suivies de baies rouge orangé, rondes et brillantes (d'environ 5 mm de diamètre), qui rappellent un peu des groseilles et qui sont si nombreuses qu'elles cachent presque complètement le feuillage.

Nicotiana

Famille : **Solanacées**

Nom usuel : **tabac**

Le tabac était cultivé dans le Nouveau Monde bien avant l'arrivée des conquérants européens, et cette plante jouait, semble-t-il, un rôle important lors des cérémonies rituelles. Les navigateurs espagnols et portugais lui firent traverser l'Océan, mais c'est un Français, Jean Nicot (1530-1600), qui devait donner son nom au genre. Vers 1560, cet érudit, ambassadeur du roi de France au Portugal, envoya à Catherine de Médicis un sachet de poudre de tabac pour guérir ses migraines. Ainsi débuta à Paris la culture du tabac, avec le succès que l'on sait. Jean Nicot fut aussi le premier à utiliser cette plante pour ses qualités ornementales après avoir promu ses vertus médicinales. La nicotine, principe actif du tabac, qui est comme chacun sait un poison violent, a été largement utilisée en décoction comme insecticide (on s'en servait également jadis pour détruire les poux).

La culture de toutes les variétés d'ornement (recherchées pour leur feuillage ou pour leurs fleurs) est libre, contrairement à celle du tabac commun ou tabac de La Havane *(Nicotiana tabacum)*, qui est strictement réglementée et contrôlée.

***Nicotiana alata grandiflora* 'Lime Green'** Une belle variété d'ornement, recherchée pour ses fleurs.

Maladies et parasites

Des feuilles grignotées sur les bords sont généralement le fait de limaces ou d'escargots, dont il est facile de se débarrasser en répandant des granulés empoisonnés autour des pieds (ne pas les laisser à la portée des animaux domestiques). Si seules les feuilles inférieures, en contact avec la terre, sont entamées, il peut s'agir de larves vivant dans le compost, qui devra alors être aspergé avec une solution insecticide. Les pucerons, qui envahissent fréquemment fleurs et feuilles, doivent être éliminés sans attendre, car ils peuvent propager des viroses incurables.

TECHNIQUES DE CULTURE

Printemps et été. Installer les plants de tabac dans des pots de 15 à 18 cm (ou de 10 à 13 cm pour les variétés naines), que l'on remplira d'un compost moyennement fertile (un mélange de deux parts de terreau pour une part de terreau de feuilles et une part de sable). Un bon drainage est essentiel, aussi disposera-t-on au fond des pots un lit de tessons.

Les tabacs d'ornement ont besoin de chaleur et de soleil. À l'extérieur, les placer dans un endroit bien abrité, exposé au sud et au sud-ouest; à l'intérieur, leur donner le maximum de lumière. Arroser fréquemment pendant l'été, mais sans jamais saturer le compost. Si la journée a été très chaude, on pourra vaporiser le feuillage, mais seulement après le coucher du soleil. Les fleurs sont très sensibles à l'humidité, et il faut les protéger de la pluie, car elles se referment dès qu'elles reçoivent quelques gouttes d'eau.

Nourrir d'abord tous les quinze ou vingt jours avec un engrais liquide dilué dans l'eau d'arrosage, en n'utilisant que la moitié de la dose prescrite. Aussitôt que la floraison a commencé, fertiliser tous les huit ou dix jours à dose normale.

Espèces

Nicotiana forgetiana Cette espèce qui nous vient du Brésil se signale par sa floraison diurne, particulièrement abondante. Ses fleurs rouges, qui se succèdent presque toute l'année dans son pays d'origine, s'épanouissent sous nos latitudes de juin à septembre. Par croisement avec *N. alata,* les horticulteurs ont obtenu de superbes hybrides à fleurs diurnes, dont plusieurs formes naines : 'Crimson Rock' (40 cm de hauteur environ) est l'une des plus séduisantes avec ses fleurs cramoisies.

Nicotiana sylvestris Cette espèce de très grande taille (jusqu'à 1,50 m de hauteur) est originaire d'Argentine et se reconnaît à ses feuilles en forme de lyre et à ses gracieuses grappes de fleurs blanches et pendantes aux longs tubes légèrement renflés dans sa partie médiane (page suivante, en bas). Sous les climats tempérés, sa durée de vie est malheureusement assez brève.

Nicotiana suaveolens Cette plante annuelle, semi-rustique et dressée nous vient d'Australie. Elle fleurit en situation ombragée et peut atteindre 30 ou 40 cm de hauteur. Ses feuilles, ovales, d'un vert assez peu éclatant, sont gluantes au toucher. Ses fleurs, blanches, en trompette, sont plus larges que longues. Elles s'épanouissent durant tout l'été, de juillet à septembre, le soir, et dégagent une odeur particulièrement agréable.

Si on doit traiter les pieds de tabac avec un produit insecticide, l'employer à faible concentration, et jamais au soleil, afin de ne pas brûler les feuilles.

Il est parfois nécessaire de fournir un support aux variétés de grande taille, surtout à l'extérieur, car le vent peut casser les tiges fragiles. Éliminer à mesure les fleurs fanées (en les coupant aux ciseaux à la base de la hampe) pour les empêcher de monter en graine et favoriser ainsi la formation de nouveaux boutons.

Automne et hiver. Le tabac, qui craint le gel, se traite le plus souvent comme une plante annuelle. Si on souhaite le cultiver comme une plante bisannuelle ou conmme une vivace (mais il perd beaucoup de son charme sans ses fleurs), il faut mettre les pots à l'abri à la saison froide, en serre ou en véranda, en les exposant toujours à une vive lumière.

MULTIPLICATION

Semer au printemps, en répartissant les graines à la surface d'un compost spécial pour germination bien humidifié, sans les recouvrir. Enfermer la caissette dans un sachet en plastique transparent et tenir à l'ombre, à 15-16 °C. Les graines lèvent en cinq ou six jours. Quand les plantules ont atteint une taille suffisante pour pouvoir être manipulées sans risque, les repiquer en les espaçant de 7 à 8 cm et placer au soleil. Les transplanter au mois de mai, si possible avec leur motte.

Les variétés à hautes tiges auront généralement besoin d'un support, surtout à l'extérieur. Utiliser des baguettes de bambou ou des branches sèches.

Nicotiana alata C'est le plus connu des tabacs d'ornement. Originaire d'Amérique du Sud, cette plante herbacée vivace peut atteindre 90 cm de hauteur. Elle forme une touffe fournie, à la base de laquelle s'étale une rosette de feuilles lancéolées vert clair, légèrement gluantes. Les feuilles caulinaires (qui poussent directement sur la tige) sont plus petites et dépourvues de pétiole. Les fleurs apparaissent en abondance de juin à septembre, regroupées en grappes terminales ou en épis ramifiés. Élégantes avec leur longue corolle tubuleuse, elles sont suavement parfumées et dégagent parfois une odeur entêtante les soirs d'été. Chez l'espèce type, la floraison est nocturne, et les corolles ne s'ouvrent qu'à la tombée du jour, mais les horticulteurs ont créé différentes variétés à floraison diurne et aux coloris attrayants. *Nicotiana alata grandiflora,* appelée tabac blanc odorant, est une plante robuste, dont les grandes fleurs blanches embaument. La variété 'Nicki Bright Pink' (page précédente) a une superbe floraison rose vif, tandis que 'Lime Green' se distingue par ses fleurs jaune citron très odorantes. 'Sensation' a une floraison multicolore. Parmi les cultivars les plus séduisants, citons encore 'Nicki Red' (en haut, à gauche), variété très florifère aux corolles rouge carmin, ou bien 'Nicki Mixed' (en haut, à droite), aux coloris divers.

Nidularium

Famille : **Broméliacées**
Nom usuel : **nidularium**

Originaires du Brésil, où elles vivent en épiphytes sur les arbres de la forêt tropicale, ces magnifiques Broméliacées, qui ont acquis une popularité méritée comme plantes d'intérieur, sont très voisines des arégélias, avec lesquels on les confond souvent (elles s'en distinguent par leurs pétales, érigés chez les arégélias, étalés chez les nidulariums).

Leur principale séduction se révèle au moment de la floraison, quand le cœur de leur rosette se garnit d'une touffe de courtes feuilles modifiées et coriaces (que l'on peut considérer comme des bractées) aux teintes éclatantes (rouge ou jaune), coloration qui s'étend parfois à la base des feuilles proprement dites. Néanmoins, même en dehors de cette période privilégiée, la plante ne manque pas d'attraits avec ses feuilles souples et luisantes d'un beau vert métallique.

Cette floraison n'a lieu qu'une fois, au bout de quatre ans environ, après quoi le nidularium commence lentement à mourir, ayant assuré la survie de l'espèce grâce aux rejets qui se sont développés autour de la plante mère.

TECHNIQUES DE CULTURE

Printemps et été. Rempoter de préférence au printemps, et seulement lorsque les racines occupent tout l'espace disponible (les nidulariums se plaisent mieux un peu à l'étroit). Comme tous les épiphytes, ces plantes prospéreront dans un compost léger, riche en humus et très poreux, à base de sphaigne hachée, d'écorce de pin broyée, de terre de bruyère fibreuse ou de terreau de feuilles à peine décomposées. Placer le pot dans un endroit bien éclairé, mais sans jamais l'exposer directement aux rayons du soleil (tamiser leur éclat par un voilage).

La température normale d'une pièce convient aux nidulariums, mais il faudra veiller à entretenir un taux suffisant d'humidité par temps chaud et sec. Au-dessus de 24 °C, poser le pot sur un lit de gra-

***Nidularium billbergioides* 'Flavum'** Une Broméliacée bien séduisante avec ses feuilles luisantes et ses bractées d'un jaune éclatant.

viers qui seront tenus mouillés à mi-hauteur ou l'envelopper d'un manchon de tourbe légèrement humecté. Arroser régulièrement, mais à doses modérées, en laissant chaque fois sécher le compost sur 1 cm avant de redonner de l'eau.

Remplir également d'eau le creux en forme d'entonnoir qui se trouve au centre de la rosette. Au moins une fois par mois, il faudra vider ce liquide (en retournant la plante) et le remplacer par de l'eau limpide pour éviter tout risque de croupissement, et donc de pourriture. Les avis sont d'ailleurs partagés quant à la nécessité de cette réserve de liquide, surtout utile dans le milieu naturel, où les épiphytes ne disposent pas de terre. N'employer en tout cas que de l'eau douce, car le calcaire laisse des taches sur les feuilles et les fragilise. Fertiliser tous les quinze jours avec une demi-dose d'engrais ordinaire.

Automne et hiver. La température idéale se situe autour de 15-16 °C, et le thermomètre ne doit jamais descendre au-dessous de 13 °C. Réduire les arrosages (sans cependant laisser complètement sécher le mélange) et ne plus laisser d'eau au creux de la rosette. Tenir le nidularium à l'abri des courants d'air froid et des émanations polluantes. On poursuivra la distribution d'engrais si la plante a commencé à développer des rejets.

MULTIPLICATION

Avant que le nidularium ne meure, on voit apparaître à l'aisselle des feuilles de courts stolons ligneux qui portent des rejets. Lorsqu'ils présentent une rosette déjà bien formée, avec trois ou quatre feuilles, on peut les sectionner avec précaution, en conservant une partie de la tige qui les porte, et les planter dans un mélange de tourbe et de sable bien humidifié, en tenant au chaud et à l'étouffée, à la lumière tamisée. Compter de quatre à sept semaines pour l'enracinement et laisser alors à découvert, en arrosant modérément. Commencer à donner de l'engrais lorsque plusieurs nouvelles feuilles se sont développées et rempoter au bout de cinq ou six mois.

Maladies et parasites

Les cochenilles brunes et les cochenilles farineuses sont les ennemis les plus courants des nidulariums. Dans un cas comme dans l'autre, on éliminera les parasites en frottant les feuilles avec un tampon d'ouate imbibé d'alcool dénaturé et on traitera préventivement avec un insecticide systémique.

Espèces

Nidularium billbergioides Cette espèce a une rosette bien développée (environ 50 cm de diamètre) et très dense. Ses feuilles rubanées à la surface légèrement brillante, d'un vert métallique, sont bordées de courtes épines verdâtres. Les petites fleurs blanches apparaissent le plus souvent en été, au sommet d'une longue tige gainée d'épaisses bractées vertes. L'inflorescence est entourée d'une touffe de feuilles modifiées rouge-brun, courtes et pointues. Chez la variété 'Flavum', ces sortes de bractées sont d'un éclatant jaune citron.

Nidularium fulgens Sa rosette de 45 cm de diamètre est constituée de feuilles robustes et luisantes, au bord dentelé et ourlé d'épines, d'un beau vert clair avec des mouchetures vert sombre. Les fleurs, d'une belle couleur violacée, offrent un saisissant contraste avec le bouquet central de bractées rouge cerise (ci-dessous, à droite).

Nidularium innocentii Cette espèce se distingue par son ample rosette (60 cm de diamètre) de feuilles vert sombre aux reflets de bronze, à l'aspect vernissé, dont le revers, nuancé de pourpre, est aussi brillant que la surface. Les inflorescences, qui apparaissent généralement à la fin de l'été ou au début de l'automne au sommet d'une courte hampe sortant de la cavité centrale, sont composées de six à huit bractées d'un rouge cuivré entourant quelques petites fleurs blanches. La variété 'Lineatum' se différencie par sa rosette plus étalée, dont les feuilles sont striées de blanc. La variété 'Striatum' (ci-dessous, à gauche) a des feuilles vert olive avec des stries irrégulières de couleur crème.

Notocactus

Famille : **Cactacées**

Nom usuel : **notocactus**

Aspect globuleux ou colonnaire	**Hauteur** de 15 à 30 cm	**Floraison** estivale
Culture assez facile	**Exposition** ensoleillée	**Humidité** restreinte

Proches parents des échinocactus, les notocactus, dont on connaît une quarantaine d'espèces originaires des zones semi-désertiques de l'Amérique du Sud (Brésil, Argentine, Paraguay), sont parmi les représentants les plus appréciés de la fascinante famille des Cactacées.

S'ils ont autant de succès, c'est tout d'abord parce qu'ils sont relativement faciles à cultiver, étant peu exigeants quant aux températures (l'ambiance normale de nos pièces leur convient bien pour peu qu'on leur donne un peu de soleil) et supportant de longues périodes sans arrosage pendant leur repos hivernal (les plantes idéales si vous voulez partir en vacances à la neige). Ensuite, leurs fleurs sont parmi les plus grandes qui se rencontrent chez les cactus, et, qui plus est, cette floraison spectaculaire a lieu aussi chez les sujets jeunes sans qu'il soit besoin d'attendre de longues années.

Notocactus leninghausii Un cactus facile à cultiver, aux spectaculaires fleurs jaunes.

TECHNIQUES DE CULTURE

Printemps et été. Rempoter chaque année au printemps tant que la plante est jeune, tous les deux ans ensuite. Il peut être utile cependant de dépoter chaque année pour vérifier que les racines ne sont pas trop à l'étroit, car la croissance ne se fait pas au même rythme chez toutes les espèces. Utiliser un compost léger, à dominante acide (un mélange de terreau et de sable, dans le rapport deux tiers/un tiers), avec une couche de drainage (tessons) d'au moins 2 cm d'épaisseur.

Placer le pot en pleine lumière, si possible dans un endroit où il recevra le soleil deux ou trois heures par jour. Si la lumière est insuffisante, l'exposer dehors par beau temps. Les notocactus s'accommoderont aussi bien de températures estivales de 18-20 °C, courantes dans nos régions tempérées, que de la canicule (ils ne souffriront pas outre mesure jusqu'à 33°-34 °C si la pièce est bien aérée). Toutefois, ils apprécieront des nuits un peu plus fraîches (en souvenir de leur déserts d'origine, où l'on observe des amplitudes extrêmes). Si l'air reste vraiment torride une fois le soir tombé, on pourra leur faire passer la nuit à la belle étoile .

Pendant toute la période de croissance, les arrosages devront être réguliers (d'abord tous les quinze jours au printemps, puis une ou deux fois par semaine, en fonction de la sécheresse de l'air, en été), mais dosés avec modération. Laisser toujours le mélange sécher en surface avant d'arroser de nouveau.

Du début du printemps à la fin de l'été, nourrir toutes les trois semaines avec un engrais liquide riche en potassium (du type dit « engrais à tomates »).

Automne et hiver. Contrairement à la plupart des autres cactus du désert, les notocactus ne doivent pas être tenus totalement au sec pendant leur période de repos hivernal. Néanmoins, les arrosages doivent être réduits au strict minimum : doser l'eau parcimonieusement, juste ce qu'il faut pour empêcher le mélange de devenir complètement dur.

Placer la plante dans l'endroit le plus lumineux de la maison. Le soleil sera particulièrement précieux en cette saison où les jours deviennent si courts. Une atmosphère relativement fraîche est recommandée. L'idéal est de pouvoir offrir au notocactus une température d'environ 12 °C, mais jamais supérieure à 15 °C. La plupart des espèces peuvent souffrir si le mercure descend au-dessous de 10 °C, mais certaines, comme *N. leninghausii*,

Pour humidifier à fond un compost à semis, la meilleure méthode consiste à placer le récipient dans un évier où l'on aura fait couler 2,5 cm d'eau. Le laisser jusqu'à ce que le mélange soit bien imbibé, puis le poser sur la paillasse rainurée afin que l'humidité en excès s'écoule.

Après avoir distribué les graines à la surface du compost humide, les recouvrir en les saupoudrant d'une fine couche de gros sable. Placer ensuite dans une caissette de multiplication.

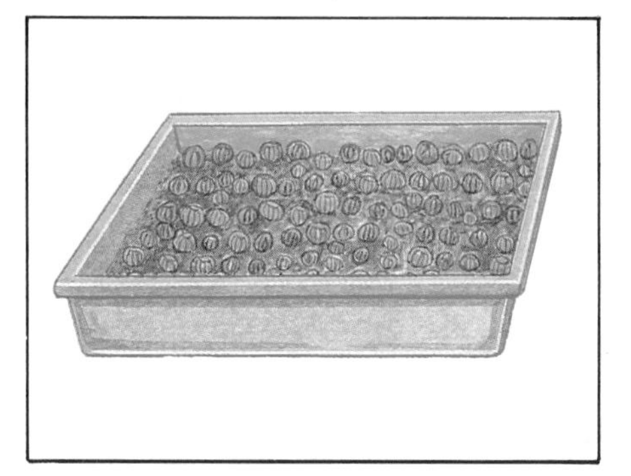

Les jeunes plants de cactus seront placés à la lumière, dans une ambiance chaude et sèche, à l'abri des courants d'air. Transplanter dès qu'ils auront atteint 2 cm de hauteur.

Maladies et parasites

Les cochenilles farineuses sont les parasites les plus à redouter pour les notocactus, en particulier les cochenilles des racines, qui sucent la sève et provoquent l'arrêt de la croissance, puis le dépérissement rapide de la plante. Ne pas hésiter à dépoter pour examiner les racines : si elles sont couvertes d'une sorte de poussière blanchâtre, il faut sans attendre traiter avec un insecticide systémique et rempoter dans un compost stérile.

Espèces

Notocactus leninghausii Originaire du sud du Brésil, cette espèce, l'une des plus volumineuses, a une remarquable longévité. Au bout de vingt à vingt-cinq ans, certains exemplaires peuvent mesurer jusqu'à 60 cm (dans le désert sud-américain, on en rencontre qui atteignent 90 cm!). Leur tige globuleuse, qui devient cylindrique avec l'âge, est divisée par une trentaine de côtes peu proéminentes sur lesquelles sont réparties les aréoles qui portent un si grand nombre d'aiguillons radiaux jaunâtres, réunis en touffes, autour de trois ou quatre aiguillons centraux un peu plus longs, que la tige disparaît presque sous cette sorte de pelage. Les fleurs jaunes apparaissent lorsque la plante atteint 10 ou 12 cm.

Notocactus scopa Originaire de l'Uruguay et du Brésil, cette espèce à la tige d'un remarquable vert tendre, globuleuse chez les jeunes exemplaires, prend avec l'âge une forme cylindrique. Les aéroles blanchâtres sont garnies chacune d'une quarantaine d'aiguillons soyeux. Les fleurs jaune vif en forme de coupe apparaissent au sommet (ci-dessous).

supportent sans trop de dommages une température de 5 °C, à condition que le compost ne soit pas trop humide. La conjonction du froid et de l'humidité est d'ailleurs généralement désastreuse pour les cactus, et c'est l'une des causes principales du pourrissement des tiges et des racines.

MULTIPLICATION

Certaines espèces se reproduisent facilement par semis. En février-mars, préparer une terrine en la remplissant aux deux tiers d'un mélange à parts égales de tourbe et de sable fin. Arroser copieusement et niveler en tassant bien pour obtenir une surface bien plane. Y distribuer les graines et les recouvrir à peine, en les saupoudrant simplement de sable. Placer à l'ombre, en caissette de multiplication, à une température de 21-24 °C. Ouvrir la fenêtre une ou deux heures par jour pour bien aérer. Au bout de trois semaines, la germination a eu lieu, et on voit pointer les premières petites pousses vertes : découvrir la caissette et l'exposer à la lumière directe. Attendre un an avant d'empoter individuellement les jeunes cactus. La plupart des espèces produisent des fleurs dès la deuxième année.

Une méthode plus simple consiste à couper les rejets qui se forment autour de la tige principale et à les replanter après avoir laissé sécher la section pendant plusieurs jours. On les placera ensuite dans un endroit légèrement ombré, à une température de 21-24 °C, puis on les plantera dans un mélange de tourbe et de sable.

Espèces

Notocactus apricus Originaire d'Uruguay, ce cactus, qui produit en abondance des fleurs d'un jaune éclatant, garde une forme globuleuse à l'état adulte et atteint un diamètre de 8 à 10 cm. Les aréoles, disposées le long des côtes aplaties et peu saillantes, portent une vingtaine d'épines radiales jaunâtres, assez hirsutes, et quatre épines centrales plus rigides, de couleur brun-rouge.

Notocactus haselbergii D'aspect plus ou moins globuleux (avec un diamètre de 10 à 13 cm), cette espèce brésilienne aux côtes peu marquées, disposées en spirale et garnies de fines épines d'un blanc jaunâtre, se distingue par ses fleurs d'une éclatante couleur rouge feu (en bas, à droite).

Notocactus leninghausii Un notocactus à fleurs jaunes et aux longs aiguillons soyeux d'une longévité remarquable (vingt ans et plus), qui peut atteindre 60 cm de hauteur.

Notocactus mammulosus Au bout de quelques années, ses tiges vert sombre, d'abord presque sphériques, s'allongent jusqu'à atteindre une dizaine de centimètres de hauteur. Le long des côtes particulièrement saillantes, les aréoles, garnies d'aiguillons blanchâtres, sont réparties sur des sortes de mamelons, d'où le nom donné à cette espèce originaire de l'Argentine et de l'Uruguay. Les fleurs jaunes (à gauche) apparaissent au sommet, dépourvu d'épines et légèrement aplati.

Notocactus ottonis Une autre espèce à tiges globuleuses et à côtes larges et arrondies, garnies d'épines soyeuses, qui nous vient du Brésil et de l'Argentine. Les fleurs jaunes en forme de coupe apparaissent au bout de trois ans (ci-dessous).

Odontoglossum

Famille : **Orchidacées**

Nom usuel : **odontoglossum**

Aspect	Hauteur	Floraison
en touffe	de 25 à 75 cm	fin d'été et automne
Culture	**Exposition**	**Humidité**
assez difficile	lumière vive tamisée	abondante

Odontoglossum grande Une orchidée qui s'orne de spectaculaires épis floraux.

De toutes les plantes exotiques, les orchidées sont sans doute les plus fascinantes. Non seulement par la splendeur de leur floraison, mais également parce qu'elles sont considérées comme le comble du luxe et de la fragilité. Elles sont coûteuses, certes, mais moins délicates qu'on le croit généralement si on leur procure des conditions satisfaisantes. Les odontoglossums, dont la spectaculaire floraison dure très longtemps, sont parmi les moins difficiles à cultiver.

Le genre regroupe environ trois cents espèces originaires des régions tropicales d'Amérique centrale et d'Amérique du Sud. Ce sont pour la plupart des épiphytes, qui s'accrochent aux branches des arbres dans les forêts des contreforts andins, entre 1 500 et 3 000 m d'altitude, ce qui explique qu'elles aient besoin en permanence d'une atmosphère fraîche, humide et bien aérée en même temps que d'une lumière assez vive. La serre froide ou la véranda leur conviendront mieux que les pièces surchauffées à l'air desséché ; mais, même dans ce cas, elles pourront fournir une magnifique décoration florale pour l'appartement.

Les rhizomes des odontoglossums portent en général plusieurs pseudo-bulbes ovoïdes au sommet desquels naissent deux ou trois feuilles rubanées d'un vert assez clair, repliées le long de la nervure médiane. À la base de ces pseudo-bulbes se développe une hampe florale, ramifiée ou non et plus ou moins arquée. Chacune de ces tiges porte à son extrémité une inflorescence en épi terminal qui peut dépasser 30 cm de longueur et qui regroupe jusqu'à trente fleurs très étoilées, aux sépales et aux pétales largement ouverts, étroits et pointus ou au contraire larges et arrondis suivant les espèces. Leurs couleurs sont toujours splendides, soit subtilement nuancées, soit chatoyantes, avec des taches contrastées.

TECHNIQUES DE CULTURE

Printemps et été. Les odontoglossums se rempotent tous les deux ans au début du printemps, dans des contenants larges et plats plutôt que dans des pots classiques. Disposer au fond une couche de tessons pour améliorer le drainage. On trouve dans le commerce des pots spéciaux à trous latéraux qui assurent une meilleure circulation de l'air dans le compost. On utilisera de préférence un mélange spécial pour orchidées épiphytes, composé de deux parts de fibres de fougère, d'une part d'écorce de pin broyée et d'une part de sphaigne (que l'on peut remplacer par du sable ou de la perlite).

Il faut à ces orchidées une forte luminosité, mais le soleil trop direct leur est néfaste, et l'on tamisera donc ses rayons par un store. Pendant les journées les plus torrides de l'été, un peu d'ombre sera la bienvenue. La température idéale se situe entre 15 et 18 °C. En été, on vaporisera de l'eau douce sur les feuilles et les fleurs plusieurs fois par jour. Arroser assez copieusement, de manière à bien imprégner tout le compost, puis le laisser sécher sur la moitié de sa hauteur avant de redonner de l'eau. Toutes les deux ou trois semaines, ajouter un engrais liquide riche en azote à l'eau d'arrosage.

Automne et hiver. Observer une brève période de repos après la floraison, en espaçant les arrosages. Veiller à l'aération, tout en mettant la plante à l'abri des courants d'air froid. Afin de lui donner suffisamment de lumière, on l'exposera au soleil hivernal, moins brûlant.

MULTIPLICATION

Au moment du rempotage, diviser les rhizomes en sections comportant chacune deux ou trois pseudo-bulbes. Laisser cicatriser, puis les replanter séparément dans un compost à peine humide, sans les enterrer complètement.

Maladies et parasites

Des arrosages trop abondants, associés aux températures fraîches pendant la période de repos hivernal, peuvent provoquer la pourriture des pseudo-bulbes.

Parmi les parasites, les plus à craindre sont les thrips, qui peuvent endommager jeunes pousses et fleurs. On les éliminera en pulvérisant un insecticide approprié. Les cochenilles farineuses envahissent parfois les feuilles. On enlèvera un à un leurs petits cocons laineux et blanchâtres en frottant délicatement avec un tampon d'ouate imbibé d'alcool dénaturé.

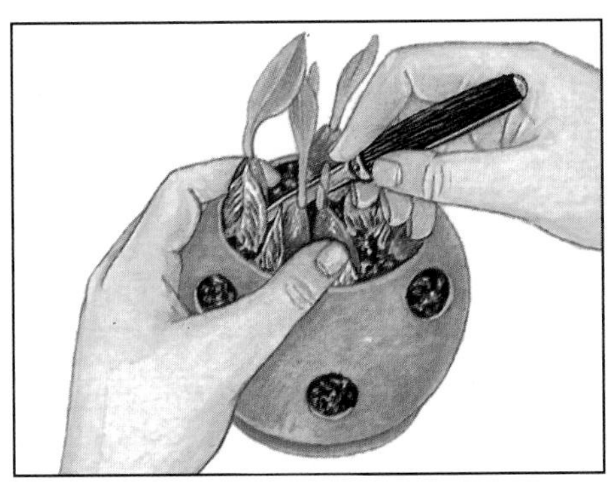

Diviser les rhizomes en deux segments pourvus chacun de plusieurs pseudo-bulbes et les laisser dans le pot jusqu'à ce que la section soit complètement cicatrisée.

Au bout de quatre ou six semaines, extraire les portions de rhizome du pot et les dégager délicatement du compost en veillant à ne pas endommager les racines.

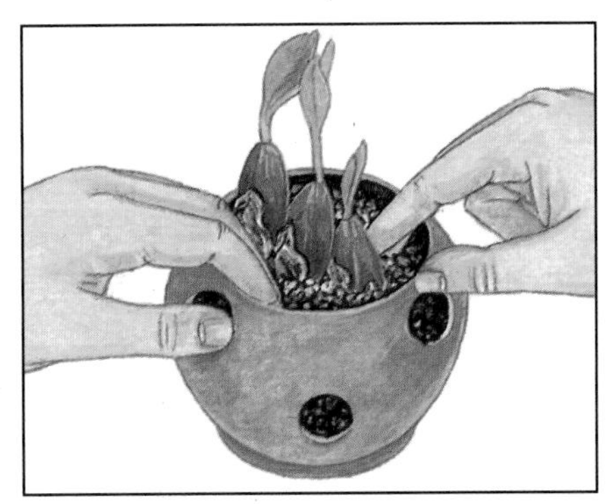

Les replanter séparément dans des pots garnis de compost frais, sans les enterrer, mais en ramenant la terre en un petit monticule dans lequel on les enfoncera légèrement.

Espèces

Odontoglossum citrosum Originaire du Mexique, cet odontoglossum a des feuilles coriaces nettement plus épaisses que celles de la plupart des autres espèces. Ses fleurs superbes, d'un diamètre d'environ 6 cm, s'épanouissent généralement au printemps. Ces dernières sont regroupées en grappes pendantes et exhalent un subtil parfum de citron. Les pétales et les sépales supérieurs sont d'un blanc rosé nacré, tandis que le labelle est rose vif.

Odontoglossum crispum Cette magnifique orchidée d'origine colombienne est très prisée des collectionneurs car elle peut donner des fleurs presque toute l'année, même si la floraison principale a lieu au début du printemps. Elle a donné naissance à de nombreux hybrides. Des pseudo-bulbes naissent deux feuilles rubanées de 20 ou 30 cm de longueur et une hampe florale élégamment recourbée de 60 ou 70 cm portant jusqu'à trente fleurs blanches, parfois lavées de rose tendre, avec un labelle orné d'une large tache jaune et moucheté de rouge (à gauche).

Odontoglossum grande Le nom latin de cette espèce guatémaltèque fait référence à la taille de ses fleurs (jusqu'à 15 cm de diamètre), au nombre de quatre à sept pour chaque épi. Pétales et sépales sont jaune d'or dans leur partie supérieure, avec une base acajou, striée ou ourlée de jaune. Le labelle crème en éventail est moucheté de brun.

Odontoglossum harryanum Originaire de Colombie également, cette espèce à grandes fleurs se signale par le chatoiement de ses couleurs : sépales bruns à stries jaunes irrégulières, pétales recourbés à l'extrémité brune et à la base violet pourpré, labelle blanc veiné de violet, avec une crête jaune orangé.

Odontoglossum pulchellum Cette espèce mexicaine est recherchée pour l'exquise odeur de jacinthe de ses fleurs blanches au labelle souligné de jaune et de pourpre.

Odontoglossum triumphans Les longues hampes florales de cette espèce colombienne portent de grandes fleurs jaune d'or à larges taches rouge-brun, plus claires sur le labelle à base blanche (ci-dessous).

Odontoglossums hybrides Dérivés du croisement de diverses espèces, il en existe plus de deux mille. On citera 'Miltonia', dont les fleurs ressemblent à celles des pensées.

Oplismenus

Famille : **Graminées**

Noms usuels : **oplismenus, herbe-à-panier**

Ces Graminées exotiques, très proches des *Panicum,* avec lesquels on les confond très souvent, ne sont représentées chez nous que par la seule espèce cultivée, *Oplismenus hirtellus,* dont on connaît surtout les variétés panachées, aux feuilles striées et nuancées de plusieurs tons de rose. C'est ce feuillage délicat, presque translucide en raison de son extrême finesse, qui fait tout l'agrément de cette plante originaire des Antilles et appelée communément herbe-à-panier. Pour mieux mettre en valeur ses coloris, on l'installera en corbeille suspendue, en laissant retomber tout autour les rameaux souples, qui ont toutefois tendance à se dégarnir rapidement. C'est pourquoi on renouvelle généralement les exemplaires au bout d'un an.

TECHNIQUES DE CULTURE

Printemps et été. Pour obtenir une belle touffe bien fournie, regrouper une quinzaine de pieds dans une corbeille ou un pot de 16 ou 20 cm de diamètre, avec un compost à base de terreau. Si la température normale d'une pièce convient aux oplismenus, il leur faut une lumière vive et même un peu de soleil afin que leurs feuilles gardent leurs couleurs. Arroser copieusement pendant la période de croissance et nourrir une fois par mois avec un engrais liquide.

Oplismenus hirtellus Les variétés à feuillage panaché, qui présentent souvent de délicates nuances roses, sont les plus décoratives et conviennent particulièrement bien aux corbeilles suspendues.

Automne et hiver. Pendant la période de repos, arroser très peu, juste pour empêcher le mélange de se dessécher complètement. Les températures ne doivent pas être inférieures à 13 °C.

MULTIPLICATION

Les tiges émettent spontanément des racines au niveau des nœuds, si bien qu'il est très facile de faire prendre des boutures. Les planter par six ou huit dans des pots de 8 cm de diamètre que l'on enfermera dans un sachet en plastique transparent. Garder dans une pièce chauffée, sous une lumière tamisée. Au bout de deux semaines, les plants pourront être traités comme des sujets adultes.

Maladies et parasites

Résistant aux maladies et aux viroses, les oplismenus souffrent facilement du froid, qui peut littéralement « griller » leurs feuilles. Il n'y a pas d'autre remède que d'éliminer les rameaux endommagés, en espérant que le pied repartira si on le place dans une ambiance plus chaude. En période de canicule, la sécheresse peut être également désastreuse, car non seulement les feuilles, mais également des tiges entières peuvent jaunir, se parcheminer et se recroqueviller avant de mourir. Ne pas attendre ce stade pour réhydrater la plante. Les cochenilles sont à peu près les seuls parasites à redouter, mais il est facile de s'en débarrasser avant qu'elles n'aient commis trop de dégâts.

Guide d'achat

N'acheter que des exemplaires jeunes et bien touffus, abondamment pourvus de nouvelles pousses et aux rameaux très feuillus. Dans le cas de variétés panachées, veiller à ce que toutes les feuilles présentent des couleurs franches et contrastées. Si certaines d'entre elles sont totalement vertes, il est à craindre que cette teinte uniforme ne gagne peu à peu toute la plante.

Espèces

Oplismenus hirtellus C'est la seule espèce cultivée comme plante d'ornement. Ses tiges très ramifiées, d'abord érigées puis étalées et retombantes, qui peuvent atteindre une quarantaine de centimètres de longueur, sont garnies de feuilles sessiles longues et étroites, effilées à leur extrémité. En été apparaissent des fleurettes verdâtres et insignifiantes, portées par de longs pédicelles en forme de vrilles. Chez l'espèce type, les feuilles sont uniformément vertes, mais on cultive surtout *Oplismenus hirtellus* 'Variegatus', variété dont le limbe présente de fines stries longitudinales blanches et se teinte de rose et de pourpre.

Pachystachys

Famille : **Acanthacées**

Nom usuel : **pachystachys**

Proches parents des *Beloperone* et des *Jacobinia,* qui appartiennent à la famille des Acanthacées, ces arbustes, originaires d'Amérique du Sud, retrouvent aujourd'hui un vif succès en raison de leurs spectaculaires inflorescences qui durent presque tout l'été. Et, lorsque la floraison est terminée, les pachystachys restent toujours appréciés pour leur feuillage luxuriant.

On cultive surtout en appartement *Pachystachys lutea,* surnommé quelquefois plante-aux-crevettes-jaunes (par analogie avec *Beloperone guttata,* la véritable plante-aux-crevettes). Leurs inflorescences se ressemblent en effet beaucoup.

Pachystachys lutea La couleur jaune de ses inflorescences est celle des bractées.

TECHNIQUES DE CULTURE

Printemps et été. Rempoter les pachystachys au printemps, dans un mélange à base de terreau jusqu'à ce que la plante soit installée dans un pot de 20 cm de diamètre. Un bon drainage est indispensable pour cette plante qui doit être arrosée souvent en été, mais dont les racines ne doivent jamais être noyées. On disposera au fond du pot une épaisse couche de tessons, recouverte de petits cailloux.

Ces espèces exotiques ont besoin de la lumière la plus vive possible, et il ne faut pas craindre de les exposer au soleil quelques heures par jour, y compris en été. Il convient d'être plus prudent en ce qui concerne les températures, qui ne devraient pas dépasser 21 °C. L'idéal est de leur assurer en permanence une température voisine de 18 °C. Attention donc à la canicule et aux petits matins frisquets du printemps. L'humidité atmosphérique doit être constante et assez élevée. Si l'air est trop sec, placer le pot sur un lit de cailloux mouillés et vaporiser fréquemment le feuillage à l'eau douce. Ces pulvérisations doivent toutefois être interrompues pendant la floraison car elles feraient pourrir les bractées. Si l'air est alors trop sec, l'humidificateur électrique sera le seul recours.

Maladies et parasites

Si l'on arrose trop peu la plante en période hivernale, elle risque de mourir. En effet, si la plante est trop au sec, les feuilles changent de couleur et finissent par tomber. On peut remédier à cela en immergeant la plante dans de l'eau.

Les pachystachys doivent être nourris chaque semaine avec un fertilisant liquide. Donner aux jeunes plantes un engrais riche en potassium, puis revenir à l'engrais ordinaire. Lorsque les inflorescences sont fanées, rabattre les tiges, en coupant juste au dessus du point d'insertion d'une feuille.

Automne et hiver. Observer une période de repos en réduisant le rythme des arrosages et en tenant la plante au frais. Une température trop basse peut provoquer la chute temporaire des feuilles.

MULTIPLICATION

Par boutures de pousses terminales au printemps. Plonger les sections dans une poudre aux hormones qui favorisera l'enracinement, planter dans un mélange de tourbe et de sable, et tenir à l'étouffée.

Espèces

Pachystachys coccinata À l'état naturel, cette espèce dépasse souvent 1,40 m de hauteur, mais il est facile de lui conserver une dimension plus raisonnable par une taille régulière. Ses feuilles coriaces vert sombre peuvent atteindre 20 cm de longueur. Ses tiges ligneuses et ses rameaux se garnissent en été de volumineuses inflorescences cramoisies (ci-contre).

Pachystachys lutea Cultivé comme plante d'intérieur, ce petit arbuste atteint au maximum 50 cm de hauteur, mais il est préférable de ne pas lui laisser dépasser 30 cm afin qu'il ne se dégarnisse pas de ses feuilles inférieures. Vert sombre, ovales et lancéolées, ces feuilles se développent sur des tiges ligneuses et ramifiées. Chaque extrémité porte une grosse inflorescence conique dont la couleur jaune d'or est celle des bractées entourant les fleurs blanc crème, qui rappellent par leur forme celles des mufliers.

Passiflora

Famille : **Passifloracées**

Noms usuels : **passiflore, fleur de la Passion**

Aspect	Hauteur	Floraison
grimpant	3 m	tout l'été
Culture	**Exposition**	**Humidité**
assez difficile	ensoleillée	abondante

En découvrant cette extraordinaire fleur dans les colonies du Nouveau Monde, les missionnaires y virent l'illustration de la Crucifixion : il n'y manquait ni la couronne d'épines (les appendices filiformes entourant l'ovaire), ni les trois clous (les trois stigmates), ni les cinq blessures (les cinq étamines). Ils l'appelèrent donc fleur de la Passion et s'en servirent pour prêcher l'Évangile.

Le genre *Passiflora* compte quelque trois cents espèces, pour la plupart grimpantes et originaires de l'Amérique tropicale, dont plusieurs ornent les serres des collectionneurs. Une seule se cultive en appartement : *P. cærulea*. Encore est-il déconseillé de la garder en permanence à l'intérieur, car il lui faut à la fois un peu de fraîcheur et une intense lumière pendant l'hiver. La serre ou la véranda sont mieux appropriées.

TECHNIQUES DE CULTURE

Printemps et été. Rempoter les jeunes plantes en mars, en augmentant chaque fois la taille du pot jusqu'à un diamètre de 20 cm. Se contenter ensuite d'un surfaçage, car une plante installée dans un pot trop grand développera ses feuilles au détriment de ses fleurs. Il faut aux passiflores un compost riche et non alcalin, à base de terreau (y ajouter du sable pour améliorer le drainage). La passiflore aura besoin d'un soutien : la tuteurer ou la faire grimper autour d'un arceau.

Placer le pot en pleine lumière et le sortir pour que la passiflore fasse une cure de soleil. La température normale d'une pièce lui conviendra en été, mais il faudra assurer une bonne ventilation. La plante risque de souffrir au-dessus de 22 °C. Vaporiser le feuillage à l'eau douce deux ou trois fois par semaine pour compenser la sécheresse de l'air (mais ne jamais effectuer ces pulvérisations au soleil, ce qui provoquerait des brûlures sur les feuilles). Arroser abondamment, tous les deux jours s'il fait chaud, et nourrir tous les quinze jours avec un engrais liquide ajouté à l'eau d'arrosage.

Tailler au printemps pour contrôler la croissance (rabattre les tiges principales d'au moins un tiers).

Automne et hiver. Pendant la période de repos, essayer de tenir la passiflore à 10-13 °C (jamais plus de 15 °C), tout en continuant à lui donner le maximum de lumière, ce qui n'est guère facile dans un appartement chauffé (un jardin d'hiver offre des conditions idéales). Un arrosage tous les huit ou dix jours suffit à empêcher le compost de se dessécher.

MULTIPLICATION

Par boutures de jeunes pousses en été, en coupant juste sous une feuille. Faire prendre au chaud et à l'étouffée dans un mélange de tourbe et de sable.

Passiflora cærulea Une plante grimpante d'un très bel effet décoratif.

Maladies et parasites

Humidité et froid excessifs favorisent le développement du botrytis, qui enrobe les feuilles d'une moisissure grisâtre. Éliminer les parties atteintes et pulvériser un fongicide sur le reste de la plante, qui sera placée dans un endroit plus chaud et bien aéré.

Rares sont les plantes qui sont à l'abri des attaques des pucerons. Ceux-ci envahissent les feuilles, qui se déforment et deviennent gluantes au toucher. On les combattra en pulvérisant un insecticide à base de malathion dilué ou de pyrèthre (préférable en appartement à cause de son innocuité). Les cochenilles farineuses peuvent également sévir : on les reconnaît aux petites plaques blanchâtres et laineuses fixées à l'aisselle des feuilles. Badigeonner avec un tampon imbibé d'alcool dénaturé.

Espèces

Passiflora cærulea À l'état naturel, cette espèce d'origine brésilienne peut atteindre 6 m de longueur, mais il est assez facile de contrôler sa croissance si on la cultive en pot, sur un support en arceau où elle s'enroulera sur elle-même (méthode qui ralentit la montée de la sève et permet d'obtenir une plus riche floraison). Les tiges filiformes portent des feuilles palmées vert vif et des fleurs en coupe qui s'épanouissent de juin à septembre.

Passiflora coccinea Cette plante de serre, originaire de Guyane, pourra passer l'été sur une terrasse ou un balcon abrités à la fois des courants d'air et du soleil ardent de la mi-journée. De juin à août, elle se couvre de fleurs écarlates de 10 à 12 cm de diamètre (en haut).

Passiflora quadrangularis Une passiflore luxuriante qui exige d'être cultivée en serre chaude sous nos climats. Ses fleurs parfumées sont spectaculaires (15 cm de diamètre) avec leur couronne ondulante de filaments blancs ou violets (ci-contre).

Pelargonium

Famille : **Géraniacées**

Noms usuels : **pélargonium, géranium**

Les « géraniums » qui ornent balcons et fenêtres sont en fait des pélargoniums et ne doivent pas être confondus avec les plantes du genre *Geranium,* bien qu'elles appartiennent elles aussi à la famille des Géraniacées. On en connaît quelque deux cent cinquante espèces, toutes originaires des régions tempérées chaudes, mais on cultive surtout les innombrables variétés hybrides, qui se répartissent en quatre groupes : hybrides de *P. domesticum* (appelés géranium des fleuristes), hybrides de *P. hortorum,* hybrides de *P. peltatum* (géraniums-lierres grimpants) et enfin géraniums à fleurs odorantes.

Les géraniums d'intérieur et ceux qui poussent sur les rebords des fenêtres sont appréciés à la fois pour leur floraison abondante et vivement colorée, et pour la beauté de leur feuillage, parfois panaché. Ce sont de minuscules arbustes à port buissonnant, à tiges charnues et fragiles, très ramifiées. Leurs feuilles arrondies, aux marges très légèrement lobées, sont portées par des pétioles presque aussi longs que le limbe lui-même. Elles dégagent, quand on les froisse entre les doigts, un parfum agréable et caractéristique.

TECHNIQUE DE CULTURE

Les pélargoniums se plaisent dans un compost bien drainé à base de terreau (disposer une couche de 1 cm de tessons ou de cailloux au fond du pot). On peut obtenir d'excellents résultats en utilisant un mélange pour cactées. Ne pas utiliser de pots trop grands (18 cm de diamètre au maximum), car ces plantes fleuriront mieux, et leur feuillage sera plus coloré si elles sont un peu à l'étroit.

On rempotera les sujets jeunes chaque année au printemps, éventuellement plus souvent si leurs racines sortent par l'orifice de drainage. Dépoter la plante, dégager délicatement la terre autour des racines, raccourcir celles qui sont trop longues ou trop épaisses, et réinstaller dans du terreau frais. En profiter pour procéder à une taille de printemps, en rabattant de moitié les parties aériennes.

Pelargonium Leurs fleurs vivement colorées et son feuillage en font des plantes de fenêtre typiques et décoratives.

Les pélargoniums poussent à une température ambiante de 21 à 24 °C. Ils demandent une exposition très lumineuse (le plein soleil leur convient parfaitement) et une atmosphère aérée mais abritée des courants d'air froid. On arrose de façon à mouiller le substrat et on attend que la surface ait séché avant de reprendre les arrosages. D'avril à septembre, apporter un engrais liquide tous les quinze jours. Les géraniums des fleuristes à grosses fleurs cessent de fleurir vers la mi-été. On les fait alors entrer dans une période de repos de six semaines environ. Il suffit de réduire les arrosages de façon à maintenir le sol à peine humide et d'arrêter totalement les apports d'engrais. Au bout de six semaines, reprendre le régime normal.
Automne et hiver. Pour l'hiver, la température variera de 10 à 16 °C. Il faut assurer aux plantes une forte lumière et même, si possible, du soleil. L'atmosphère restera sèche, aérée, mais sans courants d'air. Pour les arrosages, il suffit d'éviter le complet dessèchement du substrat. Retirer les éventuelles fleurs fanées et les feuilles jaunes.

MULTIPLICATION

Prélever en été des pousses terminales en les coupant au-dessous d'un nœud. Retirer bourgeons et feuilles à la base, et traiter la coupe à l'aide d'hormones d'enracinement. Piquer les pousses dans un mélange de tourbe et de sable en les enterrant jusqu'aux feuilles conservées. Maintenir le substrat humide, à mi-ombre, à une température de 16 à 18 °C. Quand les racines se sont développées, repiquer chaque plant individuellement dans un godet empli d'un substrat à base de terre de jardin. Donner ensuite aux plantes le même régime qu'aux adultes.

Durant l'été, prélever des boutures de 8-10 cm sur des tiges latérales saines, à l'aide d'un couteau ou de ciseaux bien aiguisés.

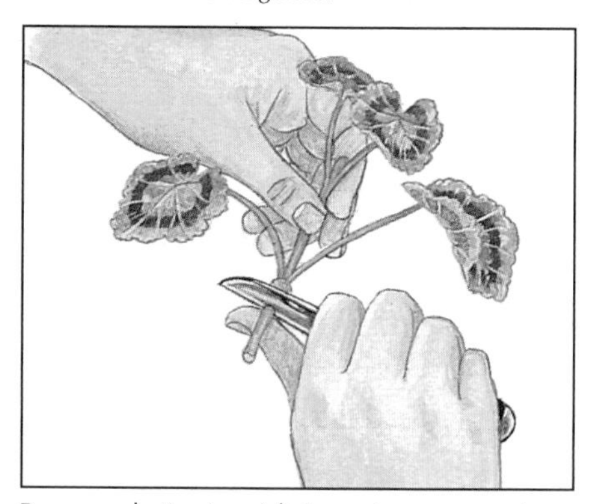

Recouper la tige immédiatement sous une paire de feuilles et saupoudrer la coupe d'hormones d'enracinement.

Retirer les feuilles les plus basses et piquer la bouture jusqu'aux feuilles conservées dans un mélange léger.

Maladies et parasites

Si la plante reste trop longtemps à l'ombre, les feuilles s'étiolent, et les tiges finissent par jaunir. Des arrosages trop généreux provoquent rapidement la pourriture des racines, qui s'étend ensuite à la base des tiges, les faisant noircir s'il fait un peu trop froid. À ce stade, il est plus sage de se débarrasser de la plante, car les végétaux atteints de pourriture sont porteurs de dangereuses maladies cryptogamiques.

Les aleurodes (ci-contre) et les cochenilles sont les parasites les plus fréquents des pélargoniums. On élimine leurs colonies en passant sur les parties atteintes un chiffon ou un pinceau imbibés d'alcool. En cas de fortes attaques, traiter à l'aide d'un insecticide spécifique.

Pour éviter l'invasion des divers insectes nuisibles, il est assez facile de traiter les plantes préventivement à l'aide d'insecticides systémiques, qu'il faut épandre à intervalles très réguliers.

La taille sert à donner la forme voulue à la plante. Lui donner au besoin un tuteur et guider les pousses latérales dès leur apparition.

Pour obtenir un buisson touffu, rabattre au moins de moitié la longueur les pousses de l'année précédente.

Guide d'achat

Il ne faut acquérir que des plantes bien ramifiées et fortement garnies de jeunes pousses. Débusquer la présence éventuelle de maladies ou de parasites. Refuser toute plante aux tiges et aux feuilles trop décolorées, en particulier à la base. Il est d'ailleurs plutôt conseillé de se procurer des plantes déjà en fleur afin d'être sûr de choisir le bon coloris. Donner la préférence à des exemplaires bien fournis en boutons. Les pélargoniums étant des plantes non rustiques, il sera préférable de ne pas les acheter en période de gel.

Espèces

Pelargonium* x *hortorum Ce groupe d'hybrides dérivés de *P. zonale* est parfois désigné sous ce dernier nom. Les plantes qui le composent peuvent fleurir toute l'année. Ce sont des végétaux buissonnants à tiges épaisses, atteignant d'ordinaire 30 ou 60 cm de hauteur. Quelques variétés s'élèvent jusqu'à 1,20 m. Les feuilles arrondies, légèrement gaufrées, sont en général vertes avec une bande en forme de fer à cheval, contrastant avec la couleur de base. Certaines sélections sont panachées de diverses couleurs, la marbrure en fer à cheval étant marquée de stries rouges, orange ou blanc crème. Les fleurs, larges de 4 cm environ, se parent de tons variant du blanc au rouge en passant par tous les tons de rose. Elles apparaissent au sommet de pédoncules de 20 ou 25 cm de long et sont réunies en grosses ombrelles arrondies. Parmi les centaines de variétés existantes, retenons : 'Appleblossom Rosebud' (en bas, à gauche), aux délicates fleurs blanches aux bords ombrés de rose ; 'Happy Thought', aux fleurs rouges et aux feuilles vert vif avec une zone centrale jaune crème ; 'Mrs. Henry Cox' (en haut, à gauche), aux fleurs rose saumon et aux feuilles spectaculaires, à fond gris vert et aux bandes jaunes et rouges ; 'Pac Barbie', aux fleurs simples roses, échevelées, et à floraison très abondante.

Pelargonium graveolens (en haut, à droite) Peu spectaculaire, cette plante est surtout connue pour le parfum de ses feuilles, qui l'a fait surnommer « géranium rosat ».

Pelargonium crispum (ci-dessus) C'est plus pour la bractée de son feuillage parfumé que pour ses petites fleurs que l'on cultive cette espèce. C'est un buisson très ramifié, haut de 60 cm environ, aux tiges minces garnies de petites feuilles arrondies, trilobées, aux bords dentelés panachés ou unis, qui émettent une odeur de citron quand on les froisse. Les fleurs sont violet clair, larges de 2,5 cm environ et réunies par deux ou trois sur de courts pédicelles.

Espèces

Pelargonium* x *domesticum (géranium des fleuristes) Ce groupe d'hybrides, également connu sous le nom de *P. macranthum*, dérive de croisements d'espèces à grandes fleurs. Ce sont des plantes de culture plus délicate que les géraniums des jardins. Elles atteignent de 30 à 60 cm de hauteur. Les feuilles sont vertes, arrondies, larges de près de 8 cm. Un peu rêches, elles possèdent des bords dentelés. Chaque fleur, évasée, atteint une grande taille : de 5 à 7 cm de diamètre. Les pétales sont souvent ondulés, dans des coloris qui varient du blanc au rouge en passant par tous les tons de rose (et même le noir), avec des stries et des taches plus sombres. Les inflorescences apparaissent à l'aisselle des feuilles du sommet, sur les jeunes tiges. Elles sont réunies par groupes de dix en grosses ombelles. Parmi les nombreuses variétés, retenons : 'Carisbrooke', à fleurs roses ; 'G. Fisher' (ci-dessus, à gauche), aux fleurs carmin brillant avec des pétales supérieurs de couleur pourpre ; 'Grand Slam', aux fleurs pourpres (en haut, à gauche).

Pelargonium peltatum (géranium-lierre) Cette espèce retombante est parfaite pour garnir les balconnières et les paniers suspendus. Les feuilles vert vif, larges de 8 cm environ, sont réunies en petites ombelles portées par de longues tiges. Il existe de nombreux hybrides disponibles sur le marché dans toute une gamme de coloris allant du pourpre foncé au rose : 'Apricot Queen' possède des fleurs rose saumon ; 'Mexican Beauty' produit des inflorescences rouge foncé avec des taches rouge pourpré vif ; 'L'Élégante' (ci-dessus, à droite), porte des feuilles très décoratives vert clair, striées et panachées de jaune et de blanc avec des fleurs blanc rosé ; 'Rouletta' (en haut, à droite) possède des fleurs blanc marginé de rouge ; 'Tavira' produit des fleurs rouge vif.

Pelargonium tomentosum Les feuilles vertes, veloutées, de ce pélargonium étalé émettent une puissante odeur de menthe.

Pellaea

Famille : **Polypodiacées**

Nom usuel : **pelléa**

Les pelléas sont de petites plantes à feuillage décoratif qui croissent spontanément dans divers coins du monde : Afrique, Nouvelle-Zélande, Amérique du Nord et du Sud. Bien adaptées aux paniers suspendus et aux jardins en bouteille, ces fougères sont des végétaux assez faciles à cultiver pourvu qu'on satisfasse leurs besoins en lumière et en eau.

TECHNIQUES DE CULTURE

Printemps et été. Chaque année au printemps, retirer les pelléas de leur pot et inspecter les racines. Si elles ont envahi leur contenant, transférer la plante dans un pot un peu plus grand. Emplir son fond d'une couche de matériaux drainants, puis épandre un mélange terreux à base de tourbe. Si l'on souhaite installer le pelléa dans un panier suspendu, doubler l'intérieur de ce dernier d'une litière de mousse épaisse. Combler avec un substrat adéquat et installer la fougère en tassant bien.

Les pelléas apprécient une température de 18 °C environ. Au-dessus de 21 °C, il faut pulvériser régulièrement de l'eau tiède sur les feuilles. Arroser abondamment pour maintenir le substrat toujours humide. Il ne faut pas pour autant laisser de l'eau stagner dans la coupelle pendant plusieurs jours. Toutes les deux semaines, entre mai et septembre, ajouter un peu d'engrais à l'eau d'arrosage.

Les pelléas poussent à l'aise dans un endroit clair, mais abrité du soleil, qui provoque des brûlures sur les feuilles.

Automne et hiver. Abaisser légèrement la température jusqu'à 13-16 °C, maintenir la plante à peine humide et cesser les bassinages. Arrêter également les apports d'engrais de septembre jusqu'à mai. En hiver, quelques heures de soleil prolongeront la vie de chaque fronde.

MULTIPLICATION

C'est en mai qu'on divise les pelléas, s'ils ont dépassé la taille voulue, en coupant la plante en deux. Replanter chaque éclat individuellement en pot et traiter comme des plantes adultes.

On peut diviser encore plus les plantes en tranchant les rhizomes en petits éclats, chacun devant être porteur d'une fronde et de racines. Repiquer alors chaque morceau en godet individuel empli d'un substrat à base de tourbe et donner à chacun le régime des plantes adultes.

Pellæa rotundifolia Cette fougère se distingue des autres par ses feuilles rondes et coriaces.

Espèces

Pellæa rotundifolia Cette espèce forme un panache de frondes inclinées, de 30 cm de long environ. Chaque fronde porte de dix à vingt paires de folioles alternes vert foncé presque rondes, aux bords dentés.

Pellæa viridis Cette espèce a l'aspect classique des fougères et porte des frondes plumeuses. Vert foncé, longues de 45 cm, leurs nervures sont noires et luisantes. La variété 'Macrophylla', parfois appelée *P. adiantoides*, possède des frondes plus grandes, de 60 cm environ, et des folioles plus larges. Elle rappelle fortement, par son aspect, *Cyrtomium falcatum*, autre fougère avec laquelle il ne faut pas la confondre.

Maladies et parasites

Si les arrosages sont insuffisants, si l'air est trop sec ou bien encore si la température reste trop basse, feuilles et tiges se déshydratent rapidement. Il convient d'élever la température ambiante et de bassiner abondamment la plante en veillant toutefois à éviter les excès.

Les parasites les plus fréquents sont les cochenilles à bouclier ou farineuses. Lutter contre les unes et les autres de façon préventive à l'aide d'insecticides systémiques.

Peperomia

Famille : **Pipéracées**
Nom usuel : **pépéromia**

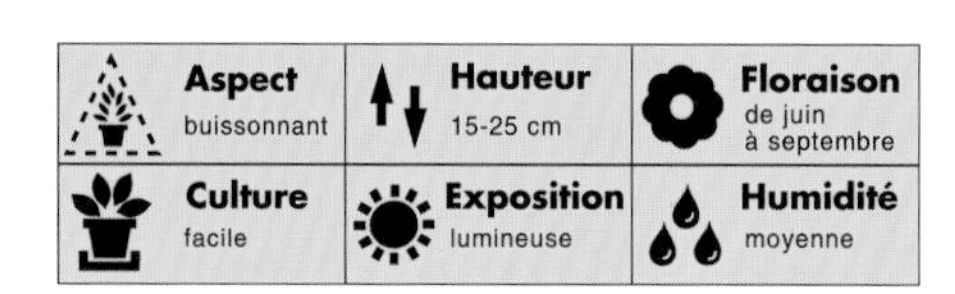

Aspect	Hauteur	Floraison
buissonnant	15-25 cm	de juin à septembre
Culture	**Exposition**	**Humidité**
facile	lumineuse	moyenne

Ces fascinantes petites plantes sont avant tout cultivées pour leur feuillage. Denses, faciles à cultiver, ce sont des plantes d'appartement de première qualité. Le groupe comprend une centaine d'espèces provenant essentiellement d'Amérique du Sud.

Même si l'aspect et le mode de croissance varient d'une espèce à l'autre, les plantes du genre *Peperomia* ont en commun leur épi floral, semblable à une canne.

Peperomia magnoliæfolia C'est une des petites plantes à feuillage décoratif les plus populaires.

TECHNIQUES DE CULTURE

Printemps et été. Planter en mars-avril dans un substrat à base de tourbe. Placer une couche de tessons au fond pour assurer le drainage. Aux jeunes plantes, on donnera un contenant plus grand, jusqu'à concurrence de 10-13 cm de diamètre.

La température moyenne d'un appartement suffit parfaitement. Placer la plante dans un lieu très lumineux, en évitant l'ensoleillement direct, en particulier durant les mois d'été. Un excès d'eau peut avoir des conséquences fatales pour les pépéromias, qu'on arrose modérément en laissant le milieu sécher avant d'arroser de nouveau. Toutes les trois semaines, de mai à septembre, ajouter un engrais liquide à l'eau d'arrosage. Diviser par deux la dose conseillée. Pour obtenir une bonne humidité atmosphérique, placer le pot sur une coupelle emplie de graviers mouillés et effectuer des bassinages réguliers du feuillage.

Automne et hiver. La température sera de 16 °C environ, sans jamais descendre au-dessous de 13 °C. Conserver une exposition lumineuse, mais non ensoleillée. Maintenir l'humidité atmosphérique par des bassinages répétés. Ces végétaux redoutent la sécheresse et les courants d'air froid. Arroser régulièrement, mais modérément.

MULTIPLICATION

Prendre des boutures de feuilles saines ou d'extrémité de tiges, d'une longueur de 5 ou 8 cm environ, au printemps ou en été. Traiter les coupes à l'aide d'hormones de bouturage, puis planter les boutures dans un mélange à parts égales de sable et de tourbe. Maintenir l'ensemble au frais, de préférence à l'abri du soleil et à une température de 18 ou 21 °C. L'enracinement doit être complet au bout de six semaines environ. Repiquer à ce moment les plantules en pots individuels.

Maladies et parasites

En cas d'arrosage excessif, surtout en hiver, les feuilles tombent et les racines pourrissent. Le feuillage de la plante tend à se décolorer si elle reste trop longtemps à l'ombre. Un excès d'ensoleillement est tout aussi néfaste car la plante ne tarde pas à se faner.

Les cochenilles farineuses trouvent parfois les pépéromias à leur goût. Tamponner les flocons blanchâtres qui signalent ces parasites à l'aide d'un tampon d'ouate ou d'un pinceau imbibé d'alcool. En cas d'atmosphère trop sèche, ce sont les araignées rouges qui s'installent : déposer alors régulièrement un insecticide spécifique.

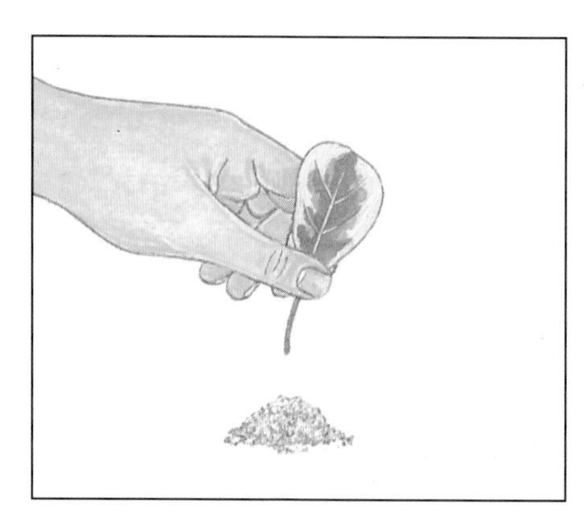

Les boutures de pépéromias se font à partir de feuilles saines. Tremper la base dans de la poudre d'enracinement.

Piquer les boutures dans un mélange à base de tourbe ou dans un bon terreau pour rempotage, en tassant bien tout autour.

Espèces

Peperomia caperata Cette plante compacte et touffue atteint 25 cm. Ses feuilles, gaufrées, luisantes et d'un beau vert sombre, atteignent 4 cm de longueur environ. Les pétioles sont rouges ou roses. Les jolis épis floraux, blancs, de 13 à 15 cm de long, apparaissent d'avril à décembre.

Peperomia griseoargentea (ci-dessous, en haut) On connaît également cette plante sous le nom de *P. hederaefolia.* Son feuillage semble voilé d'une couleur gris-vert, relevée d'un éclat argenté qui justifie le nom scientifique. Les crosses florales caractéristiques, de couleur blanc argenté, apparaissent en été, portées par des tiges rougeâtres de 20 à 25 cm de hauteur.

Peperomia obtusifolia La popularité de ce pépéromia remonte loin et tient à sa robustesse. C'est une des plantes les plus faciles à cultiver à l'intérieur. C'est une plante très ramifiée qui peut atteindre 30 cm de hauteur et porte de grandes feuilles ovales, charnues et légèrement concaves. Elles sont teintées de vert à reflets violacés avec des bords violets. Le revers est d'un vert plus pâle. De nombreuses tiges florales blanches, n'excédant pas 5 cm de hauteur, apparaissent de juin à septembre.

Peperomia magnoliæfolia C'est l'espèce la plus répandue. Elle produit une touffe qui atteint 30 cm de haut avant de retomber. De grandes feuilles charnues, décoratives, se développent sur ces tiges épaisses. La plante produit des petites fleurs qui recouvrent des tiges fines. Cependant, elles apparaissent rarement en culture d'amateur. L'espèce type produit des feuilles plates, lisses, d'un superbe vert clair intense. Il en existe des variétés panachées très populaires : 'Variegata' (ci-dessous, en bas), aux feuilles presque entièrement crème dans leur jeune âge, se colorant de vert au cœur au fur et à mesure qu'elles vieillissent. Les tiges passent du rouge, sur les jeunes plantes, au vert à taches rouges par la suite. La variété 'Green Gold' produit des feuilles plus grandes à bordure crème.

Peperomia sandersii (ci-dessous) Le diamètre et la hauteur de cette espèce, considérée comme l'une des plus décoratives, varient de 15 à 25 cm. Les feuilles, plates et larges, ont un bel effet ornemental. Elles se parent d'un beau bleu-vert luisant, avec des bandes argentées qui partent du cœur. La forme et la couleur de ce feuillage justifient le surnom de melon d'eau que les Anglo-Saxons donnent à la plante. Le pétiole est rouge. Les épis floraux, longs de 8 à 10 cm, de couleur blanchâtre, apparaissent au cours de l'été.

Peperomia scandens Cette plante grimpante peut atteindre de 1,20 à 1,50 m. Les feuilles sont cordiformes, longues de 5 cm environ. Légèrement pointues, elles s'accrochent sur des pétioles rougeâtres. L'espèce type porte des feuilles plates, d'un beau vert clair. Ce sont les formes panachées qui sont les plus répandues. Chez les plantes cultivées en appartement, il est rare que la floraison apparaisse régulièrement.

Pereskia

Famille : **Cactacées**

Nom usuel : **péreskia**

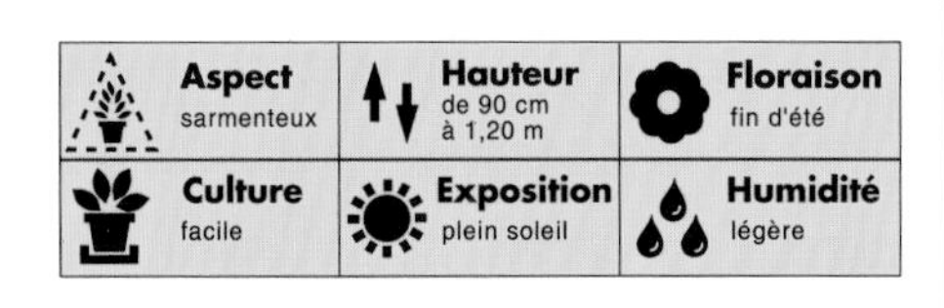

Aspect sarmenteux	**Hauteur** de 90 cm à 1,20 m	**Floraison** fin d'été
Culture facile	**Exposition** plein soleil	**Humidité** légère

Cette plante au port érigé, légèrement sarmenteux, a des tiges épineuses et des fleurs fortement parfumées qui feraient plutôt penser à un rosier grimpant qu'à une plante grasse. Pour la culture d'intérieur, les péreskias se présentent comme des buissons grimpants guidés sur des tuteurs ou des cercles métalliques.

TECHNIQUES DE CULTURE

Printemps et été. On rempote au printemps seulement si la plante occupe tout le volume du pot. Utiliser un substrat pour cactées sans oublier de garnir le fond du pot d'une couche de tessons pour le drainage. Si, après divers rempotages, on doit utiliser un pot de 25-30 cm de diamètre, se contenter de faire un surfaçage sur 5 cm de profondeur.

Au moment du rempotage, raccourcir les branches en les taillant au-dessus de la naissance d'une feuille. Ces végétaux produisent leurs fleurs sur les rameaux de l'année précédente, qu'il faut donc veiller à ne pas supprimer totalement.

Arroser suffisamment pour que la terre soit fraîche, mais non trempée, et laisser égoutter la surface avant de reprendre les arrosages. Toutes les quatre ou six semaines, apporter un engrais « spécial cactus ». L'ensoleillement doit être important, en particulier dès la formation des boutons floraux. La plante se développe bien à la température ambiante normale, mais elle peut fort bien supporter 24 °C et au-delà.

Automne et hiver. Après la floraison, ramener la température entre 10 et 16 °C, et arroser plus modérément pour maintenir le substrat presque au sec de septembre à mars. Les péreskias étant semi-persistants, ils perdent des feuilles en hiver. Malgré tout, ils n'en demandent pas moins à cette époque une place ensoleillée, sèche et bien aérée.

Pereskia aculeata Par leur forme et leur parfum, les fleurs de cette plante rappellent les églantines.

MULTIPLICATION

Semer en février dans un mélange pour cactées. Maintenir la caissette à l'ombre. Dès la levée, placer les plantules en pleine lumière, en gardant le substrat humide. Les repiquer ensuite en godets individuels et les traiter comme des adultes.

On peut recourir au bouturage d'extrémités de tiges. On agit au printemps. Laisser sécher les coupes quelques jours, puis les planter dans un mélange pour cactées en les maintenant à une température de 18 à 24 °C, loin du soleil direct et légèrement arrosées, sans plus.

Maladies et parasites

L'excès d'arrosage décolore et fait pourrir les plantes. Dans ce cas, prélever des boutures pour produire de nouvelles plantes.

Les araignées rouges ou les cochenilles farineuses peuvent créer quelques difficultés. Les premières tissent de fines toiles entre les feuilles et les branches. Les secondes, quant à elles, sont reconnaissables à leurs amas laineux et blanchâtres. Dans l'un et l'autre cas, recourir à des insecticides spécifiques. En cas d'attaque des feuilles, on peut se débarrasser des cochenilles à l'aide d'ouate imbibée d'alcool.

Espèces

Pereskia aculeata Originaire d'Amérique du Sud et des Antilles, cette plante sarmenteuse est maintenue, pour la culture d'intérieur, à 1 m de hauteur environ. Comme tous les cactus, le péreskia porte sur ses tiges âgées des aréoles, minuscules excroissances couvertes d'épines. Curieusement pour une cactée, il produit de véritables feuilles ovales semi-persistantes. Les fleurs blanc crème à cœur rouge, parfumées, apparaissent en grappes en fin d'été.

Pereskia grandifolia (ci-contre) Également connue sous le nom de *Rhodocactus grandifolius*, cette espèce est plus arbustive que rampante. Elle porte des feuilles ovales, vert clair, longues de 12 à 15 cm environ. Ses tiges, couvertes d'épines noirâtres, produisent des fleurs roses en fin d'été.

Philodendron

Famille : **Aracées**

Nom usuel : **philodendron**

Aspect	Hauteur	Floraison
liane	2 m	rare
Culture	**Exposition**	**Humidité**
facile	lumineuse	régulière

Philodendron scandens C'est une des plantes à feuillage décoratif les plus faciles à entretenir.

Les belles plantes vertes du genre *Philodendron* constituent un groupe important comprenant aussi bien de petits arbres que des arbustes et beaucoup de lianes aux vigoureuses racines adventives.

C'est à leur milieu d'origine — essentiellement les forêts d'Amérique du Sud — qu'ils doivent leur grande taille. En appartement, avec l'aide de bons tuteurs, ils dépassent aisément les 2 m de hauteur. Les fleurs sont réunies en une formation cylindrique appelée spadice, entourée ou non d'une bractée appelée spathe.

Philodendron scandens est l'espèce la plus répandue et la plus simple à cultiver. Même si on la néglige, cette plante pousse aisément grâce à ses faibles exigences et à sa résistance à la pollution. C'est une plante grimpante à longes tiges minces et à petites feuilles luisantes, terminées en pointe.

TECHNIQUES DE CULTURE

Printemps et été. Les philodendrons poussent dans un substrat bien drainé à base de tourbe additionnée d'un peu de sable grossier. On peut faire soi-même un mélange à parts égales de terre argileuse, de tourbe et de sable grossier que l'on additionne ensuite de terreau de feuilles bien mûr.

On rempote au printemps, mais seulement si la plante est à l'étroit dans son pot. On lui donne alors un pot plus grand, sans dépasser 25-30 cm de diamètre. Au-delà, se contenter d'un bon surfaçage annuel sur 5 cm de profondeur. Les formes grimpantes demandent de solides tuteurs pour supporter leurs tiges minces. Un piquet recouvert de mousse convient tout particulièrement : il offre aux racines aériennes une surface adaptée pour s'ancrer, qui apporte à la plante un surcroît d'humidité et de nourriture. À défaut de tuteur, laisser s'infiltrer quelques racines aériennes dans le substrat afin qu'elles apportent un supplément nutritif à la plante mère. Pour conserver à *P. scandens* un port touffu, le tailler en pinçant les bourgeons terminaux.

La température ambiante suffit amplement et peut osciller entre 18 et 24 °C. L'exposition doit être lumineuse, mais à l'abri du soleil. D'avril à octobre, arroser régulièrement et généreusement. Le substrat doit rester bien humide, mais l'eau ne stagnera pas pour autant dans la coupelle. L'humidité atmosphérique est un facteur important. On y pourvoit en posant le pot sur une soucoupe emplie de graviers mouillés et en bassinant régulièrement le feuillage à l'eau tiède.

Automne et hiver. La température idéale avoisine 16-18 °C, sans jamais descendre au-dessous de 13 °C. L'exposition doit rester très lumineuse, mais éviter le soleil direct. Arroser pour maintenir la terre juste fraîche. Éviter cependant les excès d'eau. Des bassinages occasionnels profiteront particulièrement aux espèces grimpantes.

MULTIPLICATION

On prélèvera des boutures sur les tiges d'avril à juin. Couper au-dessous d'une feuille, en traitant la coupe à l'aide d'une hormone d'enracinement. Repiquer les boutures dans un substrat additionné d'un peu de sable. Maintenir le tout humide, à mi-ombre et à une température de 24 °C. Le mieux est d'utiliser une mini-serre ou un pot enveloppé d'un grand sac en plastique transparent. Dès les premiers signes de développement, retirer le pot de son abri et le conserver à température constante pendant quinze jours. Ensuite, repiquer individuellement les jeunes plantes.

Surfaçage. Si la plante est trop volumineuse pour être rempotée, renouveler le compost de surface sur une épaisseur d'au moins 5 cm.

Après avoir ajouté du compost frais, presser avec les doigts tout autour du pied afin que les racines soient bien maintenues, et arroser modérément.

Maladies et parasites

Les feuilles inférieures jaunissent puis tombent les unes après les autres : le compost est probablement saturé, et il faut le laisser sécher avant tout nouvel arrosage, à moins que ce ne soit le résultat de pulvérisations effectuées avec de l'eau trop froide. Veiller également à ne jamais bassiner la plante en plein soleil, ce qui pourrait provoquer d'irréversibles cloques brunâtres sur les feuilles (il ne reste plus alors qu'à couper aux ciseaux les parties endommagées).

Les carences nutritives ou l'insuffisance de lumière se traduisent par un manque de vigueur dans la croissance : les tiges s'allongent et s'amincissent à l'excès, ne portant que des feuilles rares et petites. Placer la plante dans un endroit mieux éclairé et la revitaliser par un apport d'engrais.

Les philodendrons peuvent aussi héberger des insectes parasites. Les araignées rouges, dont les menus filaments tendus sous les feuilles, marquées de mouchetures, trahissent la présence, s'éliminent en pulvérisant un insecticide à base de malathion. Pour se débarrasser des pucerons (qui déforment les jeunes feuilles), on aura de préférence recours à un produit à base de pyrèthre.

Espèces

Philodendron erubescens D'origine colombienne, ce philodendron relativement facile à cultiver peut atteindre 1,80 m de hauteur avec un support adéquat. Portées par de longs pétioles rougeâtres, ses feuilles sagittées sont d'abord d'une jolie couleur rose, puis elles deviennent d'un vert vif, mais gardent toutefois des reflets cuivrés et une face inférieure teintée de pourpre.

Philodendron hastatum C'est du Brésil que vient ce vigoureux philodendron grimpant qui atteint en général 1,50 m. On l'apprécie pour le vert lumineux de ses feuilles cordiformes oblongues, à l'extrémité effilée, portées par des pétioles charnus (ci-dessus). Il existe une attrayante variété panachée, aux feuilles soulignées de jaune et de crème.

Philodendron* x *burgondy On désigne sous ce nom des hybrides très élégants avec leurs feuilles cordiformes, dont le vert a des reflets de bronze, et leurs tiges pourprées. Leur croissance lente (pas plus de 15 cm par an) les fait rechercher pour les petits appartements.

Espèces

Philodendron bipinnatifidum Originaire du Brésil, ce philodendron à port dressé, qui ne dépasse guère 1,20 m de hauteur, est l'un des plus couramment cultivés en appartement. Ce succès se comprend aisément car c'est une plante à la fois facile à entretenir (qui tolère des conditions peu favorables) et très décorative avec ses amples feuilles d'un vert brillant, profondément échancrées en lanières, qui s'épanouissent en rosette à partir du point de croissance (ci-dessus). Il est à noter que ces découpures n'affectent pas les jeunes feuilles, à peine dentées.

Philodendron scandens On l'appelle également *P. oxycardium*, et c'est incontestablement le plus populaire des philodendrons grimpants à petites feuilles. Cette espèce originaire de l'Amérique centrale et des Antilles a de longues tiges souples portant, au bout de longs et fins pétioles, des feuilles cordiformes d'environ 10 cm de longueur. Les rameaux flexibles peuvent s'enrouler autour de supports verticaux (moussus de préférence, car ils garderont mieux l'humidité, et les feuilles seront ainsi plus belles), ou retomber en cascade si on cultive ce philodendron en corbeille suspendue. Il est recommandé de pincer fréquemment l'extrémité des jeunes pousses pour obtenir un port plus buissonnant, faute de quoi les tiges s'allongeront à l'excès, et la plante aura un aspect un peu maigre.

Philodendron selloum Cette espèce brésilienne, assez voisine de *P. bipinnatifidum*, a une tige courte et épaisse en forme de tronc, au-dessus de laquelle s'épanouissent en rosette des feuilles si découpées qu'elles paraissent composées de folioles.

Espèces

Philodendron andreanum Originaire de Colombie, ce philodendron à tiges sarmenteuses est un peu plus exigeant que les autres espèces, mais il mérite bien quelques attentions car c'est véritablement une plante magnifique, qui peut, dans de bonnes conditions, atteindre 1,80 m de hauteur au terme d'une croissance plutôt lente. Les feuilles, surtout, sont spectaculaires : en forme de fer de lance allongé, d'un beau vert sombre velouté sur lequel se détachent les nervures blanches, elles atteignent souvent 80 cm de longueur (pour une largeur de 30 à 40 cm) et peuvent même dépasser 1 m. Un cylindre de fin grillage rempli de tourbe (pour mieux conserver l'humidité) et copieusement garni de mousse constituera un support idéal.

Philodendron wendlandii Ce philodendron à port dressé vient du Costa Rica. Portées par des pétioles longs de 15 cm et disposées en rosette, ses feuilles lancéolées vert sombre, d'une trentaine de centimètres de longueur, ont une surface vernissée avec une nervure médiane fortement en relief.

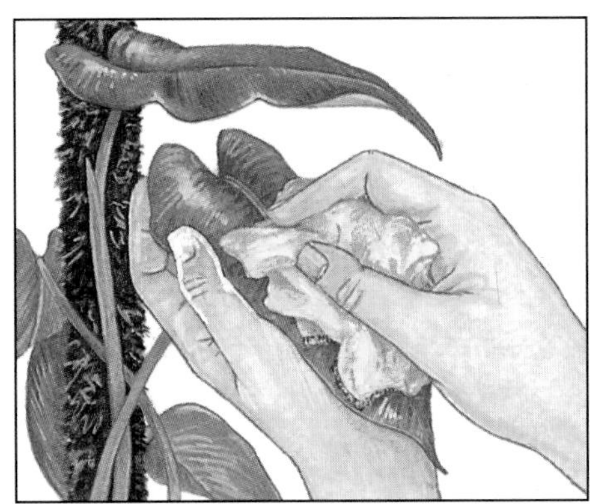

Dépoussiérer régulièrement les feuilles une à une avec un chiffon ou une éponge humides afin de maintenir la plante en bonne santé.

Le philodendron grimpant se multiplie par boutures : prélever une jeune pousse en sectionnant au-dessous d'une paire de feuilles.

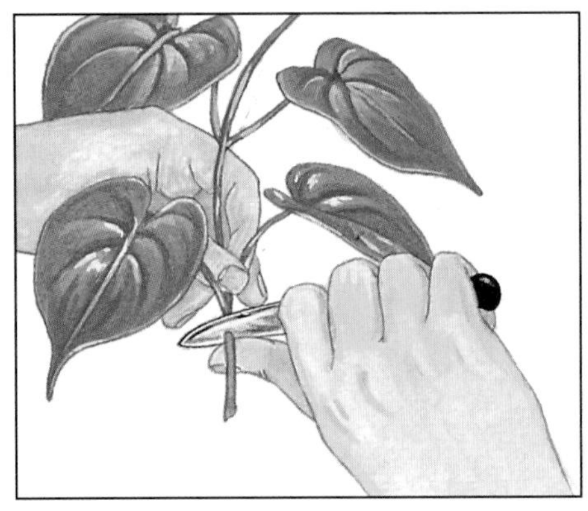

Enlever délicatement l'écorce sous les feuilles inférieures en prenant garde de ne pas endommager la tige flexible.

Guide d'achat

Choisir des plantes aux feuilles intactes et d'une couleur soutenue, pourvues de nombreuses jeunes pousses. Écarter tout sujet dont le feuillage serait terne, mou ou décoloré, signe que le philodendron a souffert du froid, de la sécheresse ou au contraire d'un excès d'humidité.

Si on achète un jeune pied en hiver, exiger un emballage isolant qui le protégera lors du passage à l'extérieur. Un brusque coup de froid pourrait en effet lui être fatal.

Phoenix

Famille : **Palmiers**

Noms usuels : **phœnix, dattier**

Aspect	Hauteur	Floraison
palmier	de 1,50 m à 4-5 m	rare à l'intérieur
Culture	**Exposition**	**Humidité**
exige de l'attention	lumière indirecte	moyenne

Connus depuis les temps préhistoriques, les palmiers-dattiers aux fruits succulents, typiques des oasis d'Afrique du Nord *(Phœnix dactylifera)*, nous sont familiers depuis qu'ils agrémentent les parcs et les avenues du midi de la France. Rustiques dans la zone de l'oranger, ces arbres à la taille imposante (20 m) sont aussi appréciés pour leur valeur ornementale, et l'on cultive en bac les jeunes sujets des espèces à croissance lente *(Phœnix canariensis)*, qui peuvent hiverner en serre et servir en été à la décoration du jardin. Avec quelques précautions, et tant que leurs dimensions le permettent, on pourra aussi en faire de spectaculaires plantes d'appartement ; il existe même une espèce naine *(Phœnix rœbelinii)*, parfaitement adaptée à l'intérieur.

TECHNIQUES DE CULTURE

Printemps et été. Les dattiers se rempotent chaque année au printemps, de préférence dans des pots ou des bacs hauts et étroits (pour un exemplaire de belle taille un tonneau est idéal). Éviter si possible les contenants en matière plastique, qui ne permettent pas une circulation d'air suffisante autour des racines, et leur préférer des matières plus poreuses. Utiliser un compost à base de terreau (deux tiers) et de sable ou de mélange spécial pour cactées (un tiers), en y ajoutant éventuellement un peu de terre franche et en arrosant pour favoriser la reprise. Dès que le pot dépasse 30 cm de diamètre, se contenter de renouveler le compost de surface sur 2 ou 3 cm d'épaisseur.

Phœnix rœbelinii Un dattier nain aux palmes fines et élégantes, parfaitement adapté à l'intérieur.

Les jeunes sujets pousseront mieux à la lumière indirecte, et il est déconseillé de les exposer au soleil avant l'âge de quatre ans. Les dattiers ont besoin de chaleur en été, et un séjour à l'extérieur, par beau temps, ne peut leur être que favorable. À défaut, les maintenir à 20-21 °C, en assurant une bonne aération.

À l'intérieur, vaporiser les feuilles une ou deux fois par semaine lorsque le thermomètre monte au-dessus de 20 °C, en laissant préalablement réchauffer l'eau à température ambiante. Ces pulvérisations régulières suffiront à les dépoussiérer, et il est inutile de se servir de lustrants, qui risqueraient de les détériorer. Arroser assez abondamment deux ou trois fois par semaine afin que la motte reste toujours humide, mais en veillant à ne jamais laisser d'eau stagner autour des racines. Pendant la période de croissance, nourrir tous les quinze jours avec un engrais liquide ordinaire dilué dans l'eau d'arrosage.

À mesure que la plante grandit, les feuilles inférieures se flétrissent : il est conseillé de les enlever à l'aide d'un couteau ou d'une scie (c'est ainsi, par l'accumulation de leur pétioles, que se forme le faux tronc, ou stipe).

Automne et hiver. Laissés à température ambiante, les dattiers continueront à se développer toute l'année, mais cette croissance ininterrompue les débilite, et il vaut mieux observer une période de dormance hivernale, même brève, en les tenant au frais (de 10 à 13 °C) dans une pièce bien ventilée. Les protéger cependant du froid, car des températures inférieures à 6 °C leur seraient fatales. Réduire progressivement les arrosages et les vaporisations au début de l'automne, et cesser de donner de l'engrais.

MULTIPLICATION

La multiplication par semis, longue et délicate, ne réussit vraiment bien qu'en pépinière et n'est guère à la portée du jardinier amateur. Les noyaux de dattes peuvent être plantés et germent assez facilement dans un endroit chaud et humide, mais la plantule ne donnera d'abord qu'une unique feuille allongée et entière, et il faudra attendre deux ou trois ans avant qu'apparaissent des palmes proprement dites.

Le processus est beaucoup plus simple avec les espèces qui, comme *Phœnix rœbelinii,* produisent à la base des rejets qu'il suffira de détacher au printemps et de replanter séparément, dans le même type de compost que pour les plantes adultes.

Espèces

Phœnix canariensis Rustique dans le midi de la France, le dattier des Canaries, importé en Europe à la fin du siècle dernier, peut dépasser 15 m de hauteur dans son milieu naturel. Cultivé en bac, il atteint 5 ou 6 m dans de bonnes conditions, ce qui en fait plutôt une plante de serre et d'orangerie qu'une espèce d'appartement. Toutefois, les jeunes sujets, très décoratifs avec leurs palmes élégamment arquées, ont une croissance lente et pourront être gardés quelques années à l'intérieur. L'espèce ne produit pas de rejets.

Phœnix dactylifera C'est le vrai palmier-dattier, dont les fruits sucrés nous régalent et dont l'aire de diffusion, qui couvre tout le bassin méditerranéen, s'étend de l'Inde aux îles Canaries. Au sommet de son stipe majestueux (jusqu'à 20 m de hauteur) s'épanouit un bouquet de palmes flexibles d'un vert à reflets argentés qui peuvent atteindre 6 m de longueur. Si l'on veut obtenir des fruits, il faut associer pieds femelles et pieds mâles.

Phœnix rœbelinii (ci-dessous) Originaire de l'Inde, ce dattier nain ne dépasse pas 2 m de hauteur pour un diamètre de 1 m. C'est donc le mieux adapté à la culture à l'intérieur. D'aspect très gracieux avec ses folioles fines et souples, il produit à la base de nombreux rejets qu'il vaut mieux supprimer pour ne pas affaiblir la plante (on peut s'en servir pour la multiplication).

Maladies et parasites

Le dessèchement ou la décoloration des palmes peuvent être dus à une lumière trop intense. Un séjour en hiver dans une pièce à l'air desséché par le chauffage central favorise l'attaque des cochenilles, aussi bien les cochenilles brunes, qui forment des petites protubérances écailleuses sur les tiges et sur les feuilles, que les cochenilles farineuses, reconnaissables à leurs petits cocons blanchâtres d'aspect laineux. Dans les deux cas, il est préférable d'éliminer les parasites avec un tampon d'ouate imbibé d'alcool dénaturé, car un insecticide plus virulent risquerait d'endommager le feuillage.

Phœnix rœbelinii, l'espèce la mieux adaptée à la culture en pot, est facile à multiplier à partir des rejets qui se développent souvent à la base.

Détacher avec précaution l'un de ces rejets de la plante mère, qui sera laissée en place, en se servant d'un couteau bien tranchant.

Le planter séparément dans le même type de compost. Arroser de manière à garder le mélange tout juste humide et tenir à 21 °C.

Plectranthus

Famille : **Labiées**

Nom usuel : **plectranthus**

Le genre *Plectranthus* regroupe quelque 250 espèces originaires des zones tropicales de l'Afrique, de l'Asie et des îles du Pacifique. Ce sont des sous-arbrisseaux ou des petits arbustes buissonnants très ramifiés, à tiges ligneuses, qui ne dépassent guère 1,50 m de hauteur et qui sont des parents des *Coleus* (ils ne s'en différencient guère que par leurs étamines à filets libres). Leurs petites fleurs réunies en épis ou en grappes n'ont guère plus d'intérêt, sur le plan ornemental, que celles des coleus, et il est conseillé de les pincer dès leur apparition pour conserver à la plante sa vigueur. Les formes à port rampant et à croissance rapide font d'excellentes plantes d'intérieur, faciles à cultiver en corbeilles suspendues.

TECHNIQUES DE CULTURE

Printemps et été. Il est rarement nécessaire de rempoter les plectranthus, qui perdent de leur charme en vieillissant et qu'il est facile de multiplier. Les cultiver dans un compost riche et léger, par exemple un mélange à parts égales de terre de jardin, de terreau et de terre de bruyère, auquel on peut ajouter (pour les corbeilles suspendues) un peu de sable qui améliorera le drainage.

Ne pas exposer la plante au soleil en été, mais lui assurer une bonne lumière indirecte. La température idéale se situe entre 16 et 21 °C. Par grande chaleur, il faudra augmenter le taux d'humidité atmosphérique par des vaporisations ou en posant le pot sur un lit de cailloux mouillés. Arroser généreusement en période de croissance mais laisser égoutter l'eau qui ne devra jamais stagner dans la soucoupe (les arrosages devront être presque quotidiens, mais modérés, pour les plantes suspendues). Nourrir toutes les trois semaines avec un engrais liquide.

Automne et hiver. Dès que les jours deviennent plus courts, placer le plectranthus à la pleine lumière, car un excès d'ombre fait pâlir ses feuilles. Réduire les arrosages pendant la période de repos, mais veiller à ce que le compost ne se dessèche pas, sinon les feuilles inférieures tomberont. La température ne doit pas être inférieure à 13 °C.

MULTIPLICATION

Par boutures de pousses terminales au printemps. Les planter dans le même compost que les sujets adultes et les tenir à 16 °C et à la lumière indirecte, en arrosant modérément. Dès les premiers signes de reprise, rempoter individuellement en pot ou grouper trois ou quatre boutures dans une corbeille suspendue.

Plectranthus œrtendahlii Une plante facile à cultiver en appartement, qui fera de charmantes corbeilles suspendues.

Maladies et parasites

Le jaunissement du feuillage peut être dû à un excès d'arrosage, mais il faut aussi penser à une éventuelle invasion des araignées rouges, surtout si l'on distingue des petits points noirs sur ces parties jaunes. Examiner la face inférieure des feuilles, où ces minuscules insectes suceurs tissent leurs toiles, qui apparaissent comme des filaments blanchâtres. Pulvériser un insecticide à base de malathion dilué et répéter le traitement tous les quinze jours jusqu'à élimination totale de ces parasites qui prolifèrent généralement dans les atmosphères chaudes et sèches. Pour prévenir une nouvelle infestation, augmenter le taux d'humidité atmosphérique en bassinant fréquemment la plante et poser le pot sur un lit de cailloux mouillés. Les plectranthus sont plus rarement attaqués par les pucerons, dont on se débarrassera avec un insecticide à base de pyrèthre.

Les maladies cryptogamiques sont plus fréquentes et plus dangereuses, favorisées à la fois par un excès d'humidité et par des températures basses en hiver. Le mildiou se développe en plaques de moisissure grisâtre et le botrytis fait pourrir les tiges. Après avoir coupé les parties atteintes, traiter avec un fongicide. Laisser sécher entre les arrosages et tenir la plante plus au chaud.

Bouturage des plectranthus. Prélever au printemps des segments de 8 ou 10 cm dont en enlèvera la paire de feuilles inférieures.

Les planter de sorte que la cicatrice laissée par les feuilles se trouve au niveau de la surface du compost. Les racines se développeront à partir de ce point.

Espèces

Plectranthus australis Comme son nom l'indique, cette espèce est originaire d'Australie ; elle se distingue par son port érigé et buissonnant et dépasse rarement 90 cm de hauteur. Ses feuilles ovales et acuminées, un peu cireuses au toucher, sont d'un beau vert sombre.

Plectranthus coleoides Une espèce originaire de l'Inde, dont les tiges poussent, d'abord érigées, jusqu'à 30 cm de hauteur, puis retombent. On cultive surtout les variétés panachées, telle 'Marginata', dont les feuilles cordiformes vert clair, longues de 5 à 7 cm et légèrement duveteuses, sont bordées de blanc crème (ci-dessous).

Plectranthus fruticosus Un joli sous-arbrisseau de 30 à 70 cm de hauteur à port souple, aux tiges quadrangulaires charnues portant des feuilles opposées arrondies, au limbe gaufré, d'un vert vif et lumineux. Ses petites fleurs bleues sont plutôt insignifiantes : réunies en grappes terminales lâches, elles comportent un calice à cinq sépales et une corolle à tube globuleux bilabié de 2 cm de longueur.

Plectranthus hebrii Originaire d'Afrique du Sud, comme l'espèce précédente, c'est une splendide plante d'appartement au port érigé, qui peut atteindre 1 m de hauteur. Ses grandes feuilles gaufrées vert bronze sont soulignées par le dessin rouge des nervures très proéminentes. Les fleurs ont un éperon rose.

Plectranthus nummularius Une espèce rampante d'origine australienne, dont les feuilles arrondies et charnues ont une surface vert vif, sur laquelle se détache le réseau pourpre des nervures, et une face inférieure plus claire, d'un vert argenté.

Plectranthus œrtendahlii Bien qu'originaire d'Afrique du Sud, on l'appelle parfois lierre suédois, car il s'agit d'une plante d'appartement très populaire dans les pays scandinaves. Cette espèce rampante a des tiges pourpres et des petites feuilles rondes et veloutées vert clair, marquées de nervures argentées, avec un revers pourpré. On la cultive généralement en corbeille suspendue. Ses fleurs rosâtres apparaissent de juin à octobre.

Plumbago

Famille : **Plumbaginacées**

Noms usuels : **plumbago, dentelaire**

Plumbago auriculata Une gracieuse plante grimpante aux fleurs bleu pastel.

Les plumbagos doivent leur nom générique à leurs vertus médicinales : on leur attribuait le pouvoir de combattre le saturnisme (empoisonnement par le plomb). On en connaît une dizaine d'espèces originaires des régions chaudes du globe. Ce sont des plantes arbustives plus ou moins sarmenteuses, dont plusieurs sont cultivées pour leur valeur ornementale. Si on les laisse grimper le long d'un mur ou d'un treillage, elles dépassent quelquefois 4 m de hauteur, mais on peut contrôler leur croissance par une taille vigilante et en les faisant pousser sur un support en cerceau. Elles deviennent alors des plantes d'intérieur fort élégantes, qui se couvrent en été de gracieuses grappes de fleurs en étoile à la corolle tubuleuse.

TECHNIQUES DE CULTURE

Printemps et été. Rempoter au tout début du printemps dans un pot n'excédant pas 25 cm de diamètre, car les plumbagos poussent mieux si leurs racines forment une motte compacte. Employer un compost à base de terreau, léger et bien fertilisé car c'est une plante gourmande (on peut préparer soi-même un bon mélange à parts égales de terreau riche, de terreau de feuilles bien décomposé, de tourbe et de sable fin).

Pendant la période de croissance, le plumbago a besoin de la pleine lumière et même d'un minimum d'ensoleillement (lui éviter cependant le soleil brûlant de la mi-journée en été). On le sortira sur le balcon ou au jardin, à l'abri des vents froids, chaque fois que le temps le permettra. La température normale d'une pièce (de 16 à 21 °C) lui convient du printemps à la fin de l'automne.

Une vaporisation quotidienne (avec de l'eau non calcaire) maintiendra un taux suffisant d'humidité atmosphérique quand la plante sera en fleurs (mais ne jamais mouiller celles-ci). D'avril à septembre, arroser fréquemment et assez généreusement, sans jamais saturer le compost, ni laisser d'eau stagner dans la soucoupe. Dès que se forment les premiers boutons floraux, nourrir tous les quinze jours avec un engrais liquide dilué dans l'eau d'arrosage.

Automne et hiver. La taille s'effectue après la floraison, à n'importe quel moment entre la fin de l'été et le début du printemps. Pendant le repos hivernal, tenir si possible la plante au frais (entre 7 et 10 °C) et à mi-ombre. Réduire les arrosages au strict minimum et cesser toute administration d'engrais.

MULTIPLICATION

Au printemps ou en été, alors que la plante est en pleine activité, prélever des boutures de 8 ou 10 cm sur des tiges latérales de l'année précédente (elles ne doivent être ni trop ligneuses ni trop jeunes). Plonger la section dans une poudre à base d'hormones qui favorisera l'enracinement et planter dans un mélange à parts égales de tourbe et de sable grossier. Enfermer dans un sachet en plastique transparent ou dans une caissette de multiplication et tenir à 21 °C, en exposant au soleil tamisé, en arrosant très modérément et en fertilisant tous les mois. Rempoter quand la jeune plante atteint 20 à 30 cm.

Espèces

Plumbago auriculata Originaire d'Afrique du Sud, la dentelaire du Cap (certains botanistes l'appellent *P. capensis*) est à l'état spontané une vigoureuse plante grimpante qui peut atteindre 4,50 m de hauteur, mais qui ne dépasse pas 1,50 m à 2 m en appartement. Ses tiges flexibles, grêles et anguleuses, sont garnies de feuilles persistantes ovales, légèrement engainantes ou à très court pétiole. Regroupées par dix à vingt en épis terminaux, les fleurs ont un calice tubuleux à cinq lobes. La corolle forme un tube mince de 3 à 6 cm de longueur, puis s'épanouit en cinq lobes disposés en étoile. Les pétales d'un bleu porcelaine délicat sont soulignés par une fine strie centrale d'un bleu plus sombre. La variété 'Alba' se distingue par ses fleurs d'un blanc pur.

Plumbago coccinea Originaire de l'Inde, cette dentelaire à la magnifique floraison rose vif est une plante de serre tempérée, qui exige un sol léger et poreux, riche en matières organiques.

Plumeria

Famille : **Apocynacées**

Nom usuel : **frangipanier**

Aspect arbuste	**Hauteur** de 1 à 5 m	**Floraison** de juin à septembre
Culture serre ou véranda	**Exposition** ensoleillée	**Humidité** moyenne

Le genre *Plumeria* est dédié à Charles Plumier (1646-1704), botaniste à la cour de Louis XIV et auteur d'une *Flore de l'Amérique tropicale* qui fut longtemps un ouvrage de référence. Mais les frangipaniers doivent leur nom usuel à leurs fleurs veloutées, dont l'exquise senteur rappelait aux Français du Grand Siècle un autre parfum à la mode : la frangipane, qui servait à parfumer les gants de peau.

On connaît sept espèces, originaires du Mexique et du Pérou, naturalisées depuis longtemps aux Antilles et répandues aujourd'hui dans toute l'Asie tropicale et dans les îles du Pacifique. Aux Indes, leurs fleurs servent à décorer les temples, tandis qu'à Hawaii on en fait les traditionnels colliers de fleurs.

Toutefois, le nom de frangipanier ne s'applique en principe qu'à *Plumeria rubra,* dont on cultive de nombreuses et splendides variétés. Ce sont des petits arbres ou des arbustes au bois tendre, dont les rameaux épais et rigides portent à leur extrémité un bouquet de longues feuilles coriaces alternes. Ils exsudent une sorte de latex toxique ou à tout le moins fortement irritant (on peut s'en servir, dit-on, pour brûler les verrues). Groupées en cymes terminales, leurs grandes fleurs aux couleurs fraîches et lumineuses apparaissent en été. Très recherchés par les collectionneurs, les frangipaniers sont surtout des plantes de serre et de véranda. La culture à l'intérieur est plus délicate et exige des soins très attentifs.

***Plumeria rubra* 'Acutifolia'** Leurs fleurs veloutées sont exquisement parfumées.

TECHNIQUES DE CULTURE

Printemps et été. Rempoter les frangipaniers en avril, dans un compost fertile et léger, bien poreux (un quart de terreau, un quart de tourbe, un quart de sable de rivière fin et un quart de terreau de feuilles bien décomposé). Disposer au fond du pot une épaisse couche de tessons ou de galets pour améliorer le drainage. Cet arbuste à bois tendre, presque mou, est en effet sensible à la pourriture, et il faut éviter toute stagnation d'eau autour de son appareil radiculaire.

Placer le pot à la pleine lumière. Les températures de serre chaude (de 24 à 29 °C) sont celles qui conviennent le mieux aux frangipaniers. Arroser d'abord modérément au début du printemps (une fois par semaine en mai). Augmenter ensuite le rythme et l'importance des arrosages à mesure que l'activité végétale s'intensifie (deux, puis trois fois par semaine, et même plus en août). Nourrir toutes les trois semaines avec un engrais liquide cette plante qui épuise vite les éléments nutritifs du mélange terreux.

Automne et hiver. Espacer peu à peu les arrosages à l'automne. En hiver, le frangipanier doit être tenu dans un repos presque total, au frais (mais pas au-dessous de 12 °C), dans une atmosphère bien aérée et si possible ensoleillée (la serre tempérée est alors le milieu idéal).

MULTIPLICATION

La fructification ayant rarement lieu à l'intérieur, la récolte des graines est des plus aléatoires. Multiplier les frangipaniers par boutures de rameaux au début de l'été. Faire prendre racine à chaud dans du sable à peine humidifié.

Espèces

Plumeria rubra Petit arbre de 4 à 6 m de hauteur dans son milieu naturel, le frangipanier ne dépasse guère 1,50 m lorsqu'il est cultivé en pot. Ses feuilles lancéolées, longues de 25 à 30 cm et larges de 7 cm, sont striées par le fin réseau des nervures et ourlées d'une mince ligne vert clair. Les fleurs à l'odeur de jasmin, qui rappellent celles du laurier-rose, ont une chaude teinte incarnate. Les variétés, non moins parfumées, diffèrent par leurs couleurs : 'Acutifolia' a des fleurs blanches à cœur jaune ; 'Lutea' des fleurs jaunes à la gorge diaprée de rose ; 'Tricolor' des fleurs blanches, jaunes et roses.

Primula

Famille : **Primulacées**

Nom usuel : **primevère**

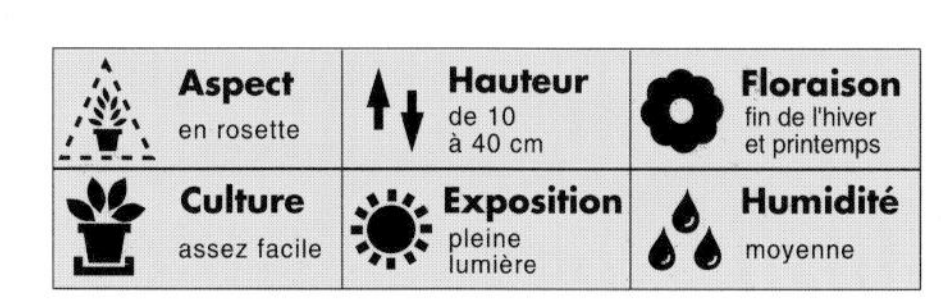

Primula En plate-bande ou en jardinière, les primevères sont le symbole du printemps avec leurs feuilles vert tendre et leurs fleurs aux couleurs fraîches et gaies.

Dans nos champs et nos bois, les primevères sont parfois les premières fleurs à célébrer le renouveau printanier, comme l'indique leur nom latin (qui vient de *primus,* « premier »). Le populaire coucou *(P. officinalis),* dont les enfants font des balles parfumées, appartient à ce genre qui ne regroupe pas moins de cinq cents espèces, sans doute originaires de l'Inde et de la Chine et répandues dans toutes les régions tempérées et subarctiques de l'hémisphère boréal (auxquelles il faut ajouter quelques espèces sud-américaines et indonésiennes).

Ces petites plantes herbacées, vivaces ou plus rarement monocarpiques (qui meurent après une unique fructification au bout d'un, deux ou trois ans), ont une souche plus ou moins rhizomateuse qui donne naissance à une rosette de feuilles radicales entières ou lobées, souvent crénelées ou dentées, et à des fleurs solitaires ou réunies en ombelles (quelquefois encore en épis ou en grappes).

Du calice persistant à cinq dents, tubuleux ou renflé au centre, émerge une corolle en tube ou en coupe, qui s'ouvre en cinq lobes entiers ou échancrés. Les fruits sont des capsules ovoïdes à cinq valves.

Très décoratives en plates-bandes, les primevères s'acclimatent bien dans les jardinières et donnent un air de gaieté printanière aux fenêtres. Et pour que l'hiver paraisse moins long, on peut acheter dès février des potées déjà fleuries grâce aux techniques du forçage.

TECHNIQUES DE CULTURE

Les primevères cultivées en pot se traitent très souvent comme des plantes annuelles dont on se défait après floraison, mais on peut les conserver facilement une année de plus en les plaçant pendant l'été dans un local frais (10-13 °C), bien aéré et légèrement ombragé (l'idéal est de les mettre sous châssis froid), en n'arrosant qu'à peine, juste pour empêcher le compost de se dessécher complètement.

Les primevères, qui se rempotent de préférence à l'automne, se plaisent dans du terreau de feuilles bien décomposé, auquel on mélangera un tiers de terre de jardin saine et légère. Y ajouter un peu de sable pour améliorer le drainage (les racines pourrissent facilement). Utiliser un mélange stérile pour éviter les maladies auxquelles les primevères sont sujettes, et s'assurer que la plante est bien ancrée dans son compost, faute de quoi sa croissance restera chétive.

Dès que les boutons floraux commencent à se former, vers la fin de l'hiver, placer le pot en pleine lumière, mais à l'abri des rayons du soleil. Pour prolonger la durée de la floraison, couper à mesure les inflorescences, les tiges et les feuilles fanées (ou simplement jaunies), et tenir la plante à une température de 13 à 15 °C (au-dessus de 16 °C, les fleurs auront une durée éphémère). On peut néanmoins installer temporairement la plante dans une pièce plus chaude si on maintient un degré élevé d'humidité atmosphérique : poser le pot sur un lit de graviers mouillés ou l'envelopper de tourbe humide, et

Maladies et parasites

L'excessive petitesse des feuilles et des fleurs est généralement le symptôme de carences nutritives. Nourrir avec un engrais complet.

Les primevères sont sensibles aux maladies. La virose la plus fréquente se manifeste par des déformations des feuilles, marquées de stries sombres : il n'y a hélas pas d'autre remède que de détruire la plante.

Mais les maladies les plus fréquentes sont dues aux champignons et sont favorisées par un excès d'humidité. Les taches foliaires brunes se traitent avec des pulvérisations de fongicide. On en préviendra l'apparition en tenant les primevères dans une ambiance aérée et en proscrivant les vaporisations trop copieuses, qui laissent des gouttes d'eau sur les fleurs et le feuillage. Mêmes précautions pour éviter le redoutable botrytis, ou pourriture grise (ci-dessous).

Ne pas confondre toutefois les plaques de moisissure avec la pruine poudreuse, qui recouvre les feuilles de certaines espèces et qui constitue un enduit protecteur qu'il ne faut surtout pas enlever.

Parmi les ravageurs, les pucerons verts peuvent causer des dégâts considérables : jeunes pousses déformées, feuilles couvertes d'un enduit visqueux ou d'une sorte de fumagine noirâtre. On les combattra efficacement avec un produit à base de pyrèthre.

bassiner fréquemment le feuillage (sauf pour les espèces à feuilles pruineuses). Arroser trois fois par semaine, assez copieusement mais sans laisser d'eau stagner dans la soucoupe. Les primevères seront plus belles si on utilise uniquement de l'eau de pluie légèrement tiédie.

Du début de l'hiver à la fin de la floraison, fertiliser chaque semaine avec un engrais liquide complet, car les primevères se ressentent très vite des carences nutritives. Bien calculer la dose, sinon le feuillage aura un développement exubérant au détriment des fleurs.

Après la cure estivale de repos, augmenter progressivement les arrosages au début de l'automne.

MULTIPLICATION

Les primevères se multiplient par divisions des touffes à la fin de l'été (c'est le seul moyen de reproduire tous les caractères des variétés horticoles) ou par semis, ce qui permet d'obtenir un grand nombre de plantes.

Semer d'avril à juin-juillet — suivant l'époque de la floraison — sous châssis ou en terrines, dans un mélange léger (terre de bruyère ou terreau, tourbe et sable). Tenir à l'ombre, à l'étouffée et à 8-10 °C jusqu'à ce que les graines lèvent. Repiquer les plantules lorsqu'elles sont pourvues d'une paire de feuilles et empoter en octobre.

Le semis des primevères. Afin de répartir régulièrement les graines sans faire de paquets, les mélanger à une poignée de sable bien sec.

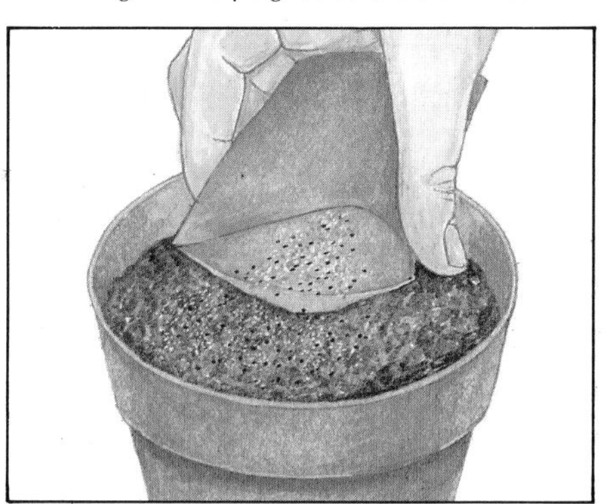

Disperser ce mélange de semence et de sable fin à la surface d'un compost obtenu en mélangeant trois parts de terreau fertile et une part de sable grossier. Ne pas recouvrir.

Couvrir le pot d'une plaque en verre pour conserver l'humidité et le placer à mi-ombre jusqu'à ce que pointent les jeunes pousses.

Repiquer dès que les plantules sont suffisamment robustes pour être manipulées.

Espèces

Primula auricula C'est l'auricule ou oreille-d'ours, ainsi nommée parce que ses feuilles charnues, bordées de cils et parfois pruineuses, font un peu penser à l'oreille d'un animal. Indigène en Europe, cette primevère, qui eut ses collectionneurs passionnés au siècle dernier, a des fleurs veloutées aux chauds coloris avec un œil blanc.

Primula malacoides Originaire de Chine, cette petite primevère aux larges feuilles ovales d'un vert velouté est devenue l'une de nos plus populaires fleurs de la fin de l'hiver et du début du printemps. L'espèce type a des fleurs mauves ou lilas, mais les variétés offrent d'innombrables coloris, vifs ou dans les tons pastel (en haut, à gauche).

Primula obconica Cette charmante primevère, parfaitement adaptée à l'appartement, a mauvaise réputation car ses feuilles arrondies sont couvertes de fins poils urticants, qui peuvent provoquer chez certaines personnes de désagréables dermites. On l'apprécie toutefois pour sa floraison hivernale (dès décembre) et prolongée (jusqu'en mai). On cultive surtout les variétés horticoles aux couleurs multiples (en haut à droite, en bas à gauche et à droite), dont certaines ont des fleurs géantes.

Primula sinensis La primevère de Chine est une plante de jardin ou d'appartement surtout recherchée pour sa variété 'Fimbriata', à fleurs frangées doubles (race 'Flore Pleno') ou géantes (race 'Gigantea').

Espèces

Primula acaulis Rustique et indigène en France, cette primevère naine (de 5 à 10 cm de hauteur) forme une rosette de feuilles vert vif au centre de laquelle apparaissent en mars des fleurs jaunes, tachées d'orange à la gorge (ci-dessus, à gauche). L'espèce a donné naissance à de beaux hybrides aux couleurs plus vives (en haut, à droite).

Primula denticulata Originaire de l'Himalaya, cette primevère a des feuilles ovales oblongues dépourvues de pétiole, au revers couvert d'une pruine poudreuse. Elles se développent plus tardivement que les fleurs réunies en ombelles serrées et dont la couleur va du rose carmin au pourpre.

Primula* x *kewensis Un bel hybride vigoureux à l'abondante et précoce floraison jaune, et dont les feuilles spatulées ont des bords dentés et ondulés. C'est la seule primevère d'appartement à fleurs parfumées (en haut, à gauche). La variété 'Farinosa' a des hampes et des feuilles couvertes d'une pruine poudreuse et argentée si abondante qu'elle nuit un peu à la beauté de la plante. Ce revêtement est totalement absent chez la variété 'Soleil d'or'.

Primula hortensis On cultive sous le nom de primevères des jardins diverses races obtenues par sélection et croisement. Beaucoup ont des fleurs bicolores (ci-dessus, à droite), et certaines présentent une curieuse particularité : une double corolle résultant de la modification du calice.

Quesnelia

Famille : **Broméliacées**

Nom usuel : **quesnelia**

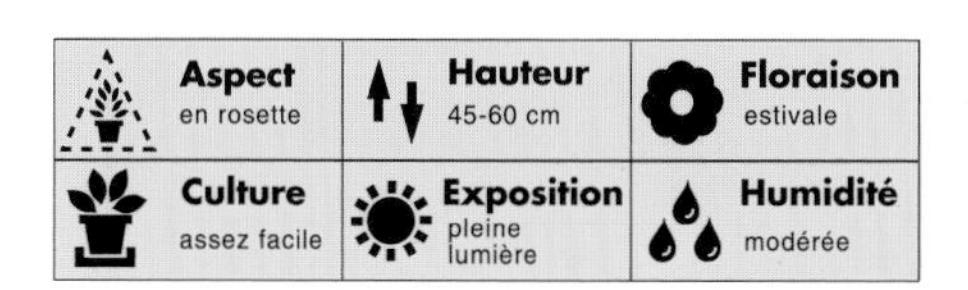

Ces belles Broméliacées sont encore peu répandues comme plantes d'intérieur, et on peut rencontrer quelques difficultés pour s'en procurer un exemplaire. Mais elles méritent bien quelques recherches dans les magasins spécialisés car elles sont en tout point dignes d'attirer l'attention avec leur élégante rosette de feuilles rubanées et charnues, ourlées de petites épines, et leurs inflorescences en épi garnies de longues bractées roses.

Le genre *Quesnelia* ne comprend que treize espèces, toutes originaires d'Amérique du Sud, qui rappellent à la fois les *Billbergia* et les *Æchmea.* Dans leur milieu naturel, ces plantes vivent en épiphytes sur les arbres de la forêt tropicale, et on peut tenter de reconstituer les mêmes conditions en appartement en les cultivant sur un substrat analogue : plaque d'écorce ou de liège, morceau de bois, etc.

Quesnelia liboniana Une Broméliacée peu connue, mais digne d'attirer l'attention avec ses inflorescences garnies de grandes bractées rose corail.

TECHNIQUES DE CULTURE

Printemps et été. Rempoter les quesnelias au printemps, dans n'importe quel type de compost poreux et non calcaire. La valeur nutritive du mélange est en effet secondaire, puisque ces plantes, comme toutes les espèces épiphytes, ne dépendent pas seulement du substrat pour leur subsistance mais absorbent également les substances présentes dans l'air. Le contenant, en fait, ne sert qu'à maintenir la plante droite (un petit pot leur suffit donc), et on peut se contenter d'entourer les racines, faiblement développées, de quelques poignées de sphaigne humide. Le drainage, en revanche, est essentiel, et on disposera au fond du pot une couche de tessons ou de galets (qui joueront en outre le rôle de lest).

Placer la plante en pleine lumière, en tamisant toutefois les rayons du soleil pendant l'été. Les quesnelias s'accommodent de la température normale d'une pièce et supportent jusqu'à 27 °C, même si l'atmosphère est plutôt sèche. Si la canicule estivale persiste, des pulvérisations d'eau douce sont cependant conseillées (on peut également poser le pot sur un lit de cailloux que l'on tiendra en permanence mouillés à mi-hauteur).

Arroser deux fois par semaine environ, en laissant entre-temps le compost sécher en surface sur 1 ou 2 cm. Laisser toujours de 2 à 3 cm d'eau (non calcaire) dans la cavité en entonnoir qui se trouve au centre de la rosette. Renouveler cette eau toutes les trois semaines pour éviter le croupissement. Les quesnelias cultivés sur un morceau d'écorce auront besoin d'arrosages plus fréquents. La meilleure méthode consiste à les immerger quelques minutes, puis à les égoutter à fond avant de les remettre en place. L'engrais n'est pas indispensable, et les lustrants sont formellement déconseillés.

Automne et hiver. Lorsque les fleurs sont fanées, couper la hampe le plus près possible de la base. Pendant cette période de repos, arroser avec modération et tenir la plante dans un endroit un peu plus frais (15-16 °C) mais bien éclairé (même au soleil), à l'abri des courants d'air. Si les températures étaient plus basses, ne pas laisser d'eau dans la rosette.

MULTIPLICATION

Après la floraison, le quesnelia est condamné à mourir : les feuilles commencent à sécher, mais ce processus est lent et ne s'accomplit pas sans que des rejets soient apparus à la base, donnant naissance à de nouvelles petites rosettes qu'il suffira de prélever et de replanter (cette reprise sera plus facile si on attend que la plante mère soit complètement desséchée). La reproduction par graines est à laisser aux spécialistes.

Espèces

Quesnelia liboniana Une belle plante de 45 à 60 cm de hauteur, dont les feuilles disposées en rosette sont bordées de petites épines. Du centre de cette rosette sort, entre avril et septembre, une hampe florale portant un épi érigé. Les fleurs bleues tubuleuses sont entourées de bractées d'un délicat rose corail.

Quesnelia marmorata Une espèce brésilienne aux feuilles rubanées joliment marbrées de vert clair et de lilas. L'épi floral se compose de grappes de fleurs bleues et de bractées rose vif.

Rebutia

Famille : **Cactacées**

Nom usuel : **rebutia**

Aspect cactus	Hauteur de 4 à 8 cm	Floraison printemps et été
Culture facile	Exposition ensoleillée	Humidité restreinte

Rebutia Des cactus très populaires en raison de leur petite taille et de leur magnifique floraison.

Peu de cactus sont aussi faciles à cultiver que les rebutias, qui fleurissent facilement en appartement, parfois même au bout de deux ans seulement (ce qui est loin d'être le cas de toutes les plantes de cette famille). De plus, leur taille modeste leur permet de prendre place dans les pièces les plus exiguës et d'agrémenter les jardins miniatures.

Ils ressemblent un peu à des mamillaires, avec leurs tiges globuleuses, sphériques ou semi-cylindriques, garnies de tubercules disposés en spirale, hérissés de fines épines blanches et portant chacun une aréole. Les ravissantes fleurs de couleur vive poussent nombreuses à la base de ces tiges, qu'elles entourent parfois complètement. Chacune d'elles ne dure que deux ou trois jours, s'ouvrant le matin pour se refermer le soir, mais elles ne s'épanouissent pas toutes en même temps, si bien que la floraison dure malgré tout plusieurs semaines.

Le genre *Rebutia* compte une cinquantaine d'espèces originaires pour la plupart d'Amérique du Sud.

TECHNIQUES DE CULTURE

Printemps et été. Rempoter les rebutias au printemps, dès qu'ils ont envahi toute la surface du compost, en les installant de préférence dans une terrine large et plate ou dans un demi-pot, car leurs racines sont peu importantes. Employer un mélange spécial, composé à parts égales de terreau de feuilles, de tourbe, de terre et de sable grossier (ou de perlite).

Bien que considérés comme des cactées du désert, les rebutias sont en réalité originaires de zones semi-désertiques où une maigre végétation les protège un tant soit peu des ardeurs du soleil tropical. Ils supporteront donc mieux que d'autres cactus une lumière tamisée (mais ne pousseront pas pour autant à l'ombre). Dans nos régions, on pourra sans crainte les sortir en plein soleil à la belle saison. Ils pourront supporter des températures estivales élevées, et même caniculaires (jusqu'à 30 °C), à condition de bénéficier d'un minimum de fraîcheur la nuit (aérer la pièce fréquemment).

Les arrosages doivent être soigneusement dosés : en période de croissance, mouiller assez généreusement, puis laisser sécher la terre sur 1 cm avant de redonner de l'eau. Commencer à arroser dès qu'apparaissent et que grossissent entre les épines des points rouges qui annoncent les fleurs. Augmenter progressivement la distribution d'eau jusqu'à arriver à deux ou trois arrosages par semaine au milieu de l'été.

Si les rebutias sont cultivés dans un mélange à base de terreau, il suffira de nourrir une fois par mois avec un engrais riche en potassium (du type engrais à tomates). Si, au contraire, la tourbe prédomine, il faudra fertiliser plus souvent (une fois tous les quinze jours).

Automne et hiver. En hiver, placer les rebutias dans l'endroit le plus ensoleillé de la maison (une véranda exposée au sud, mais les garder au frais pendant cette période de repos à 10 -12 °C). Ils peuvent d'ailleurs supporter sans dommage des températures inférieures. Commencer à réduire les arrosages en septembre pour les interrompre presque complètement de novembre à mars. Cesser également toute administration d'engrais.

MULTIPLICATION

Très facile en prélevant l'un des rejets qui se forment en permanence à la base de la plante mère. Le détacher avec précaution en se servant d'un greffoir ou d'un couteau bien aiguisé. Laisser sécher la plaie à l'ombre pendant deux jours, puis empoter et traiter comme un sujet adulte.

On peut également récolter les graines pour faire des semis. Abondantes et extrêmement fines, elles germent spontanément après l'éclatement des fruits.

Espèces

Rebutia minuscula Originaire d'Argentine, cette espèce, décrite pour la première fois à la fin du siècle dernier, est la plus fréquemment cultivée en appartement. Ses tiges globuleuses vertes, où les mamelons dessinent des sortes de côtes, ne dépassent pas 4 ou 5 cm de diamètre et sont tapissées de fines épines blanchâtres ou jaunâtres. Les grandes fleurs rouge orangé en forme de cornet s'ouvrent à la fin du printemps.

Rebutia heliosa Cette espèce naine, qui ne dépasse pas 2,5 cm de hauteur, se distingue par ses tiges où les mamelons ne forment pas de protubérances. Les fleurs d'un orange vif s'épanouissent de la fin du printemps au début de l'automne (en haut, à droite).

Rebutia senilis Originaire d'Argentine, cette espèce aux tiges sphériques vert pâle a de très petits tubercules (2 mm de diamètre). Les aréoles portent de 35 à 40 longues épines blanches. Les fleurs en coupe sont rose carmin, avec un œil blanc. Parmi les variétés les plus intéressantes, citons 'Kesselringiana', qui a des fleurs d'un jaune d'or éclatant (ci-dessus, à gauche).

Rebutia marsoneri Une autre espèce argentine, aux tiges globuleuses un peu aplaties et aux fleurs orangées (ci-dessus).

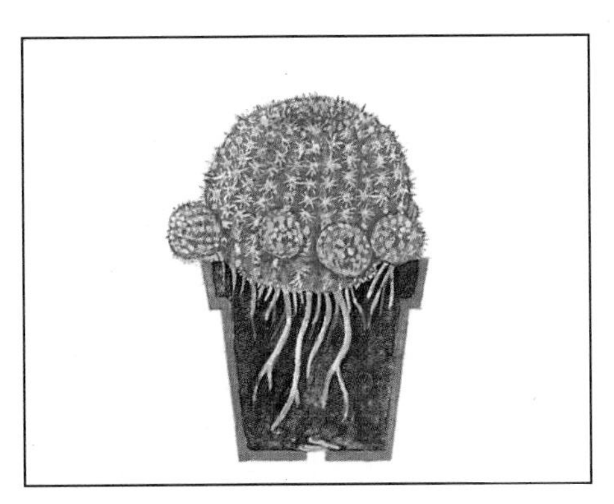

Pour multiplier les rebutias, prélever les rejets qui se développent à la base de la plante mère lorsqu'ils atteignent 2,5 cm de diamètre.

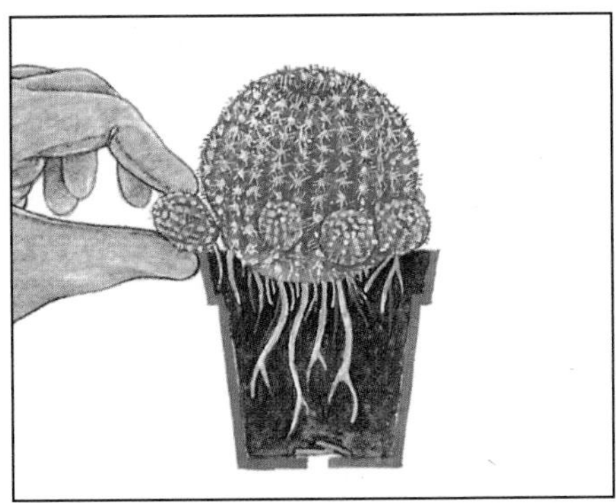

On peut les détacher délicatement avec les doigts (attention aux aiguillons), ou bien se servir d'un couteau bien aiguisé ou d'un greffoir.

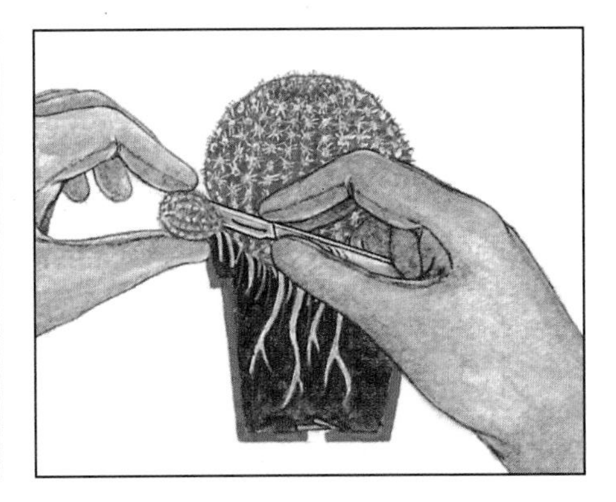

S'il y a une entaille apparente, mieux vaut la laisser sécher deux jours à l'ombre avant d'empoter le nouveau petit cactus.

Espèces

Rebutia violaciflora Cette espèce provient des régions montagneuses de l'Argentine. Ses tiges globuleuses de 3 à 5 cm de diamètre sont couvertes de tubercules épineux disposés en lignes légèrement spiralées, un peu comme des côtes. Longues d'environ 6 cm, les fleurs en trompette d'un rouge violacé, pourvues de très nombreuses étamines blanches, apparaissent au début de l'été. La variété 'Knuthiana' se signale par ses aréoles brunâtres, ses épines brunes et ses fleurs rouge carmin, plus longues que celles de l'espèce type.

Rebutia krainziana Originaire de Bolivie et du nord de l'Argentine, cette espèce n'est guère connue que des collectionneurs. Elle produit rapidement des rejets à la base de ses tiges vert pâle de 5 cm de diamètre, tapissées d'épines blanches. Les fleurs d'un joli rouge corail ont des étamines jaunes (ci-contre).

Rebutia albiflora Cette espèce bolivienne, connue encore sous le nom de *Aylostera albiflora*, a des petites tiges rondes couvertes d'épines blanchâtres et soyeuses. Les fleurs sont blanches, avec une ligne rouge au centre des pétales (ci-dessous).

Rhapis

Famille : **Palmiers**

Nom usuel : **rhapis**

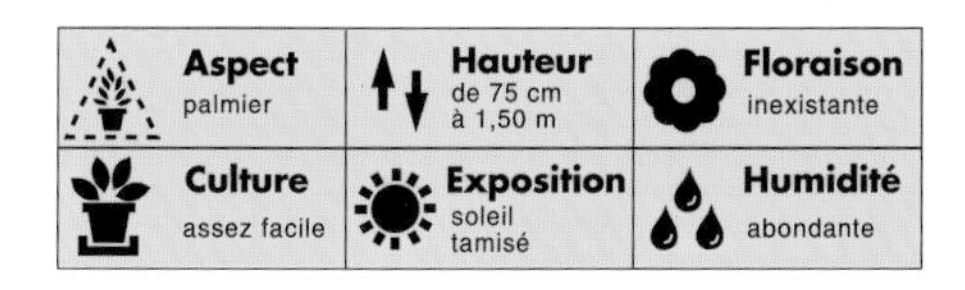

Aspect	Hauteur	Floraison
palmier	de 75 cm à 1,50 m	inexistante
Culture	**Exposition**	**Humidité**
assez facile	soleil tamisé	abondante

Ces palmiers asiatiques à croissance lente ressemblent un peu à des bambous avec leurs tiges non ramifiées qui poussent en touffe et leurs feuilles divisées en longues lanières qui s'évasent gracieusement en éventail. Relativement faciles à cultiver en appartement, ils supportent toutefois mal les atmosphères polluées.

TECHNIQUES DE CULTURE

Printemps et été. Rempoter en mars-avril dans un mélange à base de terreau sous lequel on disposera une bonne couche de tessons pour assurer un drainage efficace. Les rhapis se plaisant mieux un peu à l'étroit, il suffira dans un premier temps d'un rempotage tous les deux ans. Ensuite, dès que le palmier sera installé dans un pot de 30 cm de diamètre, on se contentera d'un surfaçage (renouvellement du compost de surface) sur une épaisseur de 4 à 5 cm.

Pendant l'été, tamiser le plein soleil par un voilage, sans oublier cependant qu'il faut aux rhapis beaucoup de lumière. La température normale d'une pièce leur convient, mais ils ne supporteront bien des températures élevées (plus de 24 °C) que dans une atmosphère bien ventilée. Si l'été est caniculaire, les sortir si possible sur le balcon ou au jardin pour les revigorer à l'air frais.

Le compost ne doit jamais sécher : arroser tous les deux jours environ, assez abondamment mais sans laisser le pot baigner dans l'eau. Entretenir l'humidité ambiante par de fréquentes vaporisations d'eau non calcaire, préalablement tiédie, qui serviront également à dépoussiérer le feuillage. Tous les produits lustrants ou détergents sont à proscrire absolument, car ils peuvent provoquer des marques noirâtres et indélébiles. Nourrir une fois par mois avec une dose d'engrais ordinaire dilué dans l'eau d'arrosage.

Rhapis excelsa Un petit palmier élégant, relativement facile à cultiver en appartement.

Automne et hiver. À cette époque, le soleil, moins brûlant, sera bénéfique aux rhapis, qui souffriront s'ils n'ont pas assez de lumière mais toléreront bien le froid : au-dessous de 10 °C, leur croissance s'arrêtera, et ils entreront en phase de dormance. L'idéal est de les tenir un peu au frais, à 13-14 °C environ. Arroser juste ce qu'il faut pour empêcher le ompost de se dessécher complètement et cesser de donner de l'engrais.

MULTIPLICATION

Tous les rhapis produisent à la base des surgeons qui peuvent être prélevés en avril ou en septembre pour servir à la multiplication. Choisir de préférence un rejet pourvu de quelques racines et le planter dans un pot de 8-10 cm de diamètre, en utilisant le même compost que pour les sujets adultes. Tenir au chaud et à la lumière indirecte, en arrosant parcimonieusement (laisser sécher sur 2 cm avant de redonner un peu d'eau).

La multiplication par semis, beaucoup plus longue (la germination peut prendre plus d'un an) et délicate, n'est à conseiller que si l'on est un jardinier déjà expert.

Espèces

Rhapis excelsa Également connue sous le nom de *R. flabelliformis*, cette espèce originaire de Chine est communément appelée rhapide. Dépassant très rarement 2,50 m de hauteur si on le cultive en pot, ce palmier forme d'épaisses touffes de tiges de 2,5 à 3 cm de diamètre, non ramifiées et recouvertes d'une sorte d'écorce fibreuse brun foncé, constituée par les téguments des feuilles inférieures qui tombent au cours de la croissance. Portées par de longs pétioles, les feuilles sont fendues en cinq ou dix segments de 15 à 25 cm de longueur et de 2 à 3 cm de largeur, souvent tronqués ou déchiquetés à leur extrémité. La variété naine 'Zuikonishiki' a un feuillage panaché de stries jaunes irrégulières.

Rhapis humilis Cette espèce nous vient aussi de Chine, mais elle est un peu plus haute que la précédente (jusqu'à 2,50 m de hauteur). Ses tiges sont plus grêles (1,5 cm de diamètre) et font penser à d'élégants roseaux. Ses feuilles sont divisées en dix à vingt segments gracieusement arqués, à l'extrémité pointue.

Rhipsalidopsis

Famille : **Cactacées**
Noms usuels : **rhipsalidopsis, cactus de Pâques**

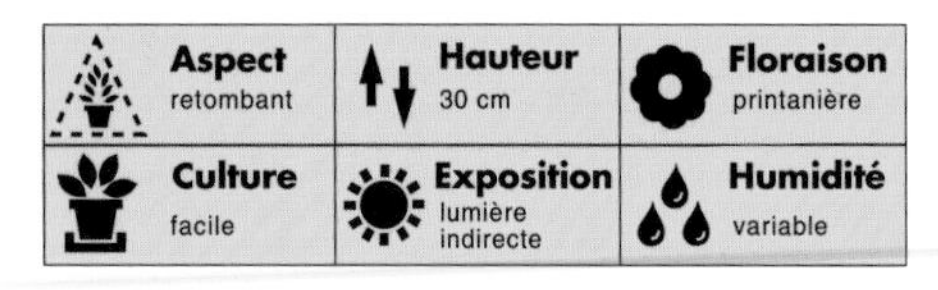

L'accord ne règne pas entre les botanistes au sujet du genre Rhipsalidopsis, que certains assimilent au genre *Schlumbergera* et que d'autres baptisent *Epiphyllopsis*. Il s'agit dans tous les cas de cactus de la forêt qui vivent en épiphytes sur d'autres plantes (habituellement sur des arbres) dans les régions tropicales, ce qui les différencie donc des cactus du désert.

On ne connaît que deux espèces, qui ont donné par croisement de nombreux hybrides et qui sont d'autant plus recherchées comme plantes d'intérieur qu'elles sont faciles à cultiver. On les apprécie surtout pour leur abondante et longue floraison printanière, qui commence en général vers la fin du mois de mars — ce qui a valu à ces plantes leur nom usuel de cactus de Pâques — et qui se prolonge souvent jusqu'à la mi-juin. Leur port retombant est particulièrement mis en valeur si on les installe dans des corbeilles suspendues.

Les rhipsalidopsis ont une tige ramifiée, constituée d'articles aplatis vert vif en forme de feuilles, dont les bords dentés portent de petites aréoles garnies de poils soyeux. À l'extrémité de chacun de ces segments se trouve une aréole plus importante, de forme allongée, qui donne naissance aux nouveaux articles ou aux fleurs campanulées.

TECHNIQUES DE CULTURE

Printemps et été. Dès que les dernières fleurs se sont fanées, cesser toute fertilisation pendant trois semaines. Réduire les arrosages et ne donner que la quantité d'eau strictement nécessaire pour empêcher le compost de sécher complètement et de durcir. C'est pendant cette période de repos, au début de l'été, qu'il faut rempoter les rhipsalidopsis dans un mélange préparé avec deux parts de tourbe et une part de sable fin.

Si on veut les installer dans une corbeille suspendue, on la tapissera préalablement avec des plaques de sphaigne.

Pendant les beaux jours, dès que la température dépasse 18 °C, il est préférable de placer la plante dehors, à mi-ombre. À l'intérieur, l'exposer à une bonne lumière indirecte. Recommencer à nourrir une fois par mois avec de l'engrais ordinaire et arroser avec modération, en laissant chaque fois la surface sécher sur 1 cm (il est préférable d'utiliser de l'eau de pluie).

Automne et hiver. Rentrer la plante dès les premiers froids (elle ne supporte pas les températures inférieures à 10 °C). Si la pièce est très chauffée, bassiner le feuillage pour augmenter l'humidité. À la fin de l'hiver, quand les boutons commencent à se former, augmenter les arrosages et nourrir tous les quinze jours avec un engrais riche en potassium.

MULTIPLICATION

Très facile par boutures, au printemps ou en été. Il suffit de détacher par torsion un article et de le planter verticalement (assez profondément pour qu'il tienne debout) dans les mêmes conditions que les sujets adultes.

Rhipsalidopsis gaertneri Son abondante floraison printanière lui a valu le surnom de cactus de Pâques.

Les boutures des rhipsalidopsis se prélèvent au printemps ou au début de l'été : détacher un article terminal en opérant un rapide mouvement de torsion.

Planter ce segment assez profondément dans un mélange approprié (deux parts de tourbe et une part de sable) et traiter comme un sujet adulte : il prendra racine rapidement.

Maladies et parasites

Au moment du rempotage, s'assurer que les racines sont exemptes de plaques blanchâtres qui indiqueraient la présence de cochenilles farineuses : il faudrait alors laver tout l'appareil radiculaire et l'immerger une heure ou deux dans une solution insecticide. Comme la plante est tenue au sec en été, les araignées rouges peuvent faire leur apparition. On les éloignera en posant le pot sur un lit de cailloux mouillés.

Deux ou trois fois par an, ajouter un fongicide à l'eau d'arrosage et à celle qui sert pour les vaporisations afin de prévenir les maladies cryptogamiques (notamment les taches foliaires orangées).

Espèces

Rhipsalidopsis gaertneri Originaire du sud du Brésil, cette espèce a des tiges qui poussent d'abord dressées, puis qui retombent. Elles sont formées d'articles ovales, plats, minces et bordés de larges dentelures, d'environ 4 cm de longueur sur 2 cm de largeur. Au début du printemps, ce cactus se couvre littéralement de fleurs campanulées écarlates de 2,5 à 4 cm de longueur.

Rhipsalidopsis rosea Originaire des forêts brésiliennes du Parana, ce cactus a des tiges constituées de petits articles d'environ 2 cm de longueur, aplatis, avec des contours légèrement anguleux et présentant des marbrures rougeâtres. Plus largement ouvertes, les fleurs roses (ci-dessous) apparaissent un peu plus tardivement que celles de l'espèce précédente, en avril-mai.

***Rhipsalidopsis* hybrides** Ces belles variétés ont été obtenues par le croisement de *R. gaertneri* avec *R. rosea*. De la première espèce, elles ont en général les articles plats et ovales, de la seconde les corolles en étoile aux pétales pointus. 'Berlinerin' a des fleurs rouge tango, et 'Elektra' des fleurs pourprées, tandis que celles de 'Salmon Queen' sont d'une délicate couleur pêche.

Ricinus

Famille : **Euphorbiacées**

Nom usuel : **ricin**

Le ricin est connu depuis l'Antiquité pour ses graines dont on extrait une huile jadis utilisée comme combustible pour les lampes. À ne pas confondre avec l'huile de ricin, préparée en laboratoire et employée par l'industrie cosmétique (on ne s'en sert plus guère comme purgatif). C'est un produit purifié dont on a éliminé l'odeur désagréable et les substances toxiques : la ricinine, toxoalbumine qui a la propriété d'agglutiner les globules rouges et qui peut entraîner la mort à faible dose, et la ricine, alcaloïde moins dangereux mais provoquant des troubles sérieux. Il est donc fortement déconseillé de croquer des graines de ricin!

Cette mise en garde n'enlève rien aux qualités ornementales de la plante, dont une seule espèce est cultivée, soit comme vivace soit comme annuelle (ce que permet sa croissance rapide), en pleine terre ou en pot. C'est une plante arbustive (arborescente dans les régions chaudes) à l'aspect luxuriant, dont les grandes feuilles palmées à sept lobes présentent des colorations intéressantes chez certaines variétés. Les fleurs unisexuées réunies en grosses grappes (les fleurs mâles à la base, les fleurs femelles au sommet) apparaissent en été, suivies par des fruits qui se présentent comme des capsules rondes hérissées de piquants.

Ricinus communis Intéressant par son feuillage luxuriant et ses grappes de fruits ronds hérissés de piquants.

TECHNIQUE DE CULTURE

Planter le ricin vers la mi-mai, en situation chaude et ensoleillée, à l'abri des vents froids (une exposition sud-ouest, devant un mur ou une haie, est idéale). Il faut à cette plante gourmande une terre fraîche et très fertile, mais pas trop compacte afin que le drainage soit assuré. Les sols trop pauvres et trop secs devront être enrichis de compost et de fumier vieux, bien décomposé.

Les ricins sont des arbustes gélifs qui ne poussent en pleine terre que dans le Midi et dans les jardins les mieux protégés. Si les hivers sont un peu rudes, mieux vaut les traiter comme des annuelles ou les cultiver en grands pots, dans un mélange à base de terre franche riche et légère, en leur donnant régulièrement de l'engrais.

MULTIPLICATION

Assez facile par semis à la fin février ou en mars, après avoir fait tremper les graines au moins vingt-quatre heures dans l'eau tiède pour réactiver leur pouvoir de germination. Semer sous châssis ou bien en godets que l'on placera dans une caissette de multiplication ou que l'on enfermera dans un sachet en plastique transparent. Au bout de quatre semaines environ, on doit obtenir des petites plantules pourvues de trois à cinq feuilles, que l'on pourra transplanter et traiter comme des plantes adultes.

Espèces

Ricinus communis Unique espèce cultivée, le ricin commun, appelé encore palma christi, est originaire de l'Afrique orientale et de l'Inde, mais il pousse spontanément dans tout le bassin méditerranéen. Sous les tropiques, il peut atteindre 10 m de hauteur, mais il dépasse rarement 3 m dans nos régions. Ses racines dégagent une odeur particulière qui est réputée éloigner les taupes. Parmi les variétés les plus recherchées vient en premier lieu le ricin sanguin ('Sanguineus'), plante vigoureuse aux feuilles pétiolées, teintées de pourpre clair et aux inflorescences rouge vif. 'Gibsonii' se signale par son port plus compact (pas plus de 1,50 m de hauteur) et ses feuilles couleur bronze, tandis que 'Alba' a des tiges et des pétioles délicatement poudrés de blanc. Chez la variété 'Zanzibarensis', les feuilles présentent des veinures blanc argenté.

Saintpaulia

Famille : **Gesnériacées**

Noms usuels : **saintpaulia, violette d'Uzambara, violette du Cap**

Aspect en rosette ou rampant	**Hauteur** 8-10 cm	**Floraison** toute l'année
Culture délicate	**Exposition** lumière vive tamisée	**Humidité** élevée

Les petites plantes à fleurs que l'on peut offrir toute l'année comme un bouquet ont toujours beaucoup de succès. Tel est le cas des saintpaulias, un peu dédaignés pourtant par les passionnés de jardinage et les collectionneurs, qui préfèrent des espèces plus rares. Les novices, eux, ne tirent guère parti de ces jolies feuilles vertes, charnues et veloutées, et de ces fleurs aux nuances ravissantes : ils s'en défont aussitôt que la floraison a cessé. Plantes plutôt banales si elles sont isolées, les saintpaulias peuvent au contraire former, si on les regroupe sur un plan horizontal ou sur plusieurs niveaux, de magnifiques compositions florales.

TECHNIQUES DE CULTURE

Printemps et été. Rempoter au printemps, tous les deux ans environ, dès que les feuilles commencent à être serrées et à se chevaucher (lorsqu'elles deviennent plus petites, c'est le signe que les racines sont trop à l'étroit).

Les saintpaulias craignent le calcaire, et il leur faut un compost à dominante acide, léger et très perméable (un mélange de tourbe, de terre de bruyère et de sable). Les variétés à tiges retombantes produiront plus d'effet si on les installe dans des corbeilles suspendues.

Placer le pot dans un endroit bien éclairé, mais à l'abri des rayons du soleil (qui feraient pâlir les feuilles), et tamiser la lumière trop vive en plein été.

Ces plantes supportent très mal les atmosphères polluées, aussi faudra-t-il éviter d'ouvrir la fenêtre si elle donne sur une rue où la circulation est intense.

Même achetés tout couverts de boutons, les saintpaulias pourront avoir une floraison capricieuse dès l'année suivante. Ils ont en tout cas besoin d'une chaleur douce et constante, sans brusques écarts de température (de 15 à 21 °C). L'humidité ne leur est pas moins nécessaire. Cependant, leurs feuilles veloutées ne supportent pas le contact de l'eau, de même que leurs fleurs, et les vaporisations sont à proscrire absolument. Poser le pot sur un lit de cailloux mouillés ou, mieux encore, le placer dans un cache-pot vernissé de deux tailles au-dessus, en garnissant l'intervalle de tourbe que l'on humectera régulièrement.

Saintpaulia ionantha C'est l'une des plantes d'appartement les plus populaires.

Guide d'achat

Choisir des sujets pourvus de nombreux boutons, aux feuilles bien lisses, de couleur uniforme (si elles sont tachetées, ce peut être un signe de virose). Protéger la plante du froid pendant le transport.

Pour arroser les saintpaulias, plonger le pot une quinzaine de minutes dans une cuvette d'eau douce, puis l'égoutter soigneusement.

Éviter de mouiller les feuilles veloutées et délicates, mais se contenter de les dépoussiérer avec un pinceau souple.

Arroser deux fois par semaine, avec de l'eau non calcaire, préalablement tiédie à température ambiante, sans saturer le mélange et en évitant de mouiller les feuilles et le cœur de la plante. La méthode la plus efficace consiste à tremper le pot une quinzaine de minutes dans une cuvette d'eau douce, sans que le niveau du liquide dépasse la surface du compost, puis à l'égoutter longuement.

Nourrir tous les quinze jours avec un engrais liquide à la formule équilibrée en azote, phosphore et potassium. Couper à mesure les fleurs fanées en enlevant en même temps le pétiole, qui pourrait être à l'origine d'un début de pourriture. Ne jamais utiliser de lustrants, beaucoup trop agressifs, pour nettoyer les feuilles fragiles des saintpaulias mais les épousseter délicatement avec un pinceau doux.

Automne et hiver. En hiver, les saintpaulias pourront sans inconvénient profiter du soleil moins ardent. Pendant les jours plus courts, ou si le ciel est trop couvert pour procurer une lumière suffisante, on pourra avoir recours à l'éclairage artificiel. Une température de 15-16 °C est idéale (le thermomètre ne doit pas descendre au-dessous de 13 °C). Si la pièce est un peu fraîche, espacer les arrosages et laisser le compost sécher sur 2 cm avant de redonner de l'eau.

MULTIPLICATION

Le bouturage de feuilles est la méthode la plus employée. Prélever une feuille munie de son pétiole, que l'on raccourcira à 2,5 ou 3 cm et l'insérer verticalement dans un mélange de tourbe et de sable. Tenir au chaud (18-21 °C) et à l'étouffée, si possible au soleil tamisé, pendant près d'un mois. Aux premiers signes de reprise, commencer à découvrir progressivement pour acclimater les nouveaux pieds à l'air ambiant. Les empoter ensuite individuellement, dans les mêmes conditions que des plantes adultes.

Pour préparer des boutures, prélever des feuilles bien saines avec leur pétiole, que l'on raccourcira ensuite à 2,5-3 cm.

Les insérer jusqu'au limbe dans le compost, où l'on aura préparé à l'avance des trous (par exemple avec une aiguille à tricoter).

Dès que des petites pousses pointent près des pétioles, acclimater progressivement les plantules à l'air ambiant en découvrant la caissette.

Lorsque les racines sont bien développées, repiquer chaque pied. Protéger de la lumière trop vive pendant encore quelques jours.

Maladies et parasites

Les saintpaulias craignent la pollution, qui fait jaunir leurs feuilles, et les agressions chimiques. Il ne sera donc guère possible de pulvériser une solution insecticide directement sur la plante. Pour éviter les invasions des pucerons verts et des cochenilles farineuses, qui sont les parasites les plus courants, on traitera préventivement le compost avec un produit approprié. Plus dangereux sont les tarsonèmes des cyclamens. Des hampes florales cassantes, des croûtes pulvérulentes sur les feuilles, qui tendent à s'enrouler, sont les premiers symptômes d'infestation. Inspecter régulièrement tiges et feuillage pour pouvoir éliminer immédiatement les parties atteintes, car ces minuscules insectes suceurs sont très prolifiques et entraînent à brève échéance l'arrêt de la croissance et le dépérissement.

La principale difficulté consistera à entretenir une humidité atmosphérique élevée tout en veillant à assurer une aération suffisante. Une ambiance trop confinée peut en effet favoriser le développement de maladies cryptogamiques comme l'oïdium (ci-dessus), tandis que la condensation peut provoquer des pourritures partielles et faire apparaître des taches brunes sur les feuilles.

L'absence de floraison peut avoir différentes causes. Il peut s'agir d'une carence nutritive à laquelle on remédiera par une administration d'engrais (en ajoutant par exemple un peu de superphosphate à l'eau d'arrosage). Si la plante semble par ailleurs saine et vigoureuse, c'est sans doute que le pot est trop grand (les saintpaulias fleurissent mieux si leurs racines sont à l'étroit). On attendra alors deux ans pour la rempoter.

Saintpaulia confusa Également connue sous le nom de *S. diplotricha,* cette espèce forme une rosette de feuilles duveteuses, arrondies et légèrement festonnées, d'environ 4 cm de longueur. Les pédoncules portent jusqu'à quatre fleurs de 2,5 à 3 cm de diamètre, aux pétales mauve pâle ourlés de violet (en haut, à gauche).

Saintpaulia grotei Cette espèce est à l'origine de la plupart des variétés de saintpaulias rampants. Ses tiges souples et ramifiées, qui peuvent atteindre une vingtaine de centimètres de longueur, portent des feuilles alternes, veloutées et presque rondes, d'environ 7 cm de diamètre, avec des bords finement découpés en dents de scie. Longues de 18 cm, les hampes florales portent de deux à quatre fleurs violet foncé avec des marges un peu plus claires.

Saintpaulia ionantha Originaire des montagnes d'Uzambara, en Afrique orientale (Kilimandjaro), et introduite en Europe en 1893 par le baron Walter von Saint Paul, à qui le genre est dédié, cette espèce est la plus connue. Les variétés obtenues par hybridation et les cultivars sont cependant plus répandus aujourd'hui que l'espèce type à fleurs violettes ponctuées de jaune d'or par les étamines réunies en faisceau (ci-dessus). On la reconnaît à la consistance caractéristique de ses feuilles cordiformes molles et charnues, couvertes d'un fin duvet pelucheux, à la face supérieure d'un vert intense et au revers pourpré.

Espèces

Saintpaulias hybrides Il existe tant de variétés de saintpaulias (près de deux mille) qu'il est quasiment impossible de ne pas trouver celle qui vous convient. Les hybrides modernes sont classés en fonction non pas de leurs caractères botaniques, mais de leurs dimensions, de leur forme et de la couleur des fleurs. Parmi les catégories les plus appréciées, citons 'Ballet', qui regroupe des hybrides faciles à cultiver, avec des feuilles ovales formant une rosette d'une trentaine de centimètres de diamètre et des fleurs à cinq lobes plus ou moins gaufrés. 'Ballet Anna' (page précédente, en haut et à droite) a des fleurs simples d'un joli rose saumon lavé de carmin; 'Ballet Eva' (ci-dessus, à gauche) a des fleurs semi-doubles d'une suave teinte bleu mauve.

On a vu apparaître récemment d'attrayantes variétés miniatures, les unes à port retombant, comme 'Jet Trail' (ci-dessus, à droite), qui se couvre de petites grappes de fleurs doubles étoilées de couleur lilas, les autres en rosette, comme 'Little Delight', dont les fleurs doubles blanches s'ornent d'un fin liseré pourpre. 'Laura' (en haut, à gauche), hybride non classé mais très populaire, a des fleurs simples d'un violet profond.

Réputés eux aussi pour leur facilité de culture, les hybrides du groupe 'Rhapsodie' (en haut, à droite), parfois vendus sous le nom de 'Mélodie', ont des feuilles vert sombre arrondies et légèrement festonnées. Les fleurs simples ou doubles sont généralement roses ou bleues.

Sansevieria

Famille : **Hæmodoracées**

Nom usuel : **sansevière**

Mis à part les aspidistras, bien peu de plantes d'intérieur sont aussi accommodantes et « indestructibles » que les sansevières, capables de résister à n'importe quelles (mauvaises) conditions ou presque, du moment qu'elles ne sont pas trop arrosées (l'excès d'eau les fait mourir). Des espèces particulièrement intéressantes, donc, pour les jardiniers novices, d'autant qu'elles sont très décoratives avec leurs grandes feuilles en rosette qui rappellent un peu celles des agaves. C'est une manière facile d'apporter une note exotique au cadre quotidien.

Connues et cultivées dans toute l'Europe comme plantes de serre depuis fort longtemps, les sansevières doivent leur nom à un aristocrate italien du XVIIIe siècle, Raimondo Di Sangro, prince de San Severo (un petit évêché des Pouilles, non loin de Foggia).

Originaires d'Afrique orientale et d'Asie, les sansevières se répartissent en trois catégories principales : les espèces plus ou moins arborescentes, les espèces à port dressé, à feuilles ensiformes rigides, et celles dont les feuilles sont disposées en rosette. Dans les deux cas, ces feuilles, souvent ornées de stries, de bigarrures ou de marbrures, naissent directement d'un rhizome court et trapu qui affleure presque à ras de terre. Elles se terminent par une sorte de longue et forte épine qu'il ne faut jamais endommager car il s'agit du point de croissance : si cette pointe est cassée par mégarde, la feuille cesse de se développer.

Dans leur milieu naturel, ces plantes fleurissent vers la fin de l'été, mais, à l'intérieur, la floraison, plus aléatoire, peut se produire à divers moments entre le printemps et l'automne. Les fleurs, assez éphémères, sont en elles-mêmes peu attrayantes (mais elles sont souvent parfumées), toutefois, les bractées qui les entourent sont assez décoratives.

Sansevieria trifasciata Une plante d'appartement particulièrement résistante.

TECHNIQUES DE CULTURE

Printemps et été. Rempoter les sansevières en mars-avril, mais seulement si leurs racines charnues couleur ivoire menacent de sortir du pot, car ces plantes se portent mieux si elles sont un peu à l'étroit. Il leur faut un compost nutritif et léger (par exemple un mélange à parts égales de tourbe et de terre de bruyère) et parfaitement drainé (disposer une couche de tessons au fond du pot). Bien presser du bout des doigts autour du rhizome s'il s'agit d'une espèce à port érigé, que le poids des feuilles pourrait déséquilibrer.

Les sansevières s'accommodent de la mi-ombre mais poussent mieux dans une bonne lumière, et le soleil leur est même propice si ses rayons ne sont pas trop brûlants. Ces plantes venues des tropiques aiment la chaleur et supportent sans inconvénient jusqu'à 28-29 °C. Elles sont encore moins exigeantes en ce qui concerne l'arrosage, se comportant un peu comme des plantes grasses. Dans des conditions normales, on peut se contenter d'arroser copieusement tous les quinze jours. Par temps torride, il faudra donner de l'eau un peu plus souvent. L'air sec leur convient mieux que l'humidité.

Pendant la période de croissance, nourrir toutes les trois semaines avec un engrais liquide, en utilisant la dose normalement conseillée.

Automne et hiver. Les sansevières toléreront des températures assez basses et survivront à 10 °C (leur croissance sera simplement ralentie). Les arrosages seront plus parcimonieux en cette saison, surtout si la plante est gardée un peu plus au frais, car toute saturation du compost pourrait entraîner une pourriture de la base des feuilles.

MULTIPLICATION

Très facile par division des touffes au printemps, juste avant la reprise de la végétation : extraire délicatement la plante du pot et sectionner le rhizome en deux ou trois portions, pourvues chacune de feuilles et de racines, et les rempoter séparément en les traitant comme indiqué précédemment.

On peut aussi procéder par boutures de feuilles en période de croissance. Prélever une feuille bien saine et la diviser en segments de 5 cm que l'on enfoncera verticalement de 1,5 cm dans un mélange de tourbe et de sable, en respectant le sens de la croissance (il sera utile de faire un repère pour ne pas inverser le haut et le bas). Tenir à 21 °C jusqu'à l'enracinement. Cette méthode permet de reproduire fidèlement les caractères des variétés.

Préparation des boutures : partager une feuille en segments de 5 cm en laissant aux entailles le temps de se cicatriser.

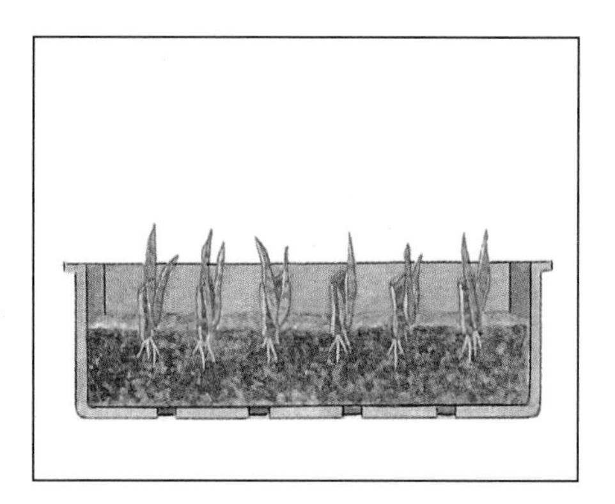

Planter ces sections foliaires verticalement, en respectant le sens de la croissance, c'est-à-dire en plaçant la section inférieure vers le bas.

Espèces

Sansevieria cylindrica Originaire du Kenya et des massifs de l'Afrique orientale, cette espèce relativement rare a des feuilles dressées vert sombre, striées de bandes horizontales d'un vert glauque, qui peuvent atteindre 90 cm à 1 m de hauteur. Rigides et presque cylindriques, épaisses d'environ 2,5 cm, elles sont parcourues de sillons longitudinaux peu profonds. Les petites fleurs rosées apparaissent à la fin du printemps ou au début de l' été.

Sansevieria grandis Cette sansevière qui nous vient de Somalie constitue une curiosité, car c'est une espèce épiphyte. Elle forme une large rosette de feuilles ovales vert clair, veinées de vert sombre et ourlées de rouge. De la base partent des stolons retombants portant à leur extrémité des rosettes miniatures, d'un effet particulièrement gracieux lorsqu'on installe la plante dans une corbeille suspendue.

Sansevieria hahnii Une jolie plante au port compact, aux feuilles vert sombre striées transversalement de vert clair, dont la rosette forme une harmonieuse spirale (ci-dessous, à gauche). Il existe plusieurs variétés intéressantes, dont 'Golden', aux feuilles marginées de jaune d'or, et 'Silver', aux feuilles mouchetées de gris argenté.

Sansevieria liberica Une autre espèce africaine dont les feuilles coriaces et érigées en forme de glaive, hautes d'une soixantaine de centimètres, sont rayées longitudinalement de bandes blanches cernées de fines stries rouges. Réunies en grappes denses, les petites fleurs blanches apparaissent à la fin du printemps.

Sansevieria scabrifolia Originaire du Mozambique et du Zimbabwe, cette espèce en rosette, aux feuilles d'un vert glauque, supporte bien l'ombre.

Sansevieria trifasciata Cette espèce d'origine sud-africaine est la plus couramment cultivée. Ses feuilles érigées, légèrement spiralées, s'ornent de marbrures et de mouchetures (ci-dessous, à droite). Les dessins et les couleurs diffèrent selon les variétés. De création récente 'Moonshine' a des feuilles d'un vert clair ourlées de vert sombre.

Maladies et parasites

Bien que les sansevières soient très résistantes, il n'en faut pas moins veiller aux éventuelles infestations d'insectes, ne serait-ce que pour éviter que les plantes voisines soient contaminées. Les cochenilles farineuses envahissent parfois les feuilles, où elles fixent leurs cocons blanchâtres semblables à de minuscules flocons d'ouate : pulvériser du malathion dilué et les ôter à la pince à épiler. répéter l'opération tous les dix ou quinze jours jusqu'à complète élimination des parasites. Beaucoup plus dangereux sont les charançons (du même type que ceux qui s'attaquent à la vigne), car ils rongent le bord des feuilles, et ces dommages sont irréparables. On parviendra à s'en débarrasser par des pulvérisations répétées (à dix jours d'intervalle) d'un insecticide à base de pyrèthre.

Les lustrants, plus nocifs qu'utiles pour la plupart des plantes, sont à bannir, car ils brûlent les feuilles, qui se couvrent de petites macules brunes semblables à des taches de rouille. La pâleur excessive des feuilles révèle des carences nutritives, et un apport d'engrais y remédiera — mais si elles sont molles et pendantes, c'est un signe de suralimentation.

Guide d'achat

Bien observer les feuilles avant d'acheter une sansevière : leurs bords doivent être intacts, exempts de crevasses ou de déchirures; s'ils sont desséchés et parcheminés, c'est que la plante a été trop longtemps exposée au plein soleil. Examiner de même la base avec attention, afin de vérifier qu'il ne s'y trouve pas, au ras du compost, de plaques molles noirâtres qui indiqueraient un début de pourriture dû à un excès d'arrosage.

S'assurer également que la plante est bien ancrée dans son pot, car ses racines ne s'accrochent pas toujours très solidement.

Saxifraga

Famille : **Saxifragacées**
Nom usuel : **saxifrage**

Aspect	Hauteur	Floraison
touffe basse et arrondie	de 10 à 40 cm	de mai à juillet
Culture	**Exposition**	**Humidité**
assez facile	mi-ombre ou pleine lumière	assez abondante

On connaît plus de trois cents espèces de saxifrages, presque toutes originaires des régions septentrionales de l'hémisphère Nord et si multiformes qu'elles ont été réparties en douze sections en fonction de leurs caractères botaniques. Beaucoup sont des plantes rupestres, qui poussent spontanément en montagne, où leurs racines s'insinuent dans les moindres crevasses. C'est d'ailleurs cette capacité à fissurer les roches qui a valu au genre son nom latin (dérivé de *saxum*, « pierre », et de *frangere*, « fendre »).

Certaines saxifrages, dites « crustacées », présentent une curieuse particularité : leurs feuilles inférieures, disposées en rosette, sont garnies sur le pourtour de petits cristaux blanchâtres qui scintillent au soleil; il s'agit de carbonate de calcium, sécrété par des pores spéciaux et destiné à freiner l'évaporation de l'eau.

Chez d'autres espèces, les feuilles largement arrondies sont bordées d'une sorte d'ourlet cartilagineux. C'est le cas, notamment, du très populaire « désespoir du peintre » *(Saxifraga umbrosa)* qui, comme l'indique son nom latin, se plaît dans les endroits ombragés. Cette jolie plante tout à fait rustique est souvent confondue avec deux espèces très voisines, le « faux désespoir du peintre » *(S. geum)* et la mignonnette *(S. cuneifolia)*.

Au jardin, les saxifrages, peu exigeantes, sont utilisées aussi bien en bordure (surtout les variétés miniatures tapissantes) que pour orner les rocailles, appréciées à la fois pour leurs feuilles persistantes, décoratives même en hiver, et pour leurs fleurs fines et élégantes.

Une seule espèce se cultive couramment à l'intérieur : *S. sarmentosa*, qui réunit les attraits des plantes « cascadantes » (elle produit d'abondants stolons, garnis de petites rosettes de feuilles, qui retombent joliment) et des plantes en touffes rondes et étalées.

Saxifraga sarmentosa On l'aime pour son feuillage décoratif mais aussi pour ses fleurs gracieuses, fines comme de la dentelle.

TECHNIQUES DE CULTURE

Printemps et été. Rempoter les saxifrages chaque année au printemps, dans un compost nutritif et bien meuble (un mélange de tourbe et de terre de bruyère), en veillant à assurer un bon drainage (disposer au fond du pot une bonne couche de tessons). Si on les cultive dans une corbeille suspendue, la garnir auparavant d'une épaisse couche de sphaigne sur laquelle on répartira des fragments de charbon de bois.

Les saxifrages ont besoin d'une bonne lumière (surtout les variétés à feuillage multicolore), mais il faut les protéger de l'ensoleillement trop direct. On les placera devant une fenêtre, en tamisant le jour par un voilage ou un store léger.

Ces plantes craignent la chaleur, et une température de 16 °C est idéale. Si le thermomètre monte au-dessus de 18 °C, il faudra au moins essayer de leur offrir un peu plus de fraîcheur pendant la nuit. Elles sont en revanche moins exigeantes en ce qui concerne l'humidité atmosphérique, et une vaporisation hebdomadaire suffira à rafraîchir et à nettoyer le feuillage (mais éviter de projeter trop directement des gouttes d'eau sur les feuilles légèrement veloutées).

Les arrosages devront être généreux, car le compost doit toujours rester bien humide. Mieux vaut cependant arroser souvent (au moins trois fois par semaine en plein été) et à doses modérées que saturer le mélange. Nourrir une fois par mois avec un engrais liquide en n'employant que la moitié de la dose prescrite.

Automne et hiver. Réduire les arrosages (une fois par semaine) et tenir la plante dans une ambiance fraîche et aérée, si possible à 8-10 °C. Les saxifrages supportent mal les pièces très chauffées.

MULTIPLICATION

Placer à côté de la saxifrage un petit pot rempli d'un mélange de terreau et de sable, vers lequel on amènera un stolon. Au contact du compost, les petites rosettes développeront des racines, et on pourra alors les séparer de la plante mère (c'est une sorte de marcottage).

Espèces

Saxifraga sarmentosa Originaire de Chine et du Japon, cette jolie plante d'intérieur est dépourvue de tige, et ses feuilles radicales forment une rosette assez lâche d'environ 10 cm de diamètre (de couleur vert olive, délicatement veloutées, avec de fines marbrures argentées, elles ont un revers plus ou moins pourpré). Les nombreux stolons retombants, parfois ramifiés et portant des rosettes miniatures, lui confèrent beaucoup de charme. En juin apparaissent de sveltes hampes florales portant de minuscules et gracieuses fleurs blanches à cœur jaune. La variété 'Tricolor' (ci-contre), aux feuilles panachées de crème et de rose, supporte mieux la chaleur en hiver.

Schefflera

Famille : **Araliacées**
Noms usuels : **schefflera, arbre ombrelle**

Aspect	Hauteur	Floraison
arbustif	de 1,20 à 2,50 m	rare
Culture	**Exposition**	**Humidité**
facile	lumière vive tamisée	abondante

Les scheffleras connaissent depuis une dizaine d'années un succès grandissant et amplement justifié : s'acclimatant bien aux conditions normales d'un appartement, ces plantes d'intérieur offrent tous les agréments d'un luxuriant arbuste tropical, tout en étant moins délicates à cultiver que les palmiers. Et leur taille reste raisonnable, parfaitement en rapport avec celle de nos pièces modernes.

Le genre *Schefflera,* qui doit son nom à Johann Claus Scheffler, botaniste exerçant ses talents à Dantzig au XVIIIe siècle, regroupe quelque cent cinquante espèces tropicales et subtropicales, parmi lesquelles *S. paraensis* (ou arbre de Saint-Jean) qui, en Guyane française, fournit un bois réputé appelé morototo. Deux de ces espèces, *S. actinophylla* et *S. arboricola,* peuvent se cultiver à l'intérieur.

TECHNIQUES DE CULTURE

Printemps et été. Les jeunes sujets ayant une croissance rapide (30 cm par an), mieux vaut les rempoter deux fois par an, d'autant qu'ils aiment être à l'aise dans leur pot, qui doit être parfaitement drainé. Il leur faut un compost riche et léger, à dominante acide, par exemple un mélange à parts égales de terreau de feuilles, de sable grossier et de tourbe.

Bien que ces plantes s'adaptent temporairement à l'ombre, elles poussent mieux dans une bonne lumière, mais il faudra les protéger du rayonnement solaire direct. Contrairement à la majorité des plantes tropicales, elles préfèrent des températures relativement modérées (avec un maximum de 21 °C en été).

Dès le mois de mai, on pourra leur faire prendre l'air (à mi-ombre ou à l'ombre) sur le balcon ou dans le jardin. Les petites pluies douces du printemps leur seront alors très bénéfiques. À défaut, vaporiser le feuillage deux ou trois fois par semaine avec de l'eau non calcaire.

Les scheffleras ont besoin de beaucup d'eau : les arroser trois fois par semaine, assez copieusement mais en laissant bien égoutter le compost. Nourrir tous les quinze jours avec une demi-dose d'engrais liquide diluée dans l'eau d'arrosage.

Nettoyer régulièrement les feuilles avec une éponge humide, car la poussière peut boucher leurs pores, mais ne pas employer de lustrants plus d'une fois tous les deux mois. Il peut être nécessaire de tuteurer *S. arboricola,* dont les tiges ont tendance à s'étaler exagérément.

Automne et hiver. D'octobre à mars, pendant la période de repos végétatif, garder les scheffleras à une température plus basse (de 12 à 18 °C). Réduire les arrosages et cesser de donner de l'engrais.

MULTIPLICATION

Par semis de graines fraîches, en mars-avril. Tenir à 21-24 °C, avec une chaleur de fond qui favorisera la germination. Si on utilise une caissette de multiplication, découvrir 5 minutes par jour pour éviter le risque de pourriture. Dès que les pousses sortent de terre, ouvrir la caissette.

Schefflera actinophylla Une superbe plante d'appartement aux allures de petit arbre tropical.

Espèces

Schefflera actinophylla En Australie, sa patrie d'origine, l'arbre ombrelle peut atteindre 30 m de hauteur, mais en appartement il ne dépassera pas 2,50 m. Ses feuilles vernissées sont composées de trois à sept folioles dont les pétioles sont disposés comme les baleines d'un parapluie.

Schefflera arboricola D'introduction plus récente, cette espèce originaire de Nouvelle-Zélande et d'Australie ne dépasse guère 1,20 m de hauteur, ce qui en fait une plante idéale pour les petits appartements, mais elle exige plus de lumière que *S. actinophylla*. La variété 'Dureo Variegata', aux feuilles panachées de jaune, est particulièrement élégante, mais un peu moins vigoureuse.

Schlumbergera

Famille : **Cactacées**

Noms usuels : **schlumbergera, cactus de Noël**

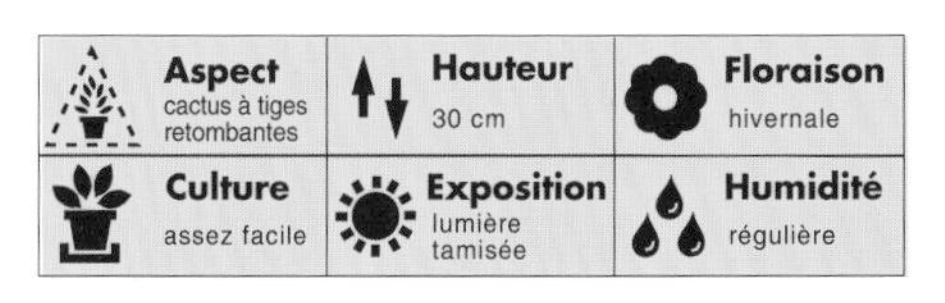

La classification des schlumbergeras donne lieu à des subtilités botaniques qui risquent fort d'égarer le profane... En effet, des trois espèces reconnues, l'une était assimilée au genre *Epiphyllum* et une autre classée autrefois dans le genre *Zygocactus*. La distinction est d'autant moins facile à établir que toutes ces plantes peuvent s'hybrider spontanément entre elles et que les pépiniéristes spécialisés proposent le plus souvent des variétés obtenues par croisement.

L'essentiel est de savoir qu'il s'agit de cactus épiphytes, originaires des zones montagneuses du Brésil méridional, où ils poussent sur les arbres de la forêt tropicale sèche, trouvant leur subsistance dans les débris organiques qui s'accumulent au creux des branches. Ce sont cependant des plantes grasses, qui doivent affronter des périodes de sécheresse relativement longues et qui stockent dans leur tiges charnues l'eau fournie par les pluies saisonnières. On peut les cultiver à l'intérieur, en s'efforçant de reproduire le plus fidèlement possible les conditions de leur milieu naturel.

Voilà qui prédestine les schlumbergeras aux corbeilles suspendues, qui mettent idéalement en valeur leurs tiges retombantes très ramifiées, formées de nombreux articles minces et plats, souvent dentés, et à l'extrémité desquelles apparaissent les fleurs asymétriques solitaires ou jumelées. L'effet est véritablement magnifique, car cette floraison longue et abondante est brillamment colorée. Les pépiniéristes traitent ces cactus de manière que leurs fleurs s'ouvrent fin décembre, aussi les a-t-on surnommés cactus de Noël.

Et si l'on aime l'insolite, on pourra greffer les schlumbergeras sur des cactées du désert de forme colonnaire : on obtient ainsi un cactus de type « pleureur » tout à fait extraordinaire.

TECHNIQUES DE CULTURE

Printemps et été. Rempoter les schlumbergeras au début de la période de croissance, c'est-à-dire au printemps, après la floraison, mais ne les installer dans un pot de taille supérieure que s'ils sont vraiment trop à l'étroit : un pot de 13 à 15 cm de diamètre suffit pour un exemplaire de 30 cm de hauteur et d'étalement équivalent, car le système radiculaire est peu important, comme chez toutes les plantes épiphytes. Il leur faut un compost non calcaire et assez poreux (un mélange de deux parts de tourbe pour une part de terreau de feuilles bien décomposé et une part de sable grossier ou de perlite).

Comme la plupart des cactus de la forêt, les schlumbergeras craignent le soleil, et ils se porteront mieux si on les expose à une lumière tamisée. La température normale d'une pièce (18 °C) leur convient, mais, si la chaleur augmente, ils auront besoin d'air frais : mieux vaut alors les placer à l'extérieur, dans un endroit ombragé et en veillant à ce qu'ils soient à l'abri des incursions des limaces.

Bassiner fréquemment le feuillage et arroser assez généreusement pendant toute la période de croissance, sans saturer le mélange. Nourrir tous les quinze jours avec un engrais riche en potassium.

Automne et hiver. Rentrer les schlumbergeras avant les premiers froids. Il est alors conseillé de les exposer au soleil d'automne, moins brûlant, pour stimuler la floraison. Dès que les boutons seront formés, il faut éviter de tourner la plante par rapport à sa source habituelle de lumière, car ces boutons auraient tendance à s'orienter vers le jour, et cette torsion pourrait les faire tomber avant l'éclosion. Arroser toujours copieusement durant toute cette période et continuer à donner de l'engrais.

Après la floraison, observer une courte phase de repos, pendant laquelle on réduira les arrosages à la portion congrue (le mélange doit rester presque sec, mais sans durcir), et on cessera les apports d'engrais. La température ne doit pas descendre au-dessous de 13 °C.

MULTIPLICATION

Très facile par boutures au printemps. Détacher des segments comportant au moins deux articles, laisser sécher la section quelques heures, puis les planter dans le compost indiqué précédemment. Tenir à l'ombre, à 18-20 °C, jusqu'aux premiers signes de reprise. Lorsque de nouveaux articles se forment, rempoter et traiter comme une plante adulte.

Schlumbergera* x *bridgesii Un superbe hybride qui peut fleurir à Noël grâce au forçage.

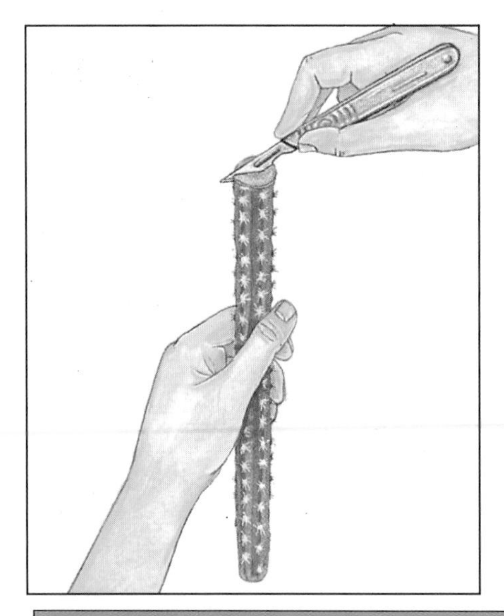

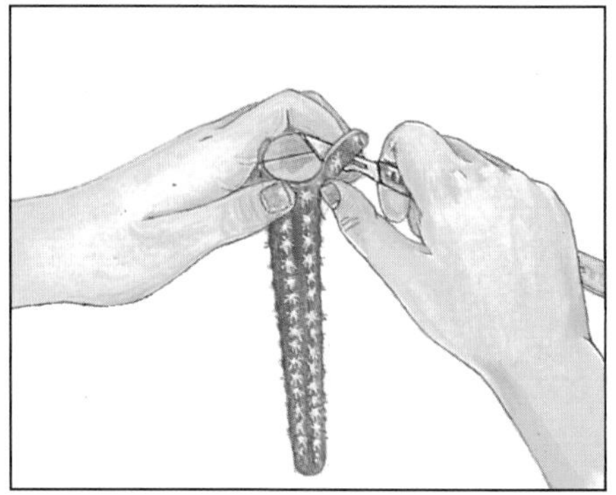

Pour greffer un schlumbergera sur un cactus du désert (par exemple, comme ici, un *Selenicereus grandiflorus*), prélever un segment d'environ 30 cm à l'extrémité d'une tige colonnaire. Faire une entaille de 1 cm de profondeur au sommet (à gauche), puis enlever une mince lanière sur tout le tour, de manière à obtenir une sorte de biseau (ci-dessus).

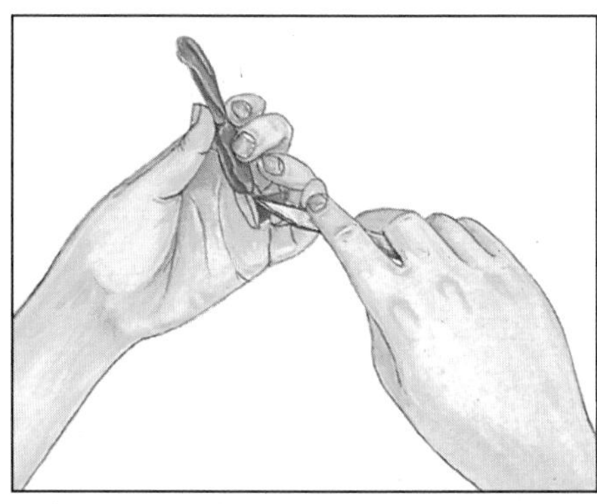

Prélever ensuite deux articles sur un schlumbergera et ôter délicatement la peau de l'article inférieur sur environ 1 cm de hauteur.

Espèces

Schlumbergera russeliana Originaire du Brésil, cette espèce qui fut la première à être introduite en Europe n'est plus guère cultivée aujourd'hui, mais elle a donné naissance aux hybrides les plus connus. Elle se distingue par ses articles aux marges non dentées et par ses fleurs rose sombre (ci-dessous) qui ont une forme régulière, contrairement à celles des autres schlumbergeras.

Schlumbergera truncata On mentionne souvent cette espèce sous son ancien nom de *Zygocactus truncata*. C'est le cactus de Noël, également appelé cactus-crabe, en référence à la forme de ses articles aux marges ourlées de dents aiguës qui se terminent par une sorte de fourche asymétrique rappelant les pinces d'un crabe. Les fleurs aux pétales recourbés, dont la teinte varie du rose vif au rouge sombre, s'épanouissent dès le début décembre.

Schlumbergeras hybrides Le plus connu est sans conteste *S.* x *bridgesii* (parfois appelé *S.* x *buckleyi*), obtenu par croisement des deux espèces précédentes. Ses articles sont bordés de dents arrondies comme des festons, et ses fleurs d'un rose violacé apparaissent un peu plus tardivement, souvent au début du mois de janvier. Citons encore 'Golden Charm', belle variété à fleurs jaunes, et 'White Christmas', aux fleurs d'un blanc bleuté.

Insérer cette base « épluchée » dans l'entaille pratiquée sur le segment de cactus colonnaire, préalablement planté dans un pot rempli d'un mélange spécial pour cactées.

Maintenir l'ensemble par une ligature, de sorte que les tissus des deux plantes restent en contact. Au bout d'un mois, la greffe sera prise.

Scindapsus

Famille : **Aracées**

Noms usuels : **scindapsus, arum grimpant**

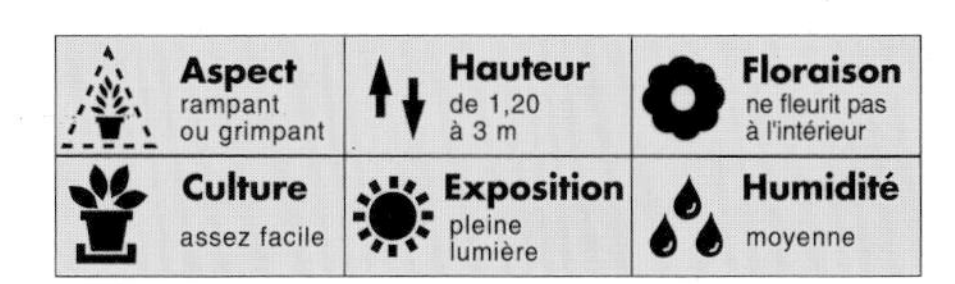

Aspect rampant ou grimpant	**Hauteur** de 1,20 à 3 m	**Floraison** ne fleurit pas à l'intérieur
Culture assez facile	**Exposition** pleine lumière	**Humidité** moyenne

Scindapsus aureus Une vigoureuse liane tropicale à cultiver en plante grimpante ou retombante.

Le genre *Scindapsus* regroupe environ vingt-cinq espèces originaires des forêts tropicales, où elles grimpent autour des troncs et des branches, atteignant parfois des développements considérables. Certaines d'entre elles se sont parfaitement acclimatées comme plantes d'intérieur (mais il ne faut pas espérer les voir fleurir). Elles sont souvent proposées sous le nom de *Pothos,* genre auquel on les rattachait jadis, tandis que *S. aureus,* l'espèce la plus connue, a été récemment reclassée dans le genre *Epipremnum.*

Mais ces polémiques entre botanistes ne changent rien à la popularité de ces exubérantes lianes exotiques, proches parentes des philodendrons, qui gardent une taille raisonnable en appartement : relativement faciles à cultiver, elles acceptent très bien de voisiner avec d'autres espèces, se prêtant ainsi à des compositions du plus bel effet. On peut au choix laisser retomber en cascade leurs tiges souples et volubiles ou bien les faire grimper le long d'un tuteur, et on peut espérer, avec un peu de soin, les conserver de longues années.

TECHNIQUES DE CULTURE

Printemps et été. Rempoter les scindapsus en mars-avril (tous les ans ou tous les deux ans selon la rapidité de leur croissance) dans un mélange léger et plutôt acide (deux parts de tourbe et une part de sable fin, ou bien une part de terreau de feuilles, une part de tourbe et une part de sable). Disposer au fond une couche de tessons pour améliorer le drainage. Dès qu'ils sont installés dans un pot de 20 cm de diamètre, se contenter de renouveler le compost en surface sur 5 cm. Si on les cultive comme des plantes grimpantes, placer le tuteur au moment de l'empotage. Un support moussu, qui maintient une bonne humidité, est idéal.

Les placer dans un endroit bien éclairé (si la lumière est insuffisante, leurs feuilles perdront vite leurs belles marbrures colorées et deviendront ternes et uniformément vertes), mais non exposé directement aux rayons du soleil qui feraient pâlir ces mêmes feuilles.

Les scindapsus aiment la chaleur : il leur faut un minimum de 18-20 °C, et ils ne craignent pas des températures plus caniculaires (jusqu'à 27-28 °C, et même davantage). Leur assurer un degré élevé d'humidité par de fréquentes vaporisations (au moins trois fois par semaine en été, en proscrivant l'eau calcaire qui tache irrémédiablement les feuilles) et en disposant dans la pièce suffisamment de récipients pleins d'eau pour maintenir une évaporation constante.

Arroser très régulièrement (tous les quatre ou cinq jours) mais sans excès, en laissant chaque fois le mélange sécher un peu en surface (sur 1 cm). Nourrir tous les quinze jours ou toutes les trois semaines avec un engrais liquide ordinaire dilué dans l'eau d'arrosage.

Automne et hiver. Il suffira d'un arrosage par semaine pour empêcher le compost de trop se dessécher. Cesser de donner de l'engrais pendant cette période de repos durant laquelle les températures ne devront jamais être inférieures à 13 °C.

Juste avant la reprise de la végétation, on pourra rabattre les tiges si on souhaite contrôler la croissance.

MULTIPLICATION

Par boutures terminales au printemps. Prélever des segments de 15 à 20 cm, en sectionnant juste sous un nœud. Enlever les feuilles inférieures et plonger la section dans une poudre à base d'hormones qui favorisera l'enracinement. Empoter et traiter ensuite comme une plante adulte, sans oublier de prévoir un support si on veut faire grimper le nouveau scindapsus.

On peut aussi procéder par division des touffes lors du rempotage. Veiller à ce que chaque portion comporte plusieurs tiges et des racines en quantité suffisante, et traiter comme indiqué précédemment.

Multiplication du scindapsus par boutures. Prélever à l'extrémité des tiges des segments de 15 à 20 cm de longueur.

Enlever les deux feuilles inférieures et ôter l'écorce sur 1 cm. Plonger ensuite la section dans une poudre radiculaire à base d'hormones.

Insérer la bouture jusqu'au niveau des premières feuilles dans du compost frais, en la soutenant si nécessaire par un tuteur.

Espèces

Scindapsus aureus Communément appelée arum grimpant, cette liane vigoureuse aux tiges anguleuses est originaire des îles Salomon. Dans son milieu naturel, elle atteint facilement 6 m d'extension, s'attachant aux arbres par ses racines aériennes charnues et produisant les caractéristiques inflorescences en spadice, entourées d'une grande spathe arrondie, des Aracées. En appartement, elle ne dépasse guère 1,50 m, et la floraison n'a jamais lieu. Ses feuilles cordiformes vert vif, coriaces et luisantes, sont marbrées ou tachetées de jaune. De taille modeste (10 à 15 cm de longueur) chez les sujets jeunes, elles peuvent atteindre 40 cm au bout de plusieurs années. Parmi les variétés les plus appréciées, citons 'Marble Queen' (ci-dessous, à droite), aux feuilles largement marbrées de blanc crème et parfois même entièrement blanches, tandis que feuilles et tiges offrent un camaïeu de jaunes chez 'Golden Queen'. 'Wilcoxii' présente des marbrures jaune d'or au dessin particulièrement net.

Scindapsus pictus Cette espèce originaire de Java et de Bornéo, était appelée jadis *Pothos argenteus*. Seule une variété est cultivée comme plante d'intérieur : il s'agit de 'Argyreus', liane de 1,80 à à 2,50 m de longueur qui se signale par ses tiges brunâtres et par ses feuilles mates, d'un vert olive foncé marqué de marbrures argentées sur la face supérieure, avec un revers d'un vert plus clair (ci-dessous, à gauche).

Scindapsus siamense Une espèce rare, originaire de Thaïlande, dont les minces feuilles cordiformes d'un vert mat sont ornées de magnifiques marbrures gris argenté et vert nil. À l'intérieur, cette plante ne dépasse pas 1,20 m.

Setcreasea

Famille : **Commélinacées**
Nom usuel : **setcreasea**

Setcreasea pallida Cette plante au remarquable feuillage violacé produit de fort jolies fleurs en été.

Il existe peu de plantes à feuillage violet. Les setcreaseas, qui partagent ce privilège avec certains gynuras, sont donc particulièrement intéressants : peu encombrants, ils offrent néanmoins tous les charmes des espèces à port retombant.

On aura tout intérêt à les cultiver dans une corbeille suspendue pour laisser retomber en cascade leurs rameaux gainés de feuilles sessiles lancéolées et oblongues qui se relèvent gracieusement à leur extrémité. Il faudra cependant prendre garde de ne pas toucher ces tiges ni ce feuillage couverts d'une pruine cireuse qui se détruit au moindre contact, privant la plante d'une protection naturelle qui renforce sa beauté.

L'effet sera encore plus heureux si on associe dans un même contenant un setcreasea (qui forme d'ailleurs une touffe un peu maigre) à une autre plante à feuillage vert.

Le genre a fait l'objet d'une récente rédéfinition, et certaines de ses espèces ont été reclassées avec les *Callisia* et les *Tradescantia*, genres étroitement apparentés aux *Setcreasea*.

TECHNIQUES DE CULTURE

Les setcreaseas ont une croissance très rapide, et un rempotage annuel (au printemps) ne suffira pas toujours. Dans ce cas, on les rempotera de nouveau à l'automne en utilisant un compost plutôt acide (un mélange de tourbe et de terreau, auquel on ajoutera un peu de sable et de terre de jardin). Assurer un bon drainage en disposant une couche de tessons au fond du pot.

Placer le pot à la pleine lumière. L'idéal est même de lui offrir trois ou quatre heures de soleil par jour pour qu'elle garde sa belle coloration violacée ou pourprée. Maintenir si possible la température à 18-20 °C (la plante supportera sans inconvénient jusqu'à 25-26 °C) et protéger en tout cas le setcreasea des brusques refroidissements.

Les arrosages doivent être très réguliers pendant la saison chaude. Mouiller copieusement le mélange sans noyer les racines en laissant de l'eau stagner, et laisser entre-temps sécher sur 1 cm. Éviter d'utiliser de l'eau calcaire. Un degré moyen d'humidité atmosphérique convient à cette plante qui ne supporte pas les vaporisations.

Pendant toute la période de croissance, nourrir une fois par mois avec un fertilisant ordinaire, mais s'abstenir de donner de l'engrais dans les deux mois qui suivent le rempotage.

MULTIPLICATION

Facile par boutures au printemps ou au début de l'été. Prélever des segments de tige d'environ 8 cm et les débarrasser des feuilles inférieures. Plonger la section dans une poudre à base d'hormones qui favorisera l'enracinement, puis planter dans un compost à base de tourbe. Tenir au soleil tamisé et à 18 °C environ, en arrosant juste assez pour garder le mélange légèrement humide.

Espèces

Setcreasea pallida Une plante élégante avec ses feuilles d'une subtile teinte gris-vert pourpré qui font un écrin, à l'extrémité des tiges, aux fleurs rose lilas.

Setcreasea purpurea Originaire du Mexique, cette espèce doit son succès à la couleur pourpre violacé de ses tiges et de son feuillage pruineux (ci-dessous). Bien que peu spectaculaires, ses fleurs roses à trois pétales sont gracieuses.

Sinningia

Famille : **Gesnériacées**

Noms usuels : **sinningia, gloxinia**

Sinningia speciosa Cette espèce est à l'origine des nombreux hybrides vendus sous le nom de gloxinias.

Les gloxinias, qui sont parmi les plus connues des plantes d'ornement, n'appartiennent pas au genre *Gloxinia,* mais au genre *Sinningia,* qui regroupe des espèces assez différentes, dont certaines étaient jadis classées parmi les *Rechsteineria.* Toutes ont néanmoins en commun une particularité : leurs racines naissent non pas sur le dessous mais sur le dessus du tubercule fibreux.

En réalité, les gloxinias vendus par les fleuristes sont presque tous des hybrides de *S. speciosa,* ou gloxinia élégant, qui se distinguent de l'espèce type par leurs tiges plus courtes et leurs fleurs plus largement ouvertes en forme de coupe, dressées et non plus pendantes.

TECHNIQUES DE CULTURE

Printemps et été. Rempoter les gloxinias au printemps dans un compost fertile à base de tourbe, de manière que le dessus du tubercule affleure à peine la surface.

Leur donner le maximum de lumière, en les protégeant en été des rayons les plus ardents du soleil. La température idéale se situe entre 18 et 21 °C, mais ces plantes supporteront jusqu'à 25 °C si l'humidité ambiante est suffisante : entourer le pot de tourbe humide et vaporiser le feuillage avec de l'eau tiède (et non calcaire) tous les matins, en évitant de mouiller les fleurs.

Dès que les nouvelles feuilles se forment, commencer à arroser assez généreusement (deux ou trois fois par semaine en été). La meilleure méthode consiste à immerger complètement le pot pendant quelques minutes, puis à le laisser bien égoutter pour éviter les stagnations d'eau autour des racines. Pendant toute la durée de la floraison, nourrir chaque semaine avec un engrais liquide.

Automne et hiver. Lorsque les feuilles commencent à se flétrir, signe que la plante va entrer en période de dormance, diminuer progressivement les arrosages, puis, dès qu'elles sont mortes, laisser le compost sécher. On peut alors laisser les tubercules dans le pot ou bien les extraire du compost et les stocker à l'abri du gel, dans un endroit sec.

MULTIPLICATION

Par division des tubercules au printemps, ou bien par boutures de feuilles en été. Après avoir incisé en plusieurs points la nervure principale, on les fera prendre racine à la surface d'un compost tourbeux recouvert d'une couche de 1 cm de sable, en veillant à ce que les nervures restent bien au contact du substrat. Garder à l'étouffée sans jamais laisser sécher.

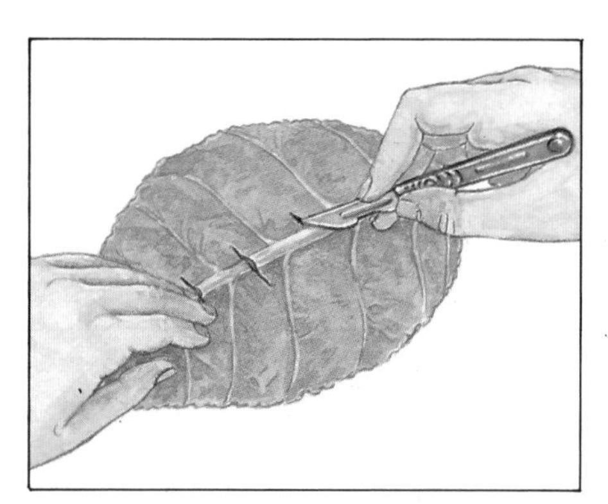

Multiplication par boutures de feuilles. Prélever une feuille parfaitement saine et la poser bien à plat, la face inférieure tournée vers le haut. Inciser la nervure centrale en plusieurs points.

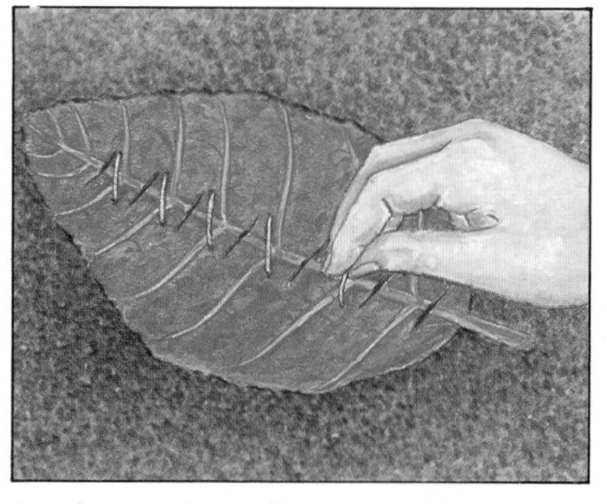

Remplir une caissette d'un compost à base de tourbe, puis le recouvrir de 1 cm de sable. Poser la feuille à la surface, en la maintenant par des agrafes ou des liens de fil de fer.

De minuscules plantules vont se développer à partir de la nervure centrale. Les détacher avec précaution lorsqu'elles seront pourvues de deux ou trois feuilles et les replanter séparément.

Espèces

Sinningia pusilla Cette espèce miniature, qui ne dépasse pas 5 cm de hauteur, connaît un succès croissant comme plante d'appartement. Le résultat est spectaculaire si on regroupe un certain nombre de pieds pour obtenir un effet de tapis. Cette plante a donné naissance à de nombreux hybrides nains, parmi lesquels 'Pink Petite', à fleurs roses, 'Doll Baby', aux fleurs bleu mauve veinées de blanc, et 'Wood Nymph', aux fleurs pourprées mouchetées de blanc.

Sinningia regina Haute de 20 à 25 cm, cette espèce a des feuilles d'un vert légèrement bleuté aux nervures blanc crème très apparentes. Ses fleurs pendantes campanulées sont blanches avec des stries violacées, tandis que les pétales s'ouvrent en cinq lobes violet pourpré (ci-dessus à droite).

Sinningia speciosa Le gloxinia élégant a des tiges duveteuses, et ses feuilles ovales veloutées, aux bords festonnés et à la face inférieure teintée de rouge, peuvent atteindre 20 cm de longueur. Cette plante doit son nom à Benjamin-Pierre Gloxin, botaniste français de la fin du XVIIIe siècle. Les hampes florales se forment à l'aisselle des feuilles supérieures et portent des fleurs pendantes dont la corolle forme cinq lobes asymétriques. Les hybrides, dont la collection s'accroît sans cesse, ont des fleurs de couleurs et de textures variées (en haut, à droite et à gauche, et ci-dessus à gauche).

Stapelia

Famille : **Asclépiadacées**

Nom usuel : **stapelia**

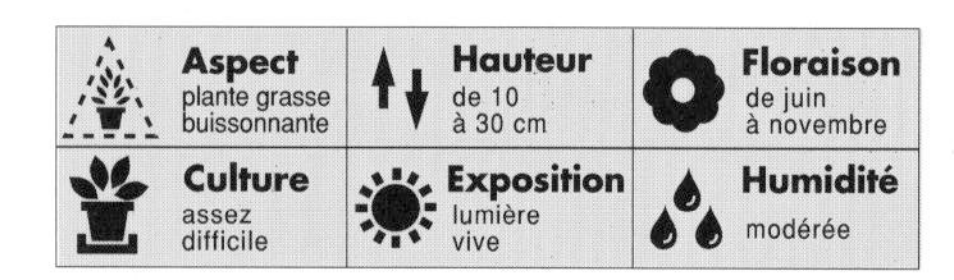

C'est le type même de la plante pour collectionneurs, celle qui semble résulter de quelque bizarre caprice de la nature et que l'on admire pour sa forme insolite, pour la texture et les couleurs de ses fleurs. Elles sont en vérité extraordinaires, les fleurs charnues des stapelias, semblables à des étoiles de mer ornées de rayures et de petits motifs symétriques que l'on dirait vus à travers un kaléidoscope. Malheureusement, il en émane une odeur fétide, qui rappelle fâcheusement celle des ordures ménagères ou de la viande avariée et qui attire les mouches, lesquelles, leurrées par cette similitude, y déposent leurs larves.

Ces exhalaisons putrides n'engagent guère à garder chez soi des plantes qui ne sont d'ailleurs pas très faciles à cultiver, et c'est pourquoi les stapelias sont encore aussi peu répandues.

Stapelia variegata Une plante grasse aux fleurs véritablement extraordinaires, mais à l'odeur fétide.

TECHNIQUES DE CULTURE

Printemps et été. Les stapelias, qui n'ont pas un système radiculaire très volumineux, poussent très bien dans des demi-pots ou dans des coupes. Mieux vaut néanmoins les changer souvent de récipient, en prenant chaque fois une taille supérieure (jusqu'à 30 cm de diamètre) pour inciter la plante à s'étaler et à développer de nouvelles tiges, car c'est sur celles-ci que se formeront les fleurs. Mettre au fond du pot une couche de brique pilée pour améliorer le drainage et remplir avec un compost poreux : un mélange à parts égales de terreau et de sable, additionné d'un peu de calcaire broyé. Terminer par une couche de sable.

Placer le pot dans un endroit bien ensoleillé, en tamisant les rayons les plus ardents en plein été. Les stapelias se plaisent dans une ambiance chaude et sèche, et la température ne doit jamais descendre au-dessous de 16 °C.

L'arrosage est l'opération la plus délicate, car ces plantes craignent autant l'excès d'eau, qui les fait pourrir, que le dessèchement. De mars à septembre, arroser tous les dix ou douze jours, de préférence par le bas (poser le pot dans une bassine à demi remplie d'eau tiède jusqu'à ce que tout le mélange soit humecté). Laisser ensuite sécher sur toute la surface avant de redonner de l'eau de la même manière. Y diluer toutes les trois semaines une dose de fertilisant liquide riche en potassium (du type engrais à tomates).

Automne et hiver. La floraison sera stimulée si on observe un repos hivernal pendant lequel on tiendra la plante dans une pièce plus fraîche (mais pas à moins de 12 °C). Il faudra impérativement maintenir une bonne ventilation et réduire les arrosages à la portion congrue, car l'association de la fraîcheur et de l'humidité provoquerait infailliblement la pourriture des tiges et des racines. Éviter malgré tout de laisser trop durcir le compost, car une plante flétrie reprend très difficilement. L'autre difficulté consiste à assurer au stapelia la forte luminosité qui lui est nécessaire en cette saison.

MULTIPLICATION

Facile par semis, en mars-avril, en recouvrant à peine les graines et en tenant à mi-ombre et à 21 °C. La germination est très rapide (une semaine environ), mais il faudra attendra de trois à cinq ans pour que la plante fleurisse.

Il est plus rapide de procéder par boutures de tiges entre juin et août. Prélever soit une tige principale munie de racines, soit un segment à la base d'une tige latérale et laisser sécher la section quatre ou cinq jours avant de planter dans un mélange poreux spécial pour cactées.

Espèces

Stapelia erectiflora Cette espèce à tiges minces et érigées d'une quinzaine de centimètres de hauteur se distingue par l'odeur nettement moins fétide (elle est seulement un peu désagréable) de ses petites fleurs pourprées, qui s'épanouissent en été. Elles ressemblent à des petits toques de fourrure avec leur couronne de pétales extérieurs très récurvés et entièrement recouverts de poils blancs, sur lesquels se détachent les cinq pétales intérieurs brun-rouge, étroits et disposés en étoile (ci-contre, en haut).

Stapelia flavopurpurea De courtes tiges érigées d'un vert bleuâtre et des fleurs ressemblant à des étoiles de mer vertes avec leurs cinq pétales extérieurs pointus, épais et granuleux caractérisent cette espèce originaire d'Afrique australe, comme tous les stapelias (ci-contre, en bas).

Stapelia gigantea Originaire du Natal, du Transvaal et de Rhodésie, cette espèce doit son nom à ses fleurs jaunes, finement tigrées de rouge, les plus grandes que nous connaissions dans tout le règne végétal (jusqu'à 35 cm de diamètre). Leur taille est d'autant plus impressionnante que les tiges vert clair anguleuses et duveteuses, bordées de dents espacées, ne dépassent guère 20 cm de hauteur. La floraison est toutefois difficile à obtenir à l'intérieur.

Stapelia variegata C'est l'espèce la plus communément cultivée. Ses tiges épaisses, ramifiées à la base et hautes de 15 cm, forment des touffes compactes. De section quadrangulaire et de couleur gris-vert avec des marbrures pourprées, elles font penser aux tiges articulées des cactées car leurs arêtes sont bordées de dents qui ressemblent à des épines mais qui sont en réalité des feuilles embryonnaires. D'abord érigées, elles tendent ensuite à retomber souplement. Les fleurs étoilées ne sont pas très grandes (de 5 à 8 cm de diamètre), mais elles sont remarquables par la précision géométrique de leurs petits dessins bruns et pourprés sur fond jaune. Les fruits sont des gousses en forme de cornet qui éclatent en libérant leurs graines. Il existe plusieurs variétés et hybrides parmi lesquels 'Atropurpurea', dont les fleurs ont le cœur pourpre, et 'Curtisii', aux pétales beige rosé mouchetés de brun (en haut).

Multiplication par boutures. En été, prélever des segments de 8 à 10 cm à la base des tiges latérales. Laisser sécher pendant quatre ou cinq jours, jusqu'à ce que l'écoulement de sève ait cessé.

Enfoncer la bouture de 1,5 cm dans un compost pour cactées léger bien drainé, en la soutenant au besoin par un tuteur (un fil de fer formant une boucle à son extrémité supérieure).

Maladies et parasites

Un arrêt de la croissance au printemps et en été peut être le signe d'une carence nutritive. Un rempotage s'impose alors. Fertiliser trois ou quatre fois jusqu'à l'automne.

Comme la plupart des plantes grasses, les stapelias subissent les invasions des cochenilles des racines. Si les tiges s'étiolent sans raison apparente, dépoter la plante pour repérer la présence éventuelle de plaques laineuses blanches sur l'appareil radiculaire. Si le diagnostic est confirmé, dégager délicatement les racines de la terre, en les lavant à l'eau tiède, puis les faire tremper quelques minutes dans une solution insecticide. Laisser sécher complètement avant de rempoter dans un pot parfaitement propre, en remplaçant l'ancien mélange par un compost stérile. Proches parentes des cochenilles des racines, les cochenilles farineuses se fixent souvent à la base des tiges : les enlever en frottant doucement avec un pinceau ou un tampon de coton imbibé d'alcool dénaturé, et renouveler le compost pour éliminer les larves qui pourraient s'y trouver.

L'arrosage ou le froid excessifs favorisent la propagation des maladies cryptogamiques. Des taches noires apparaissant sur les feuilles en sont le premier symptôme : traiter sans attendre avec un fongicide, sinon le mal s'étendra. Si les racines pourrissent à leur tour, la plante ne pourra être sauvée.

Strelitzia

Famille : **Musacées**

Noms usuels : **strelitzia, oiseau de paradis**

Strelitzia reginæ Ses fleurs étonnantes font penser à des oiseaux exotiques.

On connaît surtout les strelitzias pour avoir admiré chez les fleuristes leurs étonnantes inflorescences brillamment colorées, qui font penser à la huppe de quelque oiseau exotique (d'où ce surnom d'oiseau de paradis). Se dressant au-dessus d'une bractée carénée horizontale d'un vert lavé de pourpre, les fleurs se composent de sépales orangés et de pétales érigés d'un beau bleu outremer formant une sorte de crête.

Dans leur milieu naturel, en Afrique australe, certaines espèces de strelitzias ont un port arborescent et peuvent dépasser 7 m de hauteur. Leur taille est plus modeste chez nous, où ils font l'objet d'importantes cultures (pour les fleurs coupées) sur la Côte d'Azur ; et on peut les acclimater sur la côte basque et dans les jardins les mieux abrités du littoral atlantique. Ils ne sont pas particulièrement difficiles à cultiver à l'intérieur, mais leurs racines très volumineuses exigent des pots de grandes dimensions, et ils risquent de ne guère prospérer s'ils ne disposent pas d'un lit de terre d'au moins 60 cm d'épaisseur.

TECHNIQUES DE CULTURE

Printemps et été. Rempoter les strelitzias au début du printemps si leurs racines commencent à être à l'étroit (si on attendait trop, elles pourraient faire éclater le pot). Il leur faut un compost fertile à base de terreau, enrichi d'un peu de fumier bien décomposé, auquel on mélangera du sable pour améliorer le drainage.

Ces plantes, pour fleurir, auront besoin du maximum de lumière, et même de plusieurs heures de soleil par jour (en pleine canicule, les rayons les plus ardents de la mi-journée peuvent toutefois griller les fleurs). La température normale d'une pièce (18-20 °C) leur convient. Arroser copieusement, de manière à mouiller complètement le mélange, puis laisser sécher sur au moins 2,5 cm avant de redonner de l'eau. De mai à septembre, nourrir toutes les trois semaines avec un engrais liquide.

Automne et hiver. Les strelitzias ont besoin d'un longue période de repos hivernal, pendant laquelle on les tiendra si possible à 13-16 °C, dans un local bien aéré, mais à l'abri des courants d'air froid. N'arroser que pour empêcher le compost de se dessécher et de durcir.

MULTIPLICATION

Par division des touffes au début du printemps, en prélevant des portions comportant deux ou trois feuilles et des racines en quantité suffisante. Saupoudrer l'entaille d'un produit fongicide à base de soufre et rempoter dans un compost à base de terreau. Exposer au soleil tamisé et arroser parcimonieusement. Compter environ six semaines pour la reprise, puis traiter comme une plante adulte.

Espèces

Strelitzia reginæ Cette espèce originaire d'Afrique australe est la seule qui se cultive comme plante d'intérieur. En bac ou en pot, elle ne dépasse guère 1,20 m de hauteur. Portées par de longs et robustes pétioles cylindriques engainés à la base, ses feuilles ovales lancéolées de 30 à 40 cm de longueur sont épaisses et coriaces; d'un vert à reflets métalliques, elles ont des bords légèrement relevés. Cette plante fleurit pour la première fois au bout de six ans seulement.

Maladies et parasites

Il faut inspecter régulièrement le dessous des feuilles, où s'incrustent fréquemment les cochenilles (brunes ou farineuses). Les déloger en frottant avec un tampon d'ouate imbibé d'alcool dénaturé. Lutter contre les invasions des pucerons verts en pulvérisant un insecticide à base de pyrèthre, qui protégera également la plante des araignées rouges, qui peuvent proliférer par temps chaud et sec. Il existe des acaricides spéciaux qui aideront à s'en débarrasser, et on peut utiliser à titre préventif un insecticide systémique ajouté à l'eau d'arrosage.

Thunbergia

Famille : **Acanthacées**
Noms usuels : **thunbergie, suzanne-aux-yeux-noirs**

Thunbergia alata L'une des plus gracieuses plantes grimpantes, souvent traitée en annuelle.

Le genre *Thunbergia,* qui doit son nom au botaniste suédois Carl Peter Thunberg (1743-1828), regroupe quelque cent quatre-vingts espèces originaires des zones tropicales. Plusieurs de ces plantes grimpantes sont cultivées chez nous en serre ou en véranda, ou bien à l'extérieur pour couvrir tonnelles et pergolas si le climat est suffisamment doux (sur la Côte d'Azur ou dans les jardins les mieux abrités du Sud-Ouest). Une seule *(Thunbergia alata)* est véritablement acclimatée comme plante d'intérieur, encore que cette plante vivace soit le plus souvent traitée comme une annuelle, c'est-à-dire que l'on s'en défait après la floraison.

Cette floraison abondante, qui se poursuit sans discontinuer tout l'été et se prolonge parfois jusqu'aux derniers jours de l'automne, est le principal agrément des thunbergies, qui peuvent aussi se cultiver en corbeilles suspendues.

TECHNIQUES DE CULTURE

Printemps et été. Rempoter les thunbergies en mars-avril, lorsque leurs racines ont envahi tout l'espace disponible et commencent à se frayer un chemin par l'orifice du fond, mais ne pas utiliser de pot d'un diamètre supérieur à 20 cm. Les installer dans un compost poreux et nutritif (mélange de tourbe de terre de bruyère et de terreau, allégé par un peu de sable), parfaitement drainé.

Disposer une couche de tessons ou de cailloux au fond du pot et y insérer un tuteur, ou bien le tapisser d'une matière poreuse (sphaigne) si on les cultive en corbeille suspendue. Pincer l'extrémité des pousses pour stimuler la ramification et rabattre les rameaux ayant une croissance anarchique ou démesurée.

Ces plantes tolèrent une ombre légère mais préfèrent la lumière vive, et elles bénéficieront même de deux ou trois heures de soleil (pas trop ardent) par jour. La température normale d'une pièce leur convient jusqu'à 24 °C. Au-dessus, il faudra augmenter le taux d'humidité atmosphérique, car les thunbergies souffrent dans un air trop sec. Bassiner fréquemment le feuillage avec de l'eau non calcaire et pas trop froide. Assurer également une bonne ventilation et si possible placer le pot dehors, à l'abri des courants d'air froid pendant la belle saison.

Arroser modérément après le rempotage, en laissant chaque fois le mélange sécher sur 1 cm avant de redonner de l'eau, puis augmenter les arrosages dès l'apparition des boutons floraux. À partir de ce moment et jusqu'à ce que la dernière fleur soit fanée, garder le compost légèrement humide, en évitant les stagnations d'eau, si néfastes pour les racines.

Nourrir tous les quinze jours avec un engrais liquide ordinaire et éliminer à mesure les fleurs flétries pour empêcher qu'elles ne montent en graine et prolonger ainsi la durée de la floraison.

Automne et hiver. Pendant cette période de repos végétatif, la plante apprécie un peu plus de fraîcheur (la température idéale est de 16 °C), mais il ne faut en aucun cas l'exposer à moins de 10 °C. Si les températures sont basses, les feuilles risquent de tomber. Dans ce cas, rabattre les tiges à 30 cm. Arroser plutôt parcimonieusement, juste pour empêcher le compost de durcir.

MULTIPLICATION

Semer au début du printemps, en miniserre ou en caissette de multiplication, et tenir au chaud (24 °C), en arrosant très modérément.

La germination peut demander près d'un mois, mais les plantules se développent ensuite rapidement. Lorsqu'elles atteignent une dizaine de centimètres, les rempoter individuellement en pots de 8 cm de diamètre et les traiter comme des plantes adultes.

T. grandiflora se multiplie le plus souvent par boutures de tiges ligneuses à l'automne. Traiter avec une poudre aux hormones et faire prendre racine à l'étouffée (de 25 à 27 °C) et à l'ombre. Rempoter lorsque de nouvelles pousses se seront formées.

Maladies et parasites

Les araignées rouges sont les principaux ennemis des thunbergies (les feuilles deviennent sèches et cassantes, ponctuées de blanc, avec un revers grisâtre). Pulvériser un acaricide spécifique et bassiner fréquemment le feuillage pour prévenir une nouvelle invasion (ces parasites ne prolifèrent que dans les ambiances chaudes et sèches).

Les pucerons infestent souvent les jeunes pousses, qu'ils couvrent d'un enduit gluant et fuligineux. On s'en débarrassera avec un insecticide à base de pyrèthre.

Espèces

Thunbergia alata Originaire d'Afrique du Sud, cette plante à croissance rapide atteint 3 m de longueur même si elle est cultivée comme annuelle. Longues d'environ 8 cm et portées par de fins pétioles, ses feuilles dentées vert sombre, ovales-lancéolées ou triangulaires, sont insérées en spirale sur les tiges minces. Les fleurs très décoratives ont une corolle tubulaire jaune ou orangée qui s'épanouit largement en cinq lobes ressemblant à des pétales, laissant voir un œil central sombre (brun ou pourpre) qui a valu à cette plante le surnom charmant de « suzanne-aux-yeux-noirs ». La variété 'Suzy Mix' porte des fleurs dont la couleur varie du crème à l'orange foncé (ci-dessus, à droite), tandis que 'Alba' se différencie par ses fleurs blanches.

Thunbergia fragans Originaire de l'Inde, cette espèce a des feuilles cordiformes brillantes, aux bords finement dentés et des fleurs parfumées d'un blanc immaculé longues d'environ 3 cm (en haut, à gauche).

Thunbergia grandiflora Son nom spécifique fait référence à la taille remarquable (au moins 8 cm de diamètre) de ses fleurs d'un ravissant bleu lavande à la gorge blanche (à gauche), réunies en grappes axillaires plus ou moins serrées. Originaire de l'Inde septentrionale, cette thunbergie a des tiges grêles et flexibles qui peuvent atteindre 6 m de longueur et des feuilles cordiformes aux fortes nervures, longues de 20 à 25 cm.

Thunbergia kirkii Originaire d'Afrique orientale, cette thunbergie n'est pas une vraie plante grimpante mais un arbuste toujours vert au port quelque peu échevelé, qui ne dépasse guère 60 cm de hauteur. On l'apprécie pour ses belles fleurs d'un violet suave à la gorge jaune ou orangée, d'environ 2,5 cm de diamètre (en haut, à droite).

Tibouchina

Famille : **Mélastomacées**

Nom usuel : **tibouchina**

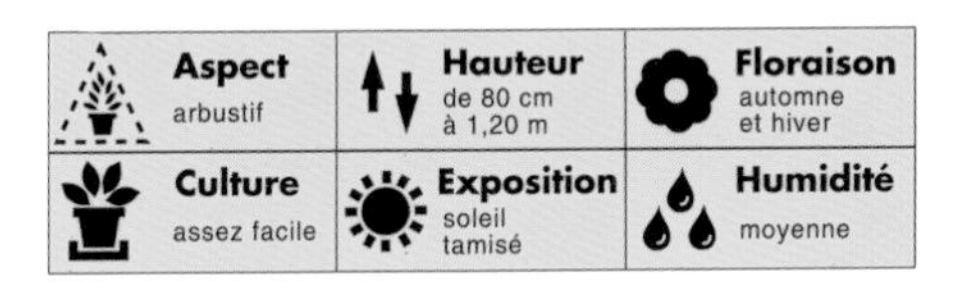

Tibouchina semidecandra Ses feuilles veloutées sont persistantes, et on admire en automne et en hiver ses fleurs d'une intense couleur violine que met en valeur le pourpre des étamines.

D'un bleu violine intense et presque fluorescent, les fleurs du tibouchina sont véritablement étonnantes, et le fait qu'elles s'épanouissent à l'automne et en hiver constitue un attrait supplémentaire.

Le genre compte quelque cent soixante espèces de plantes vivaces herbacées ou d'arbustes originaires d'Amérique du Sud et jadis classées dans le genre *Pleroma*. Ce sont des plantes de serre tempérée, qui s'utilisent pour la décoration de la terrasse ou du patio en été et qui doivent être rentrées à l'abri dès le mois de septembre. Une seule de ces espèces, *Tibouchina semidecandra*, convient à la serre froide et se cultive comme plante d'intérieur. On peut même la faire pousser en pleine terre sur la Côte d'Azur et dans les jardins les mieux abrités du littoral méditerranéen, à condition de protéger les pieds en hiver dès que la température descend en dessous de 4 °C.

TECHNIQUES DE CULTURE

Printemps et été. Rempoter au printemps, dans un compost léger à dominante acide : deux tiers de terre de bruyère pour un tiers de terreau, ou bien un mélange à parts égales de terre de jardin, de tourbe et de terreau de feuilles, enrichi de fumier vieux, bien décomposé. Un pot de 25 cm de diamètre suffira pour un exemplaire de 90 cm de hauteur et, lorsque la plante sera installée dans un pot de 30 cm, on se contentera de renouveler chaque année le compost de surface sur une épaisseur de 4 à 5 cm. Bien que les tibouchinas ne soient pas des plantes grimpantes, il est préférable de leur adjoindre un tuteur (on peut aussi, à l'intérieur comme sur la terrasse, les palisser sur un treillage).

Placer le pot à la pleine lumière en tamisant les rayons du soleil par un léger voilage. La température normale d'une pièce convient aux tibouchinas, qui ont besoin d'une bonne aération (pendant l'été, un séjour à l'extérieur, à l'abri des courants d'air et du soleil trop brûlant, leur sera bénéfique). Par temps chaud, poser le pot sur un lit de cailloux mouillés et bassiner le feuillage.

D'avril à septembre, arroser tous les quatre ou cinq jours assez copieusement, mais sans jamais laisser d'eau stagner dans la soucoupe. Nourrir toutes les trois semaines avec un engrais liquide ordinaire dilué dans l'eau d'arrosage.

Automne et hiver. Les tibouchinas ne fleurissent bien que s'ils ont suffisamment de lumière, et il leur faudrait idéalement de trois à quatre heures de soleil par jour. Après la floraison commence une courte période de repos hivernal, au cours de laquelle il est préférable de garder la plante au frais (de 13 à 15 °C). Arroser parcimonieusement, juste ce qu'il faut pour garder le compost à peine humide.

MULTIPLICATION

Par boutures au printemps. Prélever des segments de 10 à 12 cm de longueur, enlever les feuilles inférieures et planter dans un mélange de sable et de tourbe. Tenir au chaud (20 °C), en serre et en caissette de multiplication. Commencer à arroser dès les premiers signes de reprise et rempoter au bout de huit semaines.

Espèces

Tibouchina semidecandra Originaire de l'est du Brésil et plus précisément de l'île Santa Catarina, cette espèce, également connue sous le nom de *Tibouchina urvilleana*, est la seule qui puisse se cultiver en appartement. Ses tiges quadrangulaires, tendres et couvertes d'un duvet rougeâtre lorsqu'elles sont jeunes, deviennent brunes et ligneuses avec l'âge. Ses feuilles ovales d'un vert profond, marquées de nervures longitudinales, ont une surface veloutée et des bords dentés. Réunies par trois ou quatre à l'extrémité des rameaux, les fleurs ont une corolle à cinq pétales étalés et un bouquet de dix étamines pourprées. La variété 'Floribundum' se signale par la taille de ses fleurs (de 10 à 12 cm de diamètre).

Maladies et parasites

Les tibouchinas sont rarement attaqués par les parasites. Il faut toujours craindre, cependant, les invasions des araignées rouges qui prolifèrent rapidement dans les ambiances chaudes et sèches. Traiter sans attendre avec un produit spécifique (on trouve dans le commerce différents acaricides très efficaces) et augmenter l'humidité ambiante pour prévenir toute nouvelle infestation.

Tillandsia

Famille : **Broméliacées**

Nom usuel : **tillandsia**

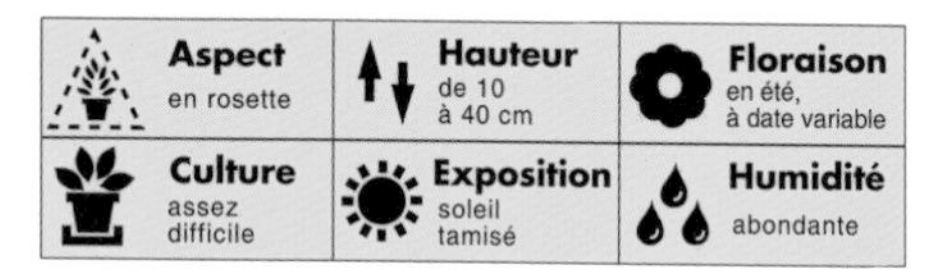

Le genre *Tillandsia,* l'un des plus multiformes au sein des Broméliacées, regroupe quelque quatre cents espèces originaires de l'Amérique tropicale et subtropicale. Les unes sont des plantes rares, réservées à la serre ou au jardin d'hiver, qui font l'orgueil des collectionneurs; d'autres peuvent s'acclimater à l'intérieur, mais exigent des soins vigilants.

Si l'on veut recréer des conditions analogues à celles de leur milieu naturel, on fera pousser ces épiphytes sur des supports adéquats (plaque de liège ou d'écorce, morceau de bois mort à la forme pittoresque). On obtiendra un résultat tout à fait extraordinaire en réunissant différentes espèces sur une grosse branche noueuse fixée verticalement de manière à simuler quelque étrange arbre exotique. Toutefois, les tillandsias acceptent d'être cultivés en pot, à condition que le compost soit suffisamment poreux.

TECHNIQUES DE CULTURE

Printemps et été. Les tillandsias peuvent être installés sur un support à n'importe quelle époque de l'année, hormis pendant la floraison. Envelopper les racines et la base de la plante dans de la sphaigne humide et les maintenir par un lien de plastique armé que l'on retirera lorsque de nouvelles racines se seront ancrées autour de ce support. Si on les cultive en pot, il leur faut un compost fibreux et bien perméable qui permette le parfait écoulement de l'eau et la bonne aération des racines (les mélanges spéciaux pour orchidées conviennent très bien). La plante n'aura pas besoin de rempotage.

Les tillandsias aiment beaucoup la lumière, et le soleil (légèrement tamisé aux heures les plus chaudes) leur est bénéfique. Il est plus difficile de leur assurer en permanence l'ambiance de serre chaude et humide qui leur est indispensable. En période de croissance, la température optimale sera de 22-24 °C, et le thermomètre ne devra pas descendre au-dessous de 16 °C. Faute d'humidificateur électrique (de loin la solution la plus efficace), on posera le pot sur un lit de cailloux mouillés ou on l'enveloppera d'un manchon de tourbe que l'on humectera régulièrement. Bassiner les feuilles deux fois par semaine avec de l'eau douce (comme toutes les Broméliacées, les tillandsias redoutent le calcaire), préalablement tiédie à température ambiante afin d'éviter les « chocs thermiques » qui pourraient faire dépérir la plante. Diriger la vaporisation de bas en haut, de sorte que les fines gouttelettes roulent le long des feuilles et aillent s'accumuler dans l'entonnoir au creux de la rosette, si petit chez les tillandsias qu'il est difficile de le remplir directement.

Ces vaporisations suffiront souvent aux espèces fixées sur des supports. Arroser régulièrement mais modérément les tillandsias cultivés en pot. Nourrir tous les quinze jours avec une demi-dose d'engrais liquide. Ces plantes ont besoin d'une bonne aération et profiteront d'un séjour en plein air à la belle saison, mais elles supportent mal la pollution.

Automne et hiver. Si la température reste supérieure à 18 °C, les tillandsias auront une croissance ininterrompue. Sinon, observer une période de repos au cours de laquelle on réduira les arrosages (une fois par semaine suffira) ou les vaporisations pour éviter tout risque de pourriture (laisser chaque fois le compost sécher en surface sur 1/2 cm). Ne jamais exposer la plante à une température inférieure à 13 °C.

MULTIPLICATION

Après la floraison, la rosette meurt, habituellement au bout de trois ans, non sans avoir émis des rejets qu'il faut détacher lorsqu'ils portent des feuilles et replanter dans un mélange de tourbe et de sable.

Maladies et parasites

En été, les fourmis envahissent quelquefois les inflorescences, dont l'odeur les attire. On les éloignera en saupoudrant la base de la plante d'un produit antifourmis. Parmi les autres parasites, les plus fréquents sont les araignées rouges, qui tendent leurs toiles sous les feuilles : ôter ces filaments blanchâtres à l'aide d'une petite éponge humide, puis pulvériser un insecticide à base de malathion dilué. Les tillandsias peuvent aussi être infestés par les cochenilles farineuses, que l'on enlèvera en frottant délicatement avec un tampon d'ouate imbibé d'alcool dénaturé.

Bien que les tillandsias soient assez résistants aux maladies, le froid et l'excès d'humidité peuvent favoriser le botrytis. Traiter avec un fongicide et placer le pot dans un endroit plus chaud. Cesser les vaporisations et laisser

Tillandsia ionantha Cette belle plante épiphyte peut se cultiver au creux d'une branche d'arbre.

Pour multiplier un tillandsia cultivé sur un support, détacher délicatement l'un des rejets à la base de la plante même, avec si possible quelques racines.

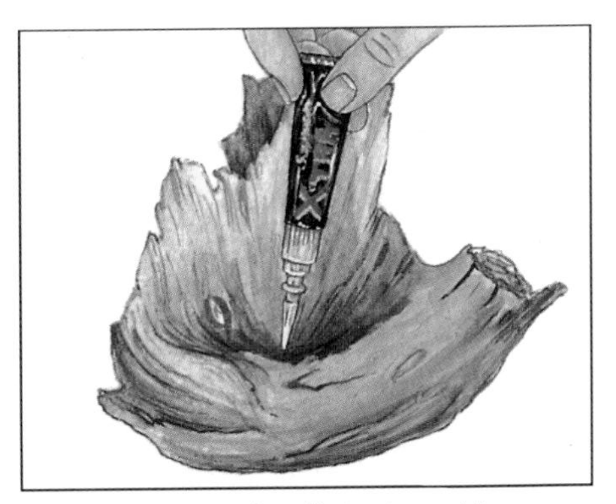

Déposer une goutte de colle à prise rapide sur un nouveau support, parfaitement nettoyé et séché (morceau de bois mort ou d'écorce).

Poser la plantule sur le point de colle et la maintenir jusqu'à ce qu'elle y adhère. De nouvelles racines ne tarderont pas à se former.

Espèces

Tillandsia bulbosa Cette espèce doit son nom aux feuilles situées à la base de la rosette, renflées et formant une sorte de bulbe. Les autres feuilles, filiformes, charnues et flexueuses ont un aspect un peu échevelé. Les fleurs pourpres, aux pétales lavés de blanc au sommet, sont réunies par trois ou par six en épis (en bas).

Tillandsia cyanea Cette espèce, la plus couramment cultivée à l'intérieur, forme une rosette lâche. Son inflorescence en éventail est tout à fait caractéristique, avec ses bractées teintées de rose et imbriquées comme les tuiles d'un toit.

Tillandsia ionantha Ce tillandsia d'origine mexicaine forme une rosette touffue de 8 à 10 cm de hauteur dont les feuilles superposées, coriaces et récurvées, ont une face inférieure écailleuse et grisâtre. Les feuilles du centre virent au rose avant la floraison. Les fleurs violettes, qui laissent dépasser de longues étamines jaune d'or, apparaissent en juillet au sommet de l'inflorescence en épi.

Tillandsia lindeniana L'une des plus belles plantes de véranda et de jardin d'hiver, très gracieuse avec sa rosette de longues feuilles linéaires souplement récurvées et sa large inflorescence aplatie regroupant une vingtaine de fleurs d'un bleu violacé, entourées de bractées au revers rose vif.

Tillandsia usneoides Très répandue en Amérique tropicale, cette espèce atteste de la diversité du genre *Tillandsia* : ici, pas de rosette ni d'inflorescence en épi au sommet d'une hampe, mais une masse enchevêtrée de longues tiges filiformes, recouvertes de petites écailles argentées qui sont en réalité des feuilles minuscules. Dans son milieu naturel, cette plante épiphyte pend aux branches des arbres comme une sorte de lichen, ce qui lui a valu son nom local de mousse espagnole. On la surnomme encore fille de l'air ou barbe de vieillard. En juillet apparaissent des petites fleurs solitaires d'un vert jaunâtre, aux sépales teintés de rouge, qui n'ont guère d'intérêt décoratif (il est vrai que la floraison a rarement lieu en appartement).

Cette plante curieuse à bien des égards (ci-contre) exige des conditions particulières. Tout d'abord, on ne la cultive jamais en pot, mais toujours accrochée à un support aérien. Ensuite, il est préférable de ne pas la placer à l'extérieur en été, car les oiseaux la dépècent volontiers pour en faire leur nid. Enfin, pour la multiplier, il suffit d'en détacher quelques tiges que l'on fixe à un nouveau support.

Urceolina

Famille : **Amaryllidacées**

Nom usuel : **urcéoline**

Ces plantes bulbeuses à feuilles caduques sont originaires des Andes péruviennes, où elles poussent entre 2000 et 3400 m d'altitude. Le genre ne comprend guère que quelques espèces, dont trois seulement sont cultivées chez nous, en serre froide, en véranda ou en appartement (à condition de pouvoir leur offrir suffisamment de lumière).

Le genre tire son nom du latin *urceolus* (« grelot »), en référence à la forme caractéristique des fleurs campanulées, réunies en ombelles au sommet de hampes robustes : le périanthe a d'abord l'aspect d'un tube étroit, puis se dilate et se renfle, formant une clochette d'où dépassent les étamines groupées en bouquet.

TECHNIQUES DE CULTURE

Printemps et été. Planter les bulbes au début du printemps, en les réunissant de préférence par sept ou huit dans un pot de 18-20 cm de diamètre pour obtenir une belle touffe. Ces bulbes ne doivent pas être enterrés profondément mais affleurer la surface. Utiliser un compost léger et nutritif, qui restera bien perméable (un mélange à parts égales de terre de jardin, de terreau de feuilles, de tourbe et de sable), et disposer au fond une épaisse couche de tessons ou de galets pour améliorer le drainage.

Placer le pot en pleine lumière, sans l'exposer directement aux rayons du soleil, et le tenir à une température voisine de 18 °C (ces plantes craignent les grandes chaleurs). Dès l'apparition des premières pousses, les arrosages devront être fréquents mais judicieusement dosés, de manière à garder le compost légèrement humide sans jamais laisser stagner d'eau. Lorsque les hampes florales se développent, nourrir tous les quinze jours avec un engrais liquide, en n'employant que la moitié de la dose indiquée.

Urceolina miniata Ses fleurs pendantes de couleur orangée lui donnent tout son charme.

Automne et hiver. Après la floraison, les urcéolines entrent en phase de repos jusqu'au printemps suivant. Cesser les arrosages afin de laisser faner feuilles et tiges, qui meurent chaque année.

Tandis que les parties aériennes se dessèchent lentement, le bulbe emmagasine des réserves nutritives qui lui permettront de subsister et de donner naissance à de nouvelles tiges lorsque reviendra la période de végétation. Laisser le pot à sa place, en s'assurant que le thermomètre ne descend pas au-dessous de 10 °C, car ces plantes non rustiques craignent les basses températures. La circulation d'air se fera par l'orifice du fond, d'où l'importance d'assurer un bon drainage.

MULTIPLICATION

La méthode la plus facile et la plus rapide consiste à détacher au printemps les bulbilles qui se sont formées autour du bulbe principal et à les replanter comme indiqué précédemment (elles donneront des fleurs la même année).

On peut également procéder par semis, mais il faudra alors attendre deux ans avant d'obtenir des fleurs. Semer en mars, dans un compost bien meuble (allégé en lui mélangeant un tiers de sable). Placer en caissette de multiplication ou enfermer dans un sachet en plastique transparent et tenir à 21 °C jusqu'à ce que les graines lèvent, puis repiquer en pots de 8 cm.

Espèces

Urceolina miniata Également connue sous le nom d'*Urceolina peruviana*, cette espèce est la plus couramment cultivée. Son bulbe de la grosseur d'une noix donne naissance à deux feuilles lancéolées et pointues, aux bords récurvés, d'environ 20 cm de longueur pour 3 ou 4 cm de largeur. Portées par un long pédicelle, d'abord dressées et ensuite légèrement pendantes, les fleurs sont réunies par quatre ou par six au sommet d'une hampe de 25 à 30 cm, qui apparaît après les feuilles, alors que celles-ci commencent déjà à se dessécher. De couleur rouge corail, orange vif ou jaune d'or, le périanthe présente un assez net étranglement aux deux tiers de sa longueur, puis s'évase en formant des dents.

Urceolina pendula Cette espèce doit son nom à ses fleurs campanulées et pendantes qui apparaissent au début de l'été, réunies par dix au sommet de hampes de 30 cm. Le périanthe jaune d'or est veiné de vert, avec des marges blanches. Longuement pétiolées, les feuilles oblongues à l'extrémité effilée sont d'un vert luisant.

Vallota

Famille : **Amaryllidacées**

Nom usuel : **amaryllis pourpre**

Cette splendide plante d'intérieur n'est pas aussi difficile à cultiver qu'on pourrait le croire. Elle se plaira sur l'appui ensoleillé d'une fenêtre car elle s'adapte assez bien aux températures qui règnent dans nos appartements. Année après année, elle produira de nouvelles feuilles rubanées, vertes et luisantes, cuivrées à leur base, et elle nous enchantera à la fin de l'été par ses luxuriantes inflorescences.

Vallota purpurea Relativement facile à cultiver, cette bulbeuse séduit par ses fleurs somptueuses.

TECHNIQUES DE CULTURE

Printemps et été. Planter les bulbes en avril-mai dans un compost fertile à base de terreau, en les enterrant seulement à mi-hauteur et en pressant bien la terre tout autour. Ne pas rempoter avant trois ou quatre ans, car ces plantes n'aiment pas que l'on dérange leurs racines (on se contentera d'un surfaçage sur 3 cm d'épaisseur, en ajoutant un peu d'engrais organique à action lente).

Placer le pot à l'abri des courants d'air, à la pleine lumière et si possible dans un endroit ensoleillé (en le protégeant toutefois en été des rayons les plus ardents de la mi-journée). La température idéale se situe autour de 20 °C (avec un maximum de 24-25 °C pendant la floraison). Pendant la saison chaude, un séjour en plein air sera bénéfique.

Les plantes nouvellement empotées ne doivent jamais être arrosées immédiatement (laisser sécher le compost de moitié avant de donner de l'eau). Après quoi, arroser régulièrement, mais avec modération, de mars à juin, de façon à garder le mélange humide en permanence, sans trop l'imbiber. De juillet à septembre, réduire un peu les apports d'eau. Nourrir tous les quinze jours avec une dose d'engrais liquide dilué dans l'eau d'arrosage jusqu'à l'apparition des hampes florales. Après quoi, administrer tous les dix jours un fertilisant riche en potassium (du type engrais à tomates).

Les fleurs s'épanouissent normalement vers la fin août ou au début du mois de septembre. Lorsqu'elles se fanent et que la tige se flétrit, la couper presque au ras du bulbe en se servant d'une lame de rasoir ou d'un couteau bien tranchant, et non de ciseaux, qui l'écraseraient.

Automne et hiver. Si on continue les arrosages, la plante garde en principe ses feuilles, comme c'est le cas dans son milieu naturel. Cependant, il est préférable d'observer une période de repos hivernal pendant laquelle on la tiendra au frais (10-13 °C) et presque au sec en ne donnant que la quantité d'eau indispensable pour empêcher le compost de durcir. Protéger des courants d'air froid et garder à la pleine lumière.

MULTIPLICATION

Au cours des trois ou quatre premières années de croissance, la plante produit un certain nombre de bulbilles que l'on voit se développer à la surface. On peut les détacher avec précaution et les planter dans des pots de 8 cm de diamètre en les rempotant chaque année jusqu'à ce qu'elles soient prêtes à fleurir (lorsqu'elles ont atteint 3-4 cm de diamètre). Les traiter alors comme indiqué précédemment.

Espèces

Vallota purpurea Appelée également *Vallota speciosa,* cette espèce originaire d'Afrique du Sud est la seule représentante de son genre, que certains botanistes assimilent au genre *Amaryllis.* Ses feuilles rubanées vert foncé sont étroites (2 cm de largeur pour une longueur de 35 à 40 cm), et souvent teintées de rouge cuivré à la base. Réunies par groupes de trois à huit en volumineuses ombelles au sommet de hampes de 60 cm de hauteur, ses fleurs en trompette d'une rutilante teinte écarlate ont un diamètre d'environ 10 cm une fois ouvertes. Il existe des variétés aux nuances plus rares, comme 'Delicata', aux fleurs d'une ravissante couleur rose pêche, ou 'Alba', à fleurs blanches.

Vriesia

Famille : **Broméliacées**

Nom usuel : **vriesia**

Aspect	Hauteur	Floraison
en rosette	de 40 à 60 cm	à date variable
Culture	**Exposition**	**Humidité**
assez facile	lumière vive	moyenne

Dédié au botaniste hollandais Wilhelm Hendrik De Vries (1806-1862), c'est le genre le plus important de la famille des Broméliacées, avec quelque deux cent cinquante espèces qui vivent en épiphytes dans les forêts de l'Amérique tropicale. Certaines sont fort populaires comme plantes d'appartement et sont appréciées à la fois pour leurs feuilles harmonieusement disposées en rosette, souvent striées, zébrées ou marbrées, et pour leurs spectaculaires inflorescences en épis, qui ont valu à l'espèce la plus couramment cultivée, *Vriesia splendens*, son surnom d'épée-de-feu. Ce ne sont pas tant les fleurs (éphémères, petites et de teinte plutôt terne) qui sont séduisantes que les bractées brillamment colorées.

Vriesia splendens Une plante aussi recherchée pour son feuillage zébré de brun pourpré que pour ses hautes inflorescences en épis.

TECHNIQUES DE CULTURE

Printemps et été. Les vriesias se rempotent au printemps, lorsque leurs racines ont envahi tout l'espace disponible, mais un pot de 14 cm de diamètre suffit en général aux exemplaires adultes, à moins que l'on ne veuille réunir plusieurs rosettes dans le même contenant. Il leur faut un compost poreux et nutritif, du type recommandé pour les Broméliacées (par exemple un mélange de tourbe, de sable, d'écorce de sapin grossièrement broyée et de terreau de feuilles fibreux ou de terre de bruyère). Placer la plante en pleine lumière et lui assurer si possible deux ou trois heures de soleil par jour (elle ne fleurira pas si elle est insuffisamment éclairée) en la protégeant toutefois des rayons les plus ardents de la mi-journée.

La température normale d'une pièce convient aux vriesias, mais il leur faut un degré élevé d'humidité atmosphérique par temps chaud (poser le pot sur un lit de cailloux mouillés).

Pendant toute la période de croissance, arroser environ deux fois par semaine, en remplissant d'abord l'« entonnoir » au centre de la rosette (ce réservoir naturel ne doit jamais être vide) et en laissant le liquide déborder et humecter le compost, qui ne doit cependant pas être saturé. Utiliser toujours de l'eau douce, préalablement tiédie à température ambiante, car ces plantes redoutent le calcaire.

Dépoussiérer régulièrement les feuilles avec une éponge humide, mais ne jamais employer de produits lustrants qui les endommageraient. Nourrir tous les quinze jours avec une demi-dose d'engrais liquide dilué dans l'eau d'arrosage.

Automne et hiver. Pendant la période de repos hivernal, la température ne doit pas descendre au-dessous de 13 °C. Réduire les arrosages de manière à maintenir le compost à peine humide (il n'est plus nécessaire de remplir d'eau la coupe centrale de la rosette).

MULTIPLICATION

La floraison a lieu au bout de deux ou trois ans, puis la rosette meurt après avoir émis à sa base plusieurs rejets qu'il suffit de détacher au printemps, lorsqu'ils sont bien enracinés, et de replanter pour obtenir un nouvel exemplaire.

Maladies et parasites

Des feuilles qui s'étiolent peuvent faire soupçonner la présence d'araignées rouges (examiner le revers, où elles ont coutume de tendre leurs minuscules toiles). Les éliminer avec une éponge et augmenter l'humidité ambiante, mais éviter d'employer un insecticide trop actif (du type malathion) qui endommagerait cette plante sensible aux agressions chimiques. De même, déloger les cochenilles farineuses avec un tampon d'ouate imbibé d'alcool dénaturé.

Espèces

Vriesia fenestralis Originaire du Brésil, cette espèce a des feuilles arquées vert clair, marquées de fines stries pointillées d'un vert plus foncé, avec souvent une face inférieure teintée de rose ou de pourpre. L'inflorescence, qui se forme au sommet d'une hampe d'environ 45 cm de hauteur, se compose d'une vingtaine de bractées vert pâle luisantes, tachées de pourpre, et de fleurs tubuleuses jaune soufre, longues de 6 cm (ci-contre).

Vriesia splendens D'origine vénézuélienne, cette espèce forme une rosette lâche, dont les feuilles retombent souplement à leur extrémité. D'un vert bleuté, zébré transversalement de brun-pourpre sur leur face supérieure, elles ont un revers grisâtre. La hampe florale porte une imposante inflorescence aplatie dont les bractées ont une éclatante couleur rouge orangé (d'où le nom usuel d'épée-de-feu). La variété 'Major' a des feuilles plus longues et plus larges, tandis que celles de la variété 'Striatifolia' se distinguent par des stries longitudinales blanc crème.

Woodwardia

Famille : **Polypodiacées**

Nom usuel : **woodwardia**

Aspect fougère	**Hauteur** de 80 cm à 2,40 m	**Floraison** inexistante
Culture assez facile	**Exposition** ombragée	**Humidité** abondante

Contrairement à la plupart des fougères ornementales, qui sont des plantes tropicales, les woodwardias sont originaires des zones tempérées de l'hémisphère Nord, et les espèces les plus rustiques s'acclimatent au jardin à condition de les protéger du gel. Les autres sont des plantes de serre froide ou d'appartement faciles à cultiver et relativement peu exigeantes si on leur assure suffisamment de fraîcheur et d'humidité.

Le genre regroupe une douzaine d'espèces attrayantes par les dimensions imposantes de leurs frondes, qui dépassent souvent 2 m de hauteur.

TECHNIQUES DE CULTURE

Printemps et été. Les woodwardias se rempotent chaque printemps dans un compost poreux et bien drainé, riche en matières organiques : on obtiendra de bons résultats avec un mélange de tourbe et de terreau de feuilles. Déposer au fond du récipient une bonne épaisseur de tessons, puis une couche de fragments de charbon de bois qui assainira le substrat. Lorsque ces fougères sont installées dans un pot de 28-30 cm de diamètre, on se contentera de renouveler le compost de surface sur une épaisseur de 4-5 cm.

À l'extérieur, les woodwardias se plaisent à l'ombre, mais, en appartement, il suffit de les protéger du soleil et de la lumière trop vive, à condition que les températures ne soient pas trop élevées (jamais plus de 20-21 °C). L'excès d'arrosage n'est guère à craindre, car ces plantes ont besoin de beaucoup d'eau, et le compost ne doit jamais sécher, même en surface. Par les journées les plus chaudes, assurer une bonne ventilation et rafraîchir le feuillage par de fréquentes pulvérisations d'eau douce (comme la plupart des fougères, les woodwardias redoutent le calcaire). Nourrir toutes les trois semaines avec un engrais liquide.

Maladies et parasites

Ces fougères sont rarement attaquées par les parasites. Cependant, par temps chaud, elles peuvent être infestées par les thrips (les jeunes pinnules sont striées ou tachetées de noir). Couper les pinnules les plus endommagées et traiter les parties saines avec un insecticide approprié.

Les woodwardias sont très gourmands en eau et, dès qu'ils souffrent de la sécheresse, leurs frondes jaunissent, se recroquevillent et finissent par tomber.

Automne et hiver. Réduire un peu les arrosages, surtout si les températures sont basses (mais elles ne doivent pas descendre au-dessous de 8-9 °C), et tenir toujours la plante à l'ombre légère.

MULTIPLICATION

Chez certaines espèces apparaissent sur les frondes des sortes de bourgeons bulbeux à partir desquels se développent des plantules qu'il suffit de prélever et de replanter en les tenant à l'étouffée et à 18-21 °C jusqu'aux premier signes de reprise. Si ce n'est pas le cas, on multipliera ces fougères par division des touffes entre novembre et mars.

Woodwardia Ces belles fougères supportent le plein air et aiment l'ombre.

Espèces

Woodwardia areolata Originaire des forêts humides de l'Amérique du Nord, cette espèce à rhizome court et rampant et à frondes triangulaires vert foncé est suffisamment rustique pour être cultivée en plein air dans les régions où les hivers ne sont pas trop rigoureux, en prenant la précaution de la protéger du froid.

Woodwardia radicans Plus délicate, cette fougère à rhizome épais et rampant, originaire de l'Europe méridionale, de Madère et des Canaries, est plutôt une plante de serre froide, mais elle s'acclimate assez bien en appartement. Profondément découpées, ses frondes vertes et brillantes, élégamment arquées et retombantes, sont mises en valeur si on cultive la plante en corbeille suspendue.

Woodwardia virginica Originaire de l'est des États-Unis (du Canada à la Floride), cette fougère à rhizome souterrain est très élégante avec ses frondes à pinnules coriaces linéaires et lancéolées. On peut la cultiver en plein air dans les régions à climat doux, en protégeant les souches du gel pendant l'hiver.

Xanthosoma

Famille : **Aracées**

Nom usuel : **xanthosoma**

Proches parentes des arums, ces plantes exotiques sont plus appréciées pour leur feuillage décoratif que pour leurs fleurs, fort belles avec la spathe et le spadice caractéristiques de cette famille, mais qui apparaissent rarement hors de leur milieu naturel.

La serre ou le jardin d'hiver, avec leur atmosphère d'air moite et leurs températures élevées, leur conviennent d'ailleurs mieux que l'appartement, mais on peut à la rigueur les garder dans une pièce bien chauffée si on parvient à maintenir un degré d'humidité suffisant.

Originaire de l'Amérique tropicale, le genre *Xanthosoma* comprend une quarantaine d'espèces rhizomateuses à feuilles coriaces, portées par un long et robuste pétiole, et à fleurs monoïques. Leurs tiges dressées laissent échapper une sorte de latex quand on les brise.

TECHNIQUES DE CULTURE

Printemps et été. Rempoter les xanthosomas tous les deux ou trois ans à la fin de l'hiver, juste avant la reprise de la végétation, dans un compost léger et perméable (un mélange à parts égales de terreau de feuilles et de terreau fertile), en disposant une couche de tessons au fond du récipient pour améliorer le drainage.

Placer la plante à l'ombre légère, dans un endroit où les rayons du soleil ne risquent pas de l'atteindre, et veiller à ce que la température reste toujours supérieure à 20 °C (ce qui n'est pas toujours facile à la fin du printemps, lorsque le chauffage central est arrêté). En plein été, les xanthosomas supporteront aisément jusqu'à 30 °C, mais il faut les tenir dans une ambiance humide : l'humidificateur électrique est idéal. À défaut, poser le pot sur un lit de cailloux mouillés et vaporiser fréquemment le feuillage à l'eau douce.

Jusqu'au mois d'avril, distribuer l'eau avec modération, juste pour empêcher le compost de sécher, puis arroser généreusement à partir de mai. Nourrir tous les quinze jours avec un engrais liquide.

Automne et hiver. Jusqu'au mois de novembre, le thermomètre ne doit guère descendre au-dessous de 20 °C. Attention donc aux matinées et aux soirées fraîches de l'automne. Par la suite, pendant la période de repos hivernal, la plante s'accommodera de températures un peu plus fraîches (jamais inférieures à 14 °C), mais il faudra la tenir à l'abri des courants d'air froid. Réduire alors les arrosages sans laisser sécher le compost, et maintenir une humidité atmosphérique élevée.

MULTIPLICATION

Par division des rhizomes au printemps (chaque portion doit comporter au moins un bourgeon). Traiter les sections avec une poudre soufrée pour prévenir les moisissures et planter chaque partie dans un pot de 12 cm de diamètre, dans un compost poreux et bien humide. Tenir à l'ombre et à 24 °C jusqu'à l'apparition de nouvelles pousses, puis traiter comme indiqué précédemment.

Xanthosoma lindenii Ses feuilles sont très décoratives avec leur réseau de nervures blanc ivoire.

Espèces

Xanthosoma atrovirens Originaire du Venezuela et très répandue aux Antilles comme plante d'ornement, cette espèce a des feuilles vert foncé à nervures d'un vert plus vif et à revers glauque. La spathe verte forme un tube ovoïde, et le spadice, qui peut atteindre 10 cm de hauteur, est jaune ou rose.

Xanthosoma lindenii C'est pratiquement la seule espèce cultivée comme plante d'appartement. D'origine colombienne, cette plante a de magnifiques feuilles sagittées aux bords légèrement récurvés d'environ 25 cm de longueur, dont le vert profond est rehaussé par le réseau des nervures blanc ivoire. Plus grande que l'espèce type, la variété 'Magnificum' a des feuilles d'un vert plus clair, tirant sur le jaune, et des nervures d'un ton crème plus soutenu.

Maladies et parasites

Cochenilles brunes et cochenilles farineuses s'éliminent de préférence en frottant délicatement avec un tampon d'ouate imbibé d'alcool dénaturé. Sensibles aux agressions chimiques, les xanthosomas réagissent en effet mal aux insecticides classiques. Ce sont des plantes gourmandes, et la moindre carence en éléments nutritifs se traduit par le ternissement et l'affaissement des feuilles.

Yucca

Famille : **Liliacées**

Nom usuel : **yucca**

Avec leur épaisse tige lignifiée au sommet de laquelle s'épanouit une touffe de feuilles rigides et ensiformes, les yuccas sont des plantes séduisantes qui font penser à des palmiers miniatures et qui apportent une touche exotique au décor de la maison.

On comprend dès lors qu'ils soient devenus très à la mode, bien que ces plantes soient de culture délicate en appartement ; elles réussissent bien en vitrine ou en jardin d'hiver. Certaines espèces, plus rustiques, peuvent se cultiver en plein air et résistent même aux gelées, produisant de superbes inflorescences blanches en épis (la floraison a très rarement lieu à l'intérieur). Elles ne donnent toutefois jamais de fruits car la pollinisation doit être assurée par un insecte spécifique qui ne se rencontre que dans leur habitat d'origine.

Le genre compte une quarantaine d'espèces, originaires d'Amérique centrale et des Antilles, qui peuvent atteindre 12 m de hauteur dans leur milieu naturel, mais qui ont des dimensions beaucoup plus modestes sous nos latitudes.

TECHNIQUES DE CULTURE

Printemps et été. Rempoter les jeunes yuccas tous les ans au printemps, même si leurs racines sont loin d'avoir envahi tout l'espace disponible, car la plante, par son seul poids, risque de manquer de stabilité et de se renverser dans un contenant trop exigu.

Lorsqu'on en arrive à un pot de 40 cm de diamètre, on remplacera le rempotage par un surfaçage (renouvellement du compost de surface sur 4 à 5 cm d'épaisseur). Utiliser un mélange léger, fertile et bien drainé mais retenant l'humidité (moitié terreau de feuilles, moitié tourbe, avec un peu de sable fin pour améliorer la perméabilité).

Yucca elephantipes Une plante d'intérieur qui séduit par son aspect exotique.

Maladies et parasites

Si la plante est mal ancrée dans son pot, elle risque de basculer. Il faut la rempoter en la plaçant bien au centre du pot et en pressant le compost autour des racines pour assurer une meilleure stabilité. Un arrêt de la croissance peut être dû soit à des carences nutritives soit à à une température trop basse : donner de l'engrais une fois par semaine et tenir la plante dans un endroit plus chaud. Si les feuilles se décolorent et jaunissent, c'est sans doute que le yucca manque de lumière.

Les yuccas sont assez peu sensibles aux maladies cryptogamiques, mais l'association du froid et de l'humidité favorise le développement du botrytis (des plaques de moisissure grisâtre apparaissent sous les feuilles). Pulvériser un produit fongicide, laisser sécher le compost avant de redonner de l'eau et tenir la plante dans une atmosphère plus chaude. Parmi les parasites, les plus à craindre sont les cochenilles farineuses. Badigeonner les feuilles à l'alcool dénaturé et enlever les cocons blanchâtres à la pince à épiler. Parachever le traitement en pulvérisant du malathion dilué.

Guide d'achat

Ne pas acheter de yucca dont les feuilles commencent tout juste à se former, mais attendre que la rosette soit déjà bien développée. Des feuilles noircies indiquent que la plante a souffert du froid ou que l'on a fait usage de produits lustrants, qui sont nuisibles à ces espèces.

Donner à la plante le maximum de lumière et la tenir à une température de 20 à 24 °C en été, en assurant une bonne aération. Si la pièce est mal éclairée, l'idéal est de placer le yucca sur un balcon ou dans un patio ensoleillé pendant l'été.

D'avril à octobre, arroser assez abondamment, sans jamais laisser stagner d'eau. Si l'atmosphère est sèche, pulvériser de l'eau douce sur le feuillage deux ou trois fois par semaine. Attention toutefois à ne jamais effectuer ces vaporisations en plein soleil, car on risquerait de brûler les feuilles. De même, les produits lustrants, trop agressifs, sont à proscrire. Nourrir tous les huit ou dix jours avec un engrais liquide dilué dans l'eau d'arrosage, en utilisant seulement la moitié de la dose normalement conseillée.

Automne et hiver. Les yuccas tolèrent bien des températures assez basses (jusqu'à 7 °C), mais il est préférable de les tenir à 12-14 °C. Habitués à supporter de longues périodes de sécheresse dans leur milieu d'origine, ils n'ont besoin que d'un minimum d'eau pendant leur période de repos hivernal. De novembre à mars, cesser d'administrer de l'engrais et arroser parcimonieusement, juste pour empêcher le compost de se dessécher.

MULTIPLICATION

La multiplication par boutures, longue et délicate, est à déconseiller aux jardiniers amateurs qui y passeraient beaucoup de temps pour peu de résultats.

La plante produit à la base des rejets qu'il est facile d'utiliser pour la multiplication. Les détacher au printemps, en se servant d'un greffoir ou d'un couteau bien tranchant, alors qu'ils atteignent une quinzaine de centimètres de hauteur et qu'ils portent au moins deux paires de feuilles.

Planter dans un mélange à parts égales de terreau et de sable (ou de perlite) que l'on tiendra à peine humide. Placer à lumière moyenne ou au soleil tamisé et tenir à température ambiante jusqu'aux premiers signes de reprise (l'enracine-

Lorsque la plante a besoin d'être renouvelée, tailler dans la tige ligneuse des segments d'une dizaine de centimètres, pourvus chacun d'un bourgeon, qui serviront de boutures.

Saupoudrer chaque section d'un produit aux hormones qui favorisera l'enracinement et planter dans un mélange de sable et de tourbe, en évitant que la partie inférieure ne touche le fond.

Tenir au chaud et à l'étouffée. Dès que l'on voit apparaître des pousses indiquant que les racines sont bien développées, rempoter individuellement.

ment se produit normalement au bout de sept à huit semaines). Commencer à arroser lorsque de nouvelles pousses apparaissent, en imbibant bien le mélange, puis en le laissant chaque fois sécher en surface sur 2 cm d'épaisseur avant de redonner de l'eau. Au bout de quatre mois et jusqu'à la mi-décembre, nourrir tous les quinze jours avec un engrais liquide. Après la période de repos hivernal, rempoter dans le compost recommandé pour les sujets adultes et traiter comme indiqué précédemment.

Espèces

Yucca aloifolia Originaire du sud des États-Unis, du Mexique et des Antilles, cette espèce a un stipe non ramifié qui peut atteindre 1,25 m de hauteur pour 5 cm de diamètre. Ses feuilles épaisses et rigides d'un vert bleuté ont des bords finement dentés et sont extrêmement pointues, au point qu'il est conseillé d'installer la plante dans un endroit protégé pour éviter de se blesser par mégarde (ci-dessous). Réunies en grappes denses, les fleurs blanc crème, parfois lavées de pourpre, n'apparaissent pratiquement jamais à l'intérieur (à moins que la plante ne soit cultivée en terrarium).

Il existe de nombreuses variétés intéressantes. 'Marginata', aux feuilles vert clair ourlées de crème, est recherchée pour sa croissance très lente, qui permet de la garder longtemps en pot. 'Draconis', que certains botanistes considèrent comme un hybride, a des feuilles d'un vert brillant. 'Tricolor' se signale par ses feuilles striées de blanc et de jaune.

Yucca elephantipes Également connue sous le nom de *Y. guatemalensis*, cette espèce a un stipe de 1 m à 1,80 m de hauteur, qui se ramifie à son sommet en plusieurs tiges courtes portant chacune une rosette de feuilles souplement retombantes. D'un beau vert foncé vernissé, ses feuilles aux bord dentés ne sont pas épineuses à leur extrémité et peuvent dépasser 1 m de longueur.

Yucca filamentosa Originaire du sud-est des États-Unis, cette espèce est beaucoup moins délicate que les précédentes et peut être plantée en plein air dans les régions où les hivers ne sont pas trop rigoureux (elle est rustique dans la région parisienne). Elle se distingue par sa tige particulièrement courte (il n'y a pas de stipe, et la rosette de feuilles semble naître directement du sol), par ses feuilles dressées bordées de longs cils blanchâtres et par ses inflorescences coniques.

Zantedeschia

Famille : **Aracées**
Nom usuel : **zantedeschia**

Aspect en touffe	**Hauteur** de 45 à 90 cm	**Floraison** printemps
Culture assez facile	**Exposition** lumière vive	**Humidité** abondante

Les zantedeschias sont de fascinantes plantes semi-aquatiques originaires d'Afrique du Sud, où elles poussent spontanément dans les zones palustres. Ces marais tropicaux s'asséchant à la saison chaude, les zantedeschias se flétrissent et entrent en période de repos. Après quoi, les pluies revenant, l'eau les baigne à leur base, et leur croissance reprend.

Cet habitat très particulier entraîne des conditions de culture un peu spéciales. Ainsi les zantedeschias sont parmi les rares plantes qui supportent, en période de croissance, une terre imbibée d'eau sans que leurs racines risquent de pourrir. En revanche, tout excès d'humidité leur est néfaste en période de repos, et il faut même les protéger de la pluie.

Zantedeschia æthiopica Ses fleurs sont aussi belles que celles des arums.

Il faut certes se donner un peu de mal pour respecter ces exigences, mais on en sera amplement récompensé, car les zantedeschias n'ont rien à envier aux arums quant à la somptuosité de leurs fleurs (une spathe blanc ivoire en cornet et un spadice jaune d'or en épi). Ils sont très élégants avec leurs longues tiges aplaties et leurs feuilles sagittées vert sombre.

TECHNIQUE DE CULTURE

Zantedeschia æthiopica, qui a une floraison précoce, se rempote au début de septembre-octobre, juste avant la reprise de la végétation. Rempoter les autres espèces en février, dans un compost fertile à base de terreau (auquel on mélange un peu de tourbe afin qu'il conserve mieux l'humidité). En période de croissance, les zantedeschias ont besoin d'une lumière vive avec un peu de soleil. En période de repos (de juin à septembre), alors que la plante est desséchée, il est préférable de laisser en plein air, au jardin ou sur un balcon ensoleillé.

De la fin février au mois de mai (qui correspond à la fin de la floraison), *Z. æthiopica* doit être tenu à 13-15 °C, après quoi il lui faudra plus de fraîcheur (10 °C). Les autres espèces ont besoin d'une température plus élevée (18-21 °C) de la fin mars au mois d'octobre.

Ces plantes aiment l'humidité, mais, en bassinant le feuillage, il faut prendre garde de ne pas mouiller les fleurs.

Espèces

Zantedeschia albo-maculata Cette espèce forme une belle touffe de feuilles lancéolées d'un joli vert vif, soulignées de taches translucides d'un blanc argenté et longues d'environ 45 cm. Les inflorescences apparaissent en été, formées d'une spathe en trompette de forme plus tubuleuse, dont la couleur varie du blanc au crème, avec une tache rouge ou pourprée à la gorge, et un spadice blanchâtre.

Zantedeschia elliotiana Une plante très séduisante avec ses feuilles cordiformes ou sagittées vert sombre et ses spectaculaires inflorescences de 15 cm de longueur, qui apparaissent en mai-juin. La spathe jaune d'or s'enroule en cornet autour d'un spadice d'un jaune plus clair.

Zantedeschia rehmannii Longues de 25 à 30 cm, ses feuilles étroites à l'extrémité effilée sont souvent tachetées de blanc. Les inflorescences en cornet apparaissent d'avril à juin. La spathe, dont la couleur varie du rose tendre au carmin, entoure un spadice blanc crème (ci-contre).

Nouveaux hybrides D'apparition récente, ces hybrides de petite taille (30 à 45 cm de hauteur), mieux adaptés à la culture en appartement, ont été obtenus en Nouvelle-Zélande. On les apprécie aussi pour leur belle gamme de couleurs (ci-dessous), qui va du rouge vif au jaune, en passant par le rose plus ou moins intense, l'orange, le pourpre et le brun acajou.

Maladies et parasites

Il faut veiller aux éventuelles invasions des cochenilles farineuses, que l'on enlèvera avec un coton imbibé d'alcool dénaturé. Dans une atmosphère trop sèche, les araignées rouges peuvent proliférer, tendant leurs minuscules toiles sous les feuilles. Il faut les éliminer avec un acaricide spécifique et augmenter l'humidité ambiante pour prévenir toute nouvelle infestation.

Si les températures sont supérieures à 21 °C, la floraison des zantedeschias risque d'être abrégée, et leurs feuilles se flétriront prématurément. Si l'atmosphère est trop sèche, rafraîchir la plante par de fréquentes pulvérisations d'eau non calcaire, en prenant toutefois garde de ne pas mouiller les fleurs (les protéger en plaçant un bristol en écran).

Toutes les espèces ont besoin d'une lumière vive du début de l'automne à la fin du printemps, et même d'un peu de soleil, mais, sous les climats de type méditerranéen, il convient cependant de les protéger (par un voilage léger) des rayons les plus ardents de la mi-journée.

Au moment de la reprise de la végétation, commencer à arroser modérément, puis augmenter progressivement les rations d'eau jusqu'à ce que les feuilles soient entièrement formées. À partir de ce moment, les arrosages doivent être abondants, car les zantedeschias ne craignent nullement l'excès d'humidité et aiment au contraire avoir leurs racines dans un compost bien imbibé (on peut même laisser en permanence quelques centimètres d'eau dans la soucoupe).

Dès qu'apparaissent les premiers boutons floraux et jusqu'à la fin de la floraison, nourrir tous les quinze jours avec un fertilisant liquide ordinaire dilué dans l'eau d'arrosage.

Après la floraison, réduire les arrosages, puis les interrompre lorsque les feuilles sont devenues jaunes et sèches. Cesser également de donner de l'engrais. Il est alors préférable de placer le pot à l'extérieur, dans un endroit ensoleillé du jardin ou sur le balcon.

Les zantedeschias doivent être laissés au sec pendant leur phase de repos, et mieux vaut les protéger des pluies abondantes qui risqueraient de compromettre la reprise. La température n'a guère d'importance lorsque les rhizomes sont en dormance, mais il faut néanmoins les protéger du gel.

MULTIPLICATION

Au cours de la période de repos des rejets se forment autour du rhizome des zantedeschias. Les détacher au moment du rempotage ou diviser le rhizome. Saupoudrer chaque section d'un produit fongicide à base de soufre et laisser sécher pendant quelques jours.

Planter individuellement dans des pots de 8-10 cm de diamètre et traiter ensuite comme indiqué précédemment pour les plantes adultes. La multiplication par semis, longue et délicate, ne peut se réaliser qu'en serre froide.

Espèces

Zantedeschia æthiopica C'est l'espèce la plus connue, parfois baptisée arum d'Éthiopie bien qu'elle soit originaire d'Afrique du Sud (on l'appelle encore *Calla*). C'est aussi celle qui a la taille la plus imposante, avec ses hampes florales charnues qui peuvent atteindre 90 cm de hauteur. Ses inflorescences sont très élégantes avec leur spathe en cornet d'un blanc laiteux entourant un spadice jaune d'or. La variété 'Childsiana', plus florifère, s'adapte mieux en appartement. 'Green Goddess' (ci-dessus) se distingue par ses spathes de forme différente, maculées de vert clair.

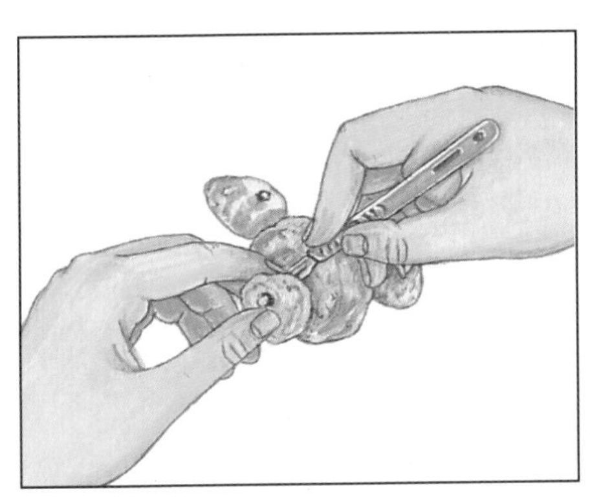

Détacher avec précaution les rejets qui se sont formés autour du rhizome, en vérifiant qu'ils portent chacun un bourgeon.

Saupoudrer les entailles avec un produit fongicide à base de soufre, qui préviendra la pourriture, et laisser sécher quelques jours.

Planter chaque segment à 5-8 cm de profondeur, dans un compost à base de terreau auquel on aura mélangé un peu de tourbe.

INDEX